工程物资管理
系/列/丛/书

中铁四局集团物资工贸有限公司　组编

国际贸易与海外项目物资管理

International Trade and
Overseas Project Materials Management

谭小杰　吕时礼　班苑苑 ◎ 主编

图书在版编目(CIP)数据

国际贸易与海外项目物资管理/谭小杰,吕时礼,班苑苑主编.—合肥:安徽大学出版社,2019.11(2024.8重印)

(工程物资管理系列丛书)

ISBN 978-7-5664-1903-3

Ⅰ.①国… Ⅱ.①谭… ②吕… ③班… Ⅲ.①国际贸易－高等学校－教材 ②国际物流－物流管理－高等学校－教材 Ⅳ.①F74 ②F259.1

中国版本图书馆 CIP 数据核字(2019)第 151544 号

国际贸易与海外项目物资管理　谭小杰　吕时礼　班苑苑 主编

出版发行：	北京师范大学出版集团 安徽大学出版社 (安徽省合肥市肥西路 3 号 邮编 230039) www.bnupg.com www.ahupress.com.cn
印　　刷：	江苏凤凰数码印务有限公司
经　　销：	全国新华书店
开　　本：	787 mm×1092 mm　1/16
印　　张：	20.5
字　　数：	371 千字
版　　次：	2019 年 11 月第 1 版
印　　次：	2024 年 8 月第 2 次印刷
定　　价：	58.00 元

ISBN 978-7-5664-1903-3

策划编辑：陈　来　刘中飞		装帧设计：李伯骥	
责任编辑：邱　昱　方　青　姚　宁		美术编辑：李　军	
责任印制：陈　如　孟献辉			

版权所有　侵权必究

反盗版、侵权举报电话：0551—65106311
外埠邮购电话：0551—65107716
本书如有印装质量问题,请与印制管理部联系调换。
印制管理部电话：0551—65106311

工程物资管理系列丛书

编委会

主　　任　刘　勃　汪海旺

执行主任　余守存　王　琨　晏荣龙　杨高传

副 主 任　吴建新　张世军　刘克保　季文斌
　　　　　　金礼俊

委　　员（以姓氏拼音为序）

　　　　　　蔡长善　陈春林　陈根宝　陈　武
　　　　　　陈　勇　杜宗晟　冯松林　侯培赢
　　　　　　姜维亚　经宏启　黎小刚　李继荣
　　　　　　刘英顺　牟艳杰　单学良　沈　韫
　　　　　　田军刚　王衡英　吴　峰　吴　剑
　　　　　　徐晓林　杨维灵　郁道华　袁　毅
　　　　　　詹家敏　赵　瑜　周　黔　周　勇
　　　　　　朱玉蜂

本书编委会

主　编　谭小杰　吕时礼　班苑苑
副主编　牟艳杰　乔文才　赵　瑜
编　者（以姓氏拼音为序）
　　　　　白小耿　班苑苑　陈小林　窦丽娟
　　　　　葛巍巍　胡秋花　黄　艳　刘西锋
　　　　　吕时礼　牟艳杰　乔文才　沈加荣
　　　　　谭小杰　王　瑶　徐先创　张萍萍
　　　　　赵　瑜

总　序

　　工程物资管理是一个历史悠久、专业性强、实用性突出的重要专业,它和工程类其他专业一起,为高速列车疾驶在祖国大地上、为高楼大厦耸立在城市天际线、为水电天然气走进千家万户作了理论支撑和技术支持。但是,2008年以来,为了迎接来势凶猛、发展迅速的电商物流产业,原开设工程物资管理的院校纷纷将原有的工程物资管理专业调整为物流管理专业,一字之差,专业方向南辕北辙、专业内容天壤之别,工程物资管理的课程和教学课程已经被边缘化到了近似于无的不堪境地。2008年以后,分配到建筑施工企业的物流管理专业毕业生基本上专业不对口,全国近百万工程物资从业人员处于专业知识匮乏、技能培训不足、工作缺乏指导的蒙昧状态;与此同时,工程建设领域新理念日新月异、新技术层出不穷、新材料竞相登场;工程物资管理也出现了很多新挑战、新问题和新机遇,专业方向的偏差使得广大物资人很难在自己的事业中掌握实用的专业知识和积淀深厚的理论素养,活跃在天涯海角、大江南北的物资人亟须得到系统性的专业教育和实用性的知识更新。加强工程物资管理的专业培训,不仅是一个企业的刚性需求,更是一个企业对整个建筑行业的历史担当。

　　为了助推建筑施工企业持续健康发展,提高工程物资管理人员的综合素质,培养工程物资管理复合型人才,由中铁四局集团物资工贸有限公司牵头,在集团公司领导和相关部门大力支持下,在全局100多位资深物资人和其他专业人员精心编纂与苦心锤炼下,在安徽职业技术学院鼎力支持下,经过无数次会议的策划和切磋,无数个日夜的筚路蓝缕,无数个信函的时空穿梭,我们历时两年多的时间,终于将这套鲜活、精湛、全面的"工程物资管理系列丛书"呈现在读者面前。系列丛书共六册,即《建设工程概论》《建设工程物资》《工程物资管理实务》《工程经济管理》《国际贸易与海外项目物资管理》和《电子商务与现代物流》,共计260万字;丛书详细诠释了与工程物资管理相关的专业理论知识,并结合当前行业标准、技术规范、质量要求和前沿工程实践,为不同方向、不同层次、不同岗位的物资人员提供既有全面性又有差异性的知识供给,力求满足每位物资人个性化学习和发展的需要;概括地说,丛书内容涵盖了一位复合型物资人才需要掌握的全部知识。

《建设工程概论》主要针对建设施工涉及的专业领域,从专业分类、技术流程、施工组织、项目管理、法律法规等方面进行阐述,以便物资管理人员及时且准确地明晰建筑工程的特点、流程和规律,围绕工程施工的主线,确立自身工作职能和定位,找到具体工作的切入点和着力点。

《建设工程物资》对主要物资的性能、参数、检验与保管等进行全面系统的描述,是工程物资管理中最基础的具有工具书性质的专业书籍,方便物资管理人员随时学习和查阅。

《工程物资管理实务》主要梳理建筑施工企业物资采购管理、供应管理、现场管理等内容,并介绍了现代采购管理新理念以及信息化建设的发展前沿。在网络技术和信息化高度发达的今天,供应链管理成为重点研究方向,本书对上游(产品制造商或服务提供商)、中游(供应商或租赁商)、下游(终端用户)分别进行了详细阐述,并系统阐述相互关联与合作的路径,引导物资管理人员树立全新的采购和供应商管理理念。

《工程经济管理》主要介绍建设工程的投资估价、调概索赔、成本管控、财税管理等内容,使物资管理人员深入了解工程施工中相关费用的构成与管控,明晰物资管理在工程管理中的作用与价值,拓展了理论视野与知识边界,便于广大物资人跳出专业之外看问题与做事情。

《国际贸易与海外项目物资管理》重点介绍了国际贸易的理论、法规、术语、合同等内容,针对海外工程项目物资管理的特殊性,详细阐述了海外物资采购、商检报关、集港运输、出口退税等一系列业务流程,方便物资管理人员学习掌握与灵活应用。

《电子商务与现代物流》主要介绍电子商务和现代物流的发展趋势、主要特征和运作模式,让物资管理人员了解电商背景下的企业物流管理。高校物流管理专业也开设了这门课程,毕业生对电子商务和物流方面的知识相对熟悉,但本书难能可贵之处就是将其思想和理念有效地运用到建筑施工企业的物资管理中,深度聚焦工程实际,对物资人的工作实践大有裨益。

我们怀揣着"春风化雨"的美好夙愿，向广大物资人推广和普及本套系列丛书，让基础理论和相关知识滋养有志于工程物资管理工作的同仁们，并在具体的工作实践中开花结果。然而，由于本套系列丛书专业性强、内容庞杂、理论跨度较大，加上编写时间仓促，难免存在不足之处；因此，当这套系列丛书与大家见面时，希望广大专家和同仁们多提宝贵意见和建议，我们将进一步修订和完善。

己欲立而立人，己欲达而达人。时代的浪潮滚滚向前，唯有不断地鞭策和学习才能使我们在这个日新月异的世界里保持从容和淡定。愿这套系列丛书成为我们丰富知识的法宝、增进友谊的桥梁、共同进步的见证。

余守存

2019 年 8 月

前　言

伴随着新一轮改革开放和"一带一路"倡议的稳步推进，中国工程企业"走出去"正处于宏观环境利好、业务能力提升、商业模式升级的快速发展阶段。中铁四局集团有限公司作为中国第一批"走出去"的建筑施工企业，在安哥拉、巴拿马、委内瑞拉、埃塞俄比亚、孟加拉国、蒙古等海外几十个国家都有在建项目。因此，中铁四局必须加强海外市场的业务管理。我们精心编写本书，希望能够帮助从事海外项目的管理团队和工作人员了解对外承包工程物资进出口业务中的国际贸易基础理论知识，熟悉业务流程，学会缮制进出口的物资单证以及海外项目物资采购和现场管理技能。

全书共分为两篇，即国际贸易篇和海外业务管理篇。为体现应用性的特点，本书精心设计了10章内容，把有关外贸业务的理论知识与工程物资管理知识结合在一起，既有较强的理论性，又有海外业务的应用指导价值。

本书是由中铁四局集团物资工贸有限公司、中铁四局海外项目管理的企业专家及安徽职业技术学院的教师联合编写。在编写的过程中，编者多次到海外施工企业、国际物流企业、港口码头、海关、商检等单位进行实地考察，保证了内容的新颖性和实践性。

在本书的编写过程中，我们参考了大量国内学者的相关著作、教材和文献资料，在此一并表示诚挚的谢意。由于编者水平有限，书中难免存在错误与缺憾，我们诚恳地希望广大读者给我们提出宝贵的意见，以便今后进一步完善与修订。

编　者

2019年8月

目 录

第一篇 国际贸易

第一章 国际贸易导论 ……………………………………………………… 3
第一节 国际贸易的产生与发展 …………………………………………… 3
第二节 国际贸易的基本概念 ……………………………………………… 5
第三节 国际贸易理论综述 ………………………………………………… 10

第二章 外贸法律法规 ……………………………………………………… 17
第一节 国际市场调研 ……………………………………………………… 17
第二节 "一带一路"带来的新机遇 ……………………………………… 18
第三节 国际贸易惯例及法律法规 ………………………………………… 20

第三章 国际贸易术语 ……………………………………………………… 25
第一节 贸易术语的概念和作用 …………………………………………… 25
第二节 贸易术语的分类 …………………………………………………… 28
第三节 贸易术语的运用 …………………………………………………… 41

第四章 国际贸易合同 ……………………………………………………… 44
第一节 国际贸易合同的作用和特点 ……………………………………… 44
第二节 国际贸易合同的内容 ……………………………………………… 46
第三节 国际贸易合同条款细节 …………………………………………… 48
第四节 依法订立和履行合同 ……………………………………………… 72
第五节 谨防合同欺诈和合同陷阱 ………………………………………… 79
第六节 国际结算 …………………………………………………………… 84

第五章 FIDIC 合同 ………………………………………………………… 100
第一节 FIDIC 组织 ………………………………………………………… 100
第二节 FIDIC 出版物 ……………………………………………………… 102

第三节　FIDIC 合同特点 …… 108

第四节　FIDIC 合同的应用 …… 109

第五节　FIDIC 合同条件简介 …… 110

第二篇　海外项目物资管理

第六章　世界航线与主要港口的认识 …… 121

第一节　世界航线 …… 121

第二节　主要港口 …… 125

第七章　海外项目业务流程 …… 133

第一节　海关 …… 133

第二节　商检 …… 137

第三节　报关 …… 146

第四节　目的港清关 …… 157

第五节　出口退税 …… 159

第八章　国际货运代理实务 …… 167

第一节　国际货物运输概述 …… 167

第二节　国际货运代理概述 …… 170

第三节　集装箱基础知识 …… 177

第四节　国际货运代理合同 …… 190

第五节　国际海运规则及法规 …… 196

第九章　出口物资单证 …… 219

第一节　报检委托书、报检单 …… 219

第二节　报关单的填制 …… 226

第三节　制作商业发票 …… 239

第四节　装箱单 …… 242

第五节　出口许可证 …… 244

第六节　原产地证明书 …… 249

第七节　海运提单 …… 253

第八节　保险单 …… 260

第十章 海外项目物资采购及现场管理 ……………………………………… 265

第一节 海外项目物资计划管理的重要性 ………………………………… 265
第二节 采购询价与定价 …………………………………………………… 270
第三节 出口货物的供应商选择 …………………………………………… 275
第四节 出口货物采购谈判要点 …………………………………………… 277
第五节 采购进货与付款控制 ……………………………………………… 282
第六节 国际采购、属地采购 ……………………………………………… 286
第七节 海外项目现场管理 ………………………………………………… 299

参考文献 …………………………………………………………………… 310

第一篇

国际贸易

国际贸易与海外项目物资管理
GUOJI MAOYI YU HAIWAI XIANGMU WUZI GUANLI

第一章 国际贸易导论

第一节 国际贸易的产生与发展

一、资本主义社会以前的国际贸易

(一)国际贸易的产生

国际贸易属于历史范畴,它是在一定历史条件下发展起来的。具有可供交换的剩余产品和存在各自为政的社会实体,是国际贸易得以产生的两个前提条件。

在原始社会早期,没有剩余产品和私有制,也没有阶级和国家,因而也没有对外贸易。

人类社会的三次社会大分工,一步一步地改变了上述状况。第一次大分工是畜牧业和农业之间的分工。它促进了生产力的发展,使产品有了剩余。第二次社会大分工是手工业从农业中分离出来,由此出现了直接以交换为目的的生产即商品生产,并最终导致了货币的产生,引致了第三次社会大分工,即出现了商业和专门从事贸易的商人。原始社会的末期出现了阶级和国家,于是商品经济得到进一步发展,商品交易最终超出国家的界限,形成了最早的对外贸易。

(二)奴隶社会的对外贸易

从总体上来说,奴隶社会是自然经济占统治地位,生产的直接目的主要是为了消费。商品生产在整个经济生活中还是微不足道的,进入流通的商品很少,加上生产技术落后、交通工具简陋,各个国家和区域对外贸易的范围受到很大限制。参与国际贸易的国家和区域主要有:古埃及、古巴比伦、古希腊、中国、罗马帝国、波斯帝国、古印度等。

从国际贸易的商品构成来看,奴隶是当时欧洲国家对外交换的一种主要商品。希腊的雅典就是那时贩卖奴隶的一个中心。此外,奴隶主阶级需要的奢侈消费品,如宝石、香料、各种织物和装饰品等,在对外贸易中占有重要的地位。

(三)封建社会的对外贸易

封建社会取代奴隶社会之后,国际贸易有了很大的发展。但是自然经济占据主导地位,国际贸易多局限于部分区域内,国际贸易在经济生活中的作用还很小。

封建社会时期开始出现国际贸易中心。早期的国际贸易中心位于地中海东部,公元11世纪以后,欧洲的贸易中心从地中海东部逐步向意大利北部、波罗的海沿岸转移。在14—15世纪,亚洲是重要的贸易区,包括以中国、朝鲜、日本为主的东亚贸易区,占婆(今越南南部)和扶南(今柬埔寨)等国家组成的东南亚贸易区,以及以印度为主的南亚贸易区。欧洲主要包括了地中海贸易区、北海和波罗的海贸易区、东欧俄罗斯贸易区、汉萨贸易区。

从国际贸易的商品来看,主要商品仍然是奢侈品,如金银、丝绸、香料、宝石、象牙、瓷器和少量毛纺织品,西方国家以呢绒、酒等商品换取东方的丝绸、香料和珠宝等。手工业品的比重有明显的上升。在交通运输工具上,船舶也有了较快的发展,国际贸易的范围随着运力的增加而进一步扩大。

二、资本主义社会国际贸易的广泛发展

国际贸易真正获得巨大的发展,是在资本主义生产形成和发展时期。在资本主义生产方式下,国际贸易额急剧扩大,国际贸易活动范围遍及全球,商品种类日益繁多,国际贸易的地位与作用的提高使国际贸易成为资本主义扩大再生产的重要组成部分。不过,在资本主义发展的各个具体时期,国际贸易的发展情况又不尽相同。

(一)资本主义生产方式准备时期的国际贸易

资本主义生产方式准备时期(16—18世纪中叶)是资本原始积累和工场手工业发展的时期。这一时期的国际贸易,明显地反映出资本原始积累的一些特征,特别是欧洲国家通过暴力、掠夺和欺骗等方式,扩大了对殖民地的贸易,殖民地在宗主国对外贸易中的比重和地位日益提高,宗主国从中攫取了巨额利润。不过,整体来说,由于在这一时期资本主义机器大工业尚未建立,通讯、交通工具尚不完善,所以这一时期国际贸易的范围、商品品种和贸易额等都受到了一定的限制。

(二)资本主义自由竞争时期的国际贸易

资本主义自由竞争时期(18—19世纪中叶)是资本主义生产方式得到确立的时期。欧洲国家先后发生的产业革命和资产阶级革命,蒸汽机在火车和轮船上的应用促进了交通运输工具的改革,相对缩短了国家间的距离,使更多的国家和商品进入了国际交换的领域。机器大工业促使社会生产力水平大大提高,可供交换的产品空前增加,真正的国际分工开始形成。大工业使交通和通信联络发生了变

革,极大地便利和推动了国际贸易的发展。

在这个时期,欧洲国家进一步推行殖民政策,使广大殖民地日益成为资本主义宗主国的销售市场和原料来源地,形成了不合理的国际分工,国际贸易中的斗争也趋于激烈。

(三)资本主义垄断时期的国际贸易

19世纪末20世纪初,各主要资本主义国家从自由竞争时期过渡到垄断资本主义时期。在国际贸易中,垄断组织通过垄断价格不断扩大不等价交换;垄断组织把资本输出和商品输出直接结合起来,加重了对殖民地附属国的掠夺,同时殖民地、附属国不仅在国际贸易上,而且全部经济都卷入到错综复杂的国际经济联系中,形成了资本主义的世界经济体系;各主要资本主义国家之间的竞争更趋激烈,关税壁垒与非关税壁垒等贸易政策措施进一步加深了帝国主义国家之间的矛盾,而随着帝国主义发展不平衡的日益加剧,帝国主义国家之间为重新瓜分世界市场的斗争更趋尖锐化,并引起了世界大战的爆发;科学技术的革命也促进了国际贸易的发展,特别是第二次世界大战以后,国际贸易地位得到了进一步提高。

三、"二战"后国际贸易的发展

"二战"后,以美国为先导出现了以原子能、电子、合成材料、航天技术、生物技术为标志的新的科学技术革命,这次产业革命几乎在各门科学和技术领域都发生了深刻的变化,带来了劳动自身性质以及人和机器相互关系的变化,促成了一系列产业的诞生和发展。此次产业革命带来了运输方式、信息技术和办公软件的发展,从而完善了国际贸易的平台,同时也带来了产业结构的软化,即体力劳动和资源的投入相对减少,脑力劳动和科技的投入相对增大,劳动与资源密集型产业在经济发展中的地位和作用日益为知识和技术密集型产业所取代。

第二节 国际贸易的基本概念

一、国际贸易和对外贸易

(一)国际贸易

国际贸易(International Trade)亦称"世界贸易",泛指国际间的商品和劳务(或货物、知识和服务)的交换。它由各国(地区)的对外贸易构成,是世界各国对外贸易的总和。国际贸易可以调节国内生产要素的利用率,改善国际间的供求关系,调整经济结构,增加财政收入等。

(二)对外贸易

对外贸易(Foreign Trade)是指一个特定的国家(或地区)与其他国家(或地区)之间的商品交换活动,又称国外贸易(External Trade)、进出口贸易(Import and Port Trade)。这种贸易由进口和出口两个部分组成。对运进商品或劳务的国家(地区)来说,就是进口;对运出商品或劳务的国家(地区)来说,就是出口。

对外贸易与国际贸易都是指越过国界所进行的商品交换活动。从这一点说,两者是一致的。但是它们也有明显的区别,前者是着眼于某个国家,即一个国家(地区)同其他国家(地区)之间的商品交换;后者是着眼于世界范围,即世界上所有国家(地区)之间的商品交换。

二、对外贸易值和与对外贸易量

(一)对外贸易值

对外贸易值(Value of Foreign Trade)是以货币表示的贸易金额。一定时期内一国从国外进口的商品的全部价值,称为"进口贸易总额或进口总额";一定时期内一国向国外出口的商品的全部价值,称为"出口贸易总额或出口总额"。两者相加为进出口贸易总额或进出口总额,是反映一个国家对外贸易规模的重要指标。一般用本国货币表示,也有用国际上习惯使用的货币表示。联合国编制和发表的世界各国对外贸易值的统计资料,是以美元表示的。

(二)对外贸易量

对外贸易量是剔除了价格变动因素后的对外贸易值。以货币所表示的对外贸易值经常受到价格变动的影响,因而不能准确地反映一国对外贸易的实际规模,更不能使不同时期的对外贸易值直接比较。为了反映进出口贸易的实际规模,对外贸易量通常以贸易指数表示,其办法是按一定期的不变价格为标准来计算各个时期的贸易值,用进出口价格指数除以进出口值,得出按不变价格计算的贸易值,便剔除了价格变动因素,就是对外贸易量。然后,以一定时期为基期的贸易量指数同各个时期的贸易量指数相比较,就可以得出比较准确反映贸易实际规模变动的贸易量指数。

三、总贸易体系与专门贸易体系

(一)总贸易体系

总贸易体系(General Trade System)指以国境为标准统计货物进出口的方法。凡是进入该国国境的商品一律列为进口,称为总进口(General Import);凡是离开该国国境的商品均列为出口,称为总出口(General Export)。总进口额加上总出口额就是一国的总对外贸易额,即:总贸易额=总进口额+总出口额。采用这种方法划分的有美国、日本、英国、加拿大、澳大利亚等90多个国家或地区,我国也采用总贸易的统计方法,说明一国在国际商品流通中所处的地位和所起的作用。

(二)专门贸易体系

专门贸易体系(Special Trade System)又称为"特殊贸易体系",是指以关境作为划分和统计进出口的标准。在外贸统计时,以关境为界,一定时期内运入关境的商品列为进口,称为专门进口;运出关境的商品列为出口,称为专门出口。专门进口和出口的和即专门贸易。法国、德国、意大利等采用此法,说明一国作为生产者和消费者在国际贸易中的地位。

关境与国境

关境是指统一海关法管辖的范围,是征收关税的领域。国境是一国领土范围。在通常情况下,国境的范围同关境的领域大小是一致的。第二次世界大战后,关税同盟和自由贸易区、自由港大量出现,国境等于关境的原则被突破,国境和关境有时不完全一致。当几个国家结成关税同盟,组成一个共同关境,实施统一的海关法规和关税制度,其成员国的货物在彼此之间的国境进出不征收关税,海关只对进出同盟国以外的商品征收统一的关税,关境包括了几个缔约国的领土,此时关境大于其成员国的各自国境。当在建立自由港、自由贸易区、保税区等经济特区的情况下,进出自由港、自由贸易区等经济特区的商品不征收关税,不属于该国的关境范围之内,此时关境小于国境,关境移至这些经济特区与国内其他地区交界处。

四、直接贸易与间接贸易

(一)直接贸易

直接贸易(Direct Trade)是指商品生产国与商品消费国直接买卖商品的行

为。就生产国而言是直接出口,就消费国而言是直接进口。由本国厂商经营本国商品的进出口贸易也称为直接贸易。发展中国家为了摆脱外资的控制,独立自主地发展民族经济,逐渐地禁止外资厂商经营本国的进出口贸易,改由本国厂商经营,因此,直接贸易在发展中国家贸易总额中的比重越来越大。

(二)间接贸易

间接贸易(Indirect Trade)是"直接贸易"的对称,是指商品生产国与商品消费国通过第三国进行买卖商品的行为。其中,生产国是间接出口;消费国是间接进口;第三国是转口。转口贸易(Intermediary Trade)是指生产国与消费国之间通过第三国所进行的贸易。即使商品直接从生产国运到消费国去,只要两者之间并未直接发生交易关系,而是由第三国转口商分别同生产国与消费国发生的交易关系,仍然属于转口贸易范畴。

五、有形贸易与无形贸易

(一)有形贸易

有形贸易(Visible Trade)是"无形贸易"的对称,指商品的进出口贸易。由于商品是可以看得见的有形实物,故商品的进出口被称为有形进出口,即有形贸易。

(二)无形贸易

无形贸易(Invisible Trade)指的是劳务和其他非实物形态商品的进出口。其重要项目包括:由商品进出口和人的国际间流动而发生的运输、保险、旅游及劳务等的提供和接受;由资本的国际间移动而产生的收益项目,利润、利息、股息、租金等以及外交机构、人员的费用、侨民汇款、技术和专利等其他项目。无形贸易项目的支出对应于无形进口,收入对应于无形出口。其收支项目(非贸易收支)与有形贸易收支(贸易收支)构成国际收支中经常项目的主要部分。

六、复出口与复进口

(一)复出口

复出口(Re-export)是指外国商品进口以后未经加工制造又出口,也称再出口。复出口在很大程度上同经营转口贸易有关。

(二)复进口

复进口(Re-import)是指本国商品输往国外,未经加工又输入国内,也称再进口。复进口多因偶然原因(如出口退货)所造成。

七、国际贸易地理方向与国际贸易商品结构

(一)国际贸易地理方向

国际贸易地理方向亦称"国际贸易地区分布"(International Trade by Region),用以表明世界各洲、各国或各个区域集团在国际贸易中所占的地位。计算各国在国际贸易中的比重,既可以计算各国的进、出口额在世界进、出口总额中的比重,也可以计算各国的进出口总额在国际贸易总额(世界进出口总额)中的比重。

由于对外贸易是一国与别国之间发生的商品交换,因此,把对外贸易按商品分类和按国家分类结合起来分析研究,即把商品结构和地理方向的研究结合起来,可以查明一国出口中不同类别商品的去向和进口中不同类别商品的来源,具有重要意义。

(二)国际贸易商品结构

国际贸易商品结构是指一定时期内各大类商品或某种商品在整个国际贸易中的构成,即各大类商品或某种商品贸易额与整个世界出口贸易额相比,以比重表示。为便于分析比较,世界各国和联合国均以联合国《国际贸易商品标准分类》(SITC)公布的国际贸易和对外贸易商品结构进行分析比较。国际贸易商品结构可以反映出整个世界的经济发展水平、产业结构状况和科技发展水平。

八、贸易差额

贸易差额(Balance of Trade)是一国在一定时期内(如一年、半年、一季、一月)出口总值与进口总值之间的差额。当出口总值与进口总值相等时,称为"贸易平衡"。当出口总值大于进口总值时,出现贸易盈余,称"贸易顺差"或"出超"。当进口总值大于出口总值时,出现贸易赤字,称"贸易逆差"或"入超"。通常,贸易顺差以正数表示,贸易逆差以负数表示。

九、外贸依存度

外贸依存度(Foreign-Trade Dependence,FTD),亦称"外贸依存率""外贸系数",是指一定时期内一个国家或地区进出口总额(Ex+Im)(Ex、Im 分别表示出口和进口总额)与国内生产总值(GDP)的比值,即 $FTD=(Ex+Im)/GDP$。用以衡量一国对国际贸易的依赖程度,是反映一个地区的对外贸易活动对该地区经济

发展的影响和依赖程度的经济分析指标。从最终需求拉动经济增长的角度看,该指标还可以反映一个地区的外向程度,在一定程度上体现一个国家或地区的经济中对外贸易的地位,以及该国家或地区加入国际分工、世界市场的广度和深度。

对外贸易依存度又被分为进口依存度(Import Dependence,ID)和出口依存度(Export Dependence,ED)。出口依存度＝出口总额/国民生产总值;进口依存度＝进口总额/国民生产总值。

一般情况下,依存度超过50%,就认为依赖程度偏高。但是偏高并不等于对该国的经济发展不利,还有看世界经济的情况。如果世界经济整体向好,高依存度对该国的经济发展是个促进,反过来,如果世界经济衰退,则首当其冲就要影响高依存度的国家。

第三节　国际贸易理论综述

从亚当·斯密的国际贸易分工理论的建立到当代国际贸易分工理论的发展,资产阶级国际贸易分工理论大体上经历了三个发展阶段。第一个阶段是从亚当·斯密1776年发表的《国民财富的性质和原因的研究》一书中提出"绝对成本理论",到1817年大卫·李嘉图在他的《政治经济学及赋税原理》一书中建立以"比较成本理论"为基础的国际贸易学说总体系。这是国际贸易分工理论的创立阶段。第二个阶段是从比较成本的创立到1933年瑞典经济学家伯尔蒂尔·俄林出版《地区间贸易和国际贸易》一书,提出生产要素禀赋理论。这一理论被视为现代国际贸易理论的最重要基石。第三个阶段是二战后西方经济学界对传统国际贸易分工理论的检验、修补和扩展,以及为解释诸如产业内贸易、公司内贸易等国际贸易新现象而产生的种种"新"的贸易分工理论。

一、绝对成本理论

国际贸易分工理论的创始者、英国古典经济学家亚当·斯密,在《国民财富的性质和原因的研究》一书中,提出绝对成本理论来论证国际贸易发生的基础。

亚当·斯密的绝对成本理论,是建立在他的分工和国际分工学说基础之上的。他通过一国内部的不同职业、不同工种之间的分工原则来说明国际贸易分工。他认为,分工能够提高劳动生产率,增进社会财富。如果每个人都用自己擅长生产的东西去交换自己不擅长生产的东西,那对交换双方都有利。他写道:"如果一件东西在购买时所费的代价比在家里生产时所费的小,就永远不会想要在家里生产,这是每一个精明的家长都知道的格言。"裁缝不必自己做鞋子,而向鞋匠购买;鞋匠也不必自己缝衣服,而向裁缝买衣服。每个人都应该发挥各自的优势,集中生产自己的优势产品,然后相互交换,那是有利的。"在每一个私人家庭的行为中是精明的事情,那么这种行为,对一个国家说来绝不是愚蠢的事情。如果外国能以比我们自己制造还便宜的商品供应我们,我们最好就用我们有利地使用自己的产业生产出来的物品的一部分来向他们购买。"

那么,用什么标准来判断一国某种商品是否便宜呢?斯密认为应依据生产成本。一国应把本国生产某种商品的成本即生产费用与外国生产同种商品的成本即生产费用相比较,以便决定是自己生产还是从外国进口。这就是所谓"绝对成本说"。如果一国某种商品的生产成本绝对地低于他国,那该国生产这种商品的产业就是具有绝对优势的产业,相反,就是不具有绝对优势或处于"绝对劣势"的产业。各国按照绝对成本差异进行国际分工,专门生产本国具有绝对优势的产品去进行贸易,将会使各国的资源、劳动力和资本得到最有效率的利用,将会大大地提高劳动生产率和增加各国的物质福利。

斯密不仅论证了国际贸易分工的基础是各国商品之间存在绝对成本差异,还进一步指出了存在绝对成本差异的原因。斯密认为,每一个国家都有其适宜生产某些特定产品的绝对有利的生产条件,因而生产这些产品的成本会绝对地低于他国。一般来说,一国的绝对成本优势来源于两个方面:一是自然禀赋的优势,即一国在地理、环境、土壤、气候、矿产等自然条件方面的优势,这是天赋的优势;二是人民特殊的技巧和工艺上的优势,这是通过训练、教育而后天获得的优势。一国如果拥有其中的一种优势,那么这个国家某种商品的劳动生产率就会高于他国,生产成本就会绝对地低于他国。试举例说明。

假定英国和葡萄牙两国同时生产呢绒和酒。由于自然资源和生产技术条件不同,两国生产同量呢绒和酒的生产成本不同。生产1单位呢绒和1单位酒,英国各需100人劳动一年和120人劳动一年,葡萄牙各需110人劳动一年和80人劳动一年(见表1-1)。

表1-1 英国和葡萄牙的绝对成本差异

国家	呢绒(1单位)	酒(1单位)
英国	100天	120天
葡萄牙	110天	80天

很清楚,生产同量呢绒,英国的生产成本比葡萄牙低,处于绝对优势;而生产同量酒,葡萄牙的生产成本比英国低,处于绝对优势。按照绝对成本理论,各国应根据自己最有利的生产条件进行专业化生产,生产出生产成本比别国低的产品,然后进行国际交换,就能保证双方都能得到贸易利益。在上述例子中,英国应出口呢绒进口酒,而葡萄牙则相反。

按照绝对成本差异进行国际分工和贸易,其直接利益表现在劳动生产率的提高、消费水平的提高和劳动时间的节约等方面。

首先,在国际分工前,英、葡两国一年共生产2单位呢绒和2单位酒。在国际分工后,英国专门生产呢绒,220人劳动一年,可生产出2.2单位的呢绒。葡萄牙专门生产酒,190人劳动一年,可生产出2.375单位的酒。两种产品的总产量都增加了,这显然是劳动生产率的提高。

其次,假定英国用一半呢绒与葡萄牙交换酒,再假定交换比例为1∶1,那么,通过国际贸易都能提高消费水平。英国呢绒和酒的消费量分别是1.1单位,都比贸易分工前增加0.1单位。而葡萄牙呢绒和酒的消费量分别是1.1单位和1.275单位,比贸易分工前增加了0.1单位的呢绒和0.275单位的酒。

再次,如果两国维持分工前的消费水平不变,英国只需用100人生产的1单位呢绒与葡萄牙交换自己需要的1单位酒,比自己生产节约了20人一年的劳动。葡萄牙只要用80人生产的1单位酒与英国换回自己需要的1单位呢绒,比自己生产节约了30人一年的劳动。

总之,亚当·斯密认为,按绝对成本差异进行国际分工和国际贸易,各国都能发挥生产中的绝对优势而获得贸易利益。生产成本绝对差别的存在,是国际贸易分工产生的基础和原因。

二、比较成本理论

亚当·斯密的"绝对成本"理论解释了产生国际贸易的部分原因,但局限性是很明显的。它只能解释在生产上各具绝对优势的国家之间的贸易,而不能解释事实上存在的所有产品都处绝对优势的发达国家和所有产品都处绝对劣势的经济不发达国家之间的贸易现象。英国古典经济学家大卫·李嘉图在绝对成本理论的基础上,提出了比较成本理论,第一次以无可比拟的逻辑力量,论证了国际贸易分工的基础不限于绝对成本差异,只要各国之间产品的生产成本存在着相对差异(即"比较成本"差异),就可参与国际贸易分工并取得贸易利益。

> **背景案例**
>
> **兄弟俩的分工:一个比较优势的案例**
>
> 有兄弟俩都已结婚另立了门户。哥哥家养一头牛,弟弟家有一台拖拉机。如果用牛耕地,一天可赚40元钱,搞运输一天能赚60元钱;用拖拉机耕一天地可赚50元钱,搞运输一天能赚100元。刚开始,兄弟俩都是上午耕地,下午跑运输,一天下来,哥哥收入50元,弟弟收入75元。几天后,聪明的弟弟发现了一个问题,就是哥俩一天干两种活,不如分一下工。于是就找哥哥说,从今以后,你替我耕地,我则专门跑运输,你每天除了得到耕地的40元

外,我再给你20元作为你替我耕了半天地的报酬,这样,你就可以得到60元,比以前多得10元,我在支付了给你的报酬之后,还能得到80元,比以前多5元,对我们俩都有好处。哥哥半信半疑,不知这多出的15元是从哪里来的,还以为是聪明的弟弟在骗他。

我们以李嘉图自己举的例子来说明这个理论。假定英国和葡萄牙两国同时生产酒和呢绒。由于生产条件的差异,两国生产同量酒和呢绒的生产成本不同。生产1单位呢绒和1单位酒,英国各需100人劳动一年和120人劳动一年,葡萄牙各需90人劳动一年和80人劳动一年(见表1-2)。

表1-2 英国和葡萄牙的比较成本差异

国家	呢绒(1单位)	酒(1单位)
英国	100天	120天
葡萄牙	90天	80天

按照斯密的绝对成本理论,在以上的情况下,英葡之间不会发生贸易分工。这是因为,在英国,呢绒和酒的生产成本都比葡萄牙高,处于绝对劣势;在葡萄牙,两种产品的生产成本都比英国低,处于绝对优势。英国没有什么东西可以卖给葡萄牙,葡萄牙也不必向英国购买。但是,李嘉图认为,即使在这种情况下,两国仍然能够进行国际分工和贸易,并可以从中获得好处。他指出,各国并不一定要生产出成本绝对低的产品,而只要生产出成本比较低或相对低的产品,就可进行贸易分工,而不管一国所有商品的生产成本绝对高或绝对低。也就是说,存在比较成本差异,就可进行两国间的贸易分工。

什么是比较成本呢?所谓"比较成本",就是英国和葡萄牙两个国家生产两种产品所耗费的劳动量的比例。根据上面的例子,从英国方面看,英国生产呢绒和酒的单位劳动成本都比葡萄牙的高。英国的劳动成本和葡萄牙的相比较,呢绒为100/90=1.1,酒为120/80=1.5。这表明英国生产这两种产品的效率都比葡萄牙的低,但呢绒成本是葡萄牙的1.1倍,而酒的成本则为葡萄牙的1.5倍。两相比较,英国生产呢绒的成本相对的要低一些,因此英国生产呢绒具有相对优势或比较优势。从葡萄牙这方面看,葡萄牙生产两种产品的成本都比英国低,劳动成本的比例,呢绒为90/100,即90%,酒为80/120,即67%。但相比较酒的生产成本更低,因此酒的生产在葡萄牙具有相对优势或比较优势。可见,比较成本是对各国产品的成本作相对的比较,这是比较成本思想的精髓。

按照李嘉图的思想,葡萄牙应"两优择其重",放弃生产成本比英国优势较少的呢绒,专门生产酒,并拿它向英国出口,换取呢绒。英国则应"两劣取其轻",放弃生产成本比葡萄牙劣势较多的酒,专门生产呢绒,并向葡萄牙出口呢绒以换取酒的进口。这样对双方都会是有利的。具体来说,这些利益表现在以下三个方面。

首先，按比较成本原理进行生产的国际分工，可以提高劳动生产率，增加产品产量。在国际分工前，英、葡两国一年中，一共生产 2 单位呢绒和 2 单位酒。在国际分工之后，世界产量随之增加。英国专门生产呢绒，220 人劳动一年，共可生产出 2.2 单位的呢绒。葡萄牙专门生产酒，170 人劳动一年，共可生产出 2.125 单位的酒。两种产品的总产量都增加了，这显然是劳动生产率提高的结果。

其次，随着产量的增加，通过国际贸易，各自国内的消费水平也提高了。由国际分工而产生的利益（共 0.2 单位的呢绒和 0.125 单位的酒）在两国之间如何分配，显然取决于两种商品的国际交换比例，即取决于贸易条件。假定英、葡两国两种商品的交换比例为 1∶1，再假定英国用一半呢绒与葡萄牙交换酒，那么，英国呢绒和酒的消费量都是 1.1 单位，分别比贸易分工前增加 0.1 单位。葡萄牙呢绒的消费量为 1.1 单位，酒的消费量为 1.025 单位，分别比贸易前增加 0.1 单位和 0.025 单位。

再次，假定英国和葡萄牙对呢绒和酒的消费需求不变，在存在国际贸易分工的情况下，英国只需用 100 人生产的 1 单位呢绒与葡萄牙换回自己需要的 1 单位酒，比自己生产节约了 20 人一年的劳动。葡萄牙只要用 80 人生产的 1 单位酒与英国换回自己所需要的 1 单位呢绒，比自己生产节约了 10 人一年的劳动。可见，按比较成本原理进行贸易分工，能节约双方的社会劳动。

总之，李嘉图认为，国际贸易的基础并不限于绝对成本差别，只要各国之间存在着生产成本上的相对差别，就会出现产品价格上的相对差别，从而使各国在不同产品的生产上具有比较优势。比较成本差异的存在，是国际贸易分工的基础。

三、生产要素禀赋理论

20 世纪 30 年代，瑞典经济学家伯尔蒂尔·俄林出版了《地区间贸易和国际贸易》一书，提出了生产要素禀赋理论，用在相互依赖的生产结构中的多种生产要素理论，代替李嘉图的单一生产要素理论。由于俄林在其著作中采用了他的老师赫克歇尔的主要论点，因此生产要素禀赋理论也被称为赫克歇尔—俄林模型。

赫克歇尔—俄林模型假定各国的劳动生产率是一样的（即各国生产函数相同），在这种情况下，产生比较成本差异的原因有两个：一个是各个国家生产要素禀赋比率的不同；另一个是生产各种商品所使用的各种生产要素的组合不同，亦即使用的生产要素的比例不同。所谓生产要素禀赋，指的是各国生产要素（即经济资源）的拥有状况，如有的国家劳动力丰富，有的资本丰富，有的技术丰富，有的土地丰富等等。一般说来，一个国家的生产要素丰裕，其价格就便宜。比如，劳动力丰富的国家，工资（劳动力价格）就低一些，资本丰裕的国家，利息率（资本的价格）就低一些，等等。反之，比较稀缺的生产要素，其价格当然就高些。每一个国家各种生产要素的丰裕程度不可能一样，有的相对丰裕，有的相对短缺；其要素价格也会有的高些,有的低些。各国生产要素禀赋比率不同,是产生比较成本差异的重要决定因素。各国都生产使用本国禀赋较多,价格相对便宜的生产要素的商品以供出口,这样,双方都可获得利益。

另一个产生比较成本差异的决定因素是生产各种商品所需投入的生产要素的组合或比例,即商品生产的要素密集度。如有的商品在其生产过程中使用劳动的比重大,称为"劳动密集型产品"。根据商品所含有的密集程度大的生产要素种类的不同,可以把商品大致分为劳动密集型、资本密集型、土地密集型、资源密集型或技术密集型等不同类型。即使生产同一种商品,在不同国家生产要素的组合也不完全相同。例如,同样生产大米,泰国主要靠劳动,而美国则主要靠资本和技术。不论是生产不同的商品,还是生产相同的商品,只要各国生产商品所投入的生产要素的组合或比例不同,就会产生比较成本差异,从而产生贸易分工的基础。很明显,一国如果对生产要素进行最佳组合,在某种商品的生产中多用价格低廉的生产要素,就能在该种商品上具有较低的比较成本。

俄林论证生产要素禀赋理论的逻辑思路是:商品价格差异是国际贸易的基础,而商品价格的差异是由于商品生产的成本比率不同;商品生产成本比率不同,是因为各种生产要素的价格比率不同,而生产要素价格比率不同,则是由于各国的生产要素禀赋比率的不同。因此,生产要素禀赋比率的不同,是产生国际贸易的最重要基础。一个国家出口的是它在生产上大量使用该国比较充裕的生产要素的商品,而进口的是它在生产上大量使用该国比较稀缺的生产要素的商品。各国比较利益的地位是由各国所拥有的生产要素的相对充裕程度来决定的。用俄林的话来说,就是:"贸易的首要条件是某些商品在某一地区生产要比在别的地区便宜。在每一个地区,出口品中包含着该地区拥有的比其他地区较便宜的、相对大量的生产要素,而进口别的地区能较便宜地生产的商品。简言之,进口那些含有较大比例生产要素昂贵的商品,而出口那些含有较大比例生产要素便宜的商品。

案例分析

商务部外贸司负责人谈 2017 年一季度我国对外贸易情况

背景资料:根据海关统计,2017 年一季度,我国外贸进出口总额 6.20 万亿元人民币,同比增长 21.8%;其中出口 3.33 万亿元,增长 14.8%;进口 2.87 万亿元,增长 31%。一季度外贸进出口实现较快增长,延续去年以来回稳向好的势头。商务部外贸司负责人指出,一季度我国对外贸易主要呈现以下特点:

从商品结构看,机电产品出口 1.94 万亿元,增长 15.1%,占比 58.1%,其中船舶、汽车、手机和自动数据处理设备及其部件等分别增长 34.4%、

30.3%、20.6%和14.8%。同时,我国纺织服装等7大类传统劳动密集型行业出口也保持较快增长,增幅达到10.5%(出口额6547.1亿元)。

从经营主体看,民营企业出口1.50万亿元,增长16.9%,占比45%,提高0.8个百分点,继续保持出口第一大经营主体地位。

从贸易方式看,一般贸易进出口3.49万亿元,增长23.2%,占全国外贸总值56.2%,较去年同期提高0.6%。

从国际市场看,我国对美国、欧盟、日本等传统市场出口分别增长16.8%、14%、11%。对俄罗斯、印度尼西亚、新加坡、马来西亚等"一带一路"沿线国家出口快速增长,一季度增幅分别达到37%、32.8%、31.63%和28.5%。

一季度我国进出口较快增长主要有四方面原因:一是国际市场缓慢复苏。国际货币基金组织(IMF)2017年1月预计,2017年世界经济将增长3.4%,比去年高0.3个百分点。美国等主要经济体进口需求回升,根据WTO统计,2017年1—2月美国、日本、韩国加拿大等进口分别增长6.2%、7.63%、21.7%和6.0%。二是大宗商品进口价格增长。一季度,我国原油、铁矿砂、天然气、煤炭、橡胶、原木等10类大宗商品(占我国同期进口总额的25.4%)进口价格上涨2.53%~99.8%,拉动进口增长10.9%。三是2016年基数较低。2016年一季度进出口额5.1万亿元,为2011年以来同期的最低水平。除了以上原因以外,还有一个非常重要的因素,就是近年来国务院支持外贸发展的一系列政策效果逐步显现,经营环境不断改善,企业创新能力增强、动力转换加快。该负责人指出,从历史数据来看,一季度进出口数据还不能代表全年走势。从全年看,我国外贸发展面临的形势依然复杂严峻,不确定、不稳定因素明显增多,困难不是短期的。从国际来看,全球经济复苏的基础还不稳固,一些发达经济体"逆全球化"倾向明显,贸易保护主义加剧。从国内看,国内综合要素成本不断上涨,我国传统竞争优势被不断弱化,产业和订单向外转移加快,行业、企业出现两极分化。同时,我们也要看到,我国外贸发展仍然存在许多有利条件,外贸发展的基本面没有根本改变,与发达国家、发展中国家的产业互补优势没有改变,外贸结构调整和动力转换加快的趋势没有改变。经过广大企业艰苦努力,我们有信心实现全年继续回稳向好的目标。

问题:

1. 上述数字反映了我国进出口贸易什么样的现状?
2. 我国贸易伙伴的情况变化说明了什么问题?

第二章 外贸法律法规

第一节 国际市场调研

一、国际市场调研的含义

所谓国际商品市场调研是指为了发现一种或一组产品的销售趋势,找出取得销售成功的方法而进行的调查国际市场的活动,这不仅是市场状况和统计数字的收集和罗列,还要对其进行全面分析与研究,得出相应的结论,最终为企业营销与经营管理提供科学决策的依据。

二、国际市场调研的作用

市场调研是针对某类或某种商品来观察其市场变化情况的,任何企业都可以充分利用国际市场调研这一行之有效的工具,去打开通往国际市场的大门。概括起来,国际市场调研有以下作用:

第一,想进入国际市场的企业可通过市场调研迅速了解到消费者需求,从而做到知己知彼、有的放矢地开拓市场。

第二,营销企业可以通过市场调研了解特定市场的经济实力和消费水平,为企业选择货品提供依据。

第三,企业可以通过市场调研知道特定市场的供求关系与竞争对手的情况。

第四,企业还可以通过市场调研发现特定市场的贸易政策及方式、货币汇率和消费观念等的变化,从而获取有利的贸易时机和交易机会。

三、国际市场调研的种类

一般来说,市场调研的项目主要可分为两大类:

(一)一般调研项目

这类项目指的是与准备推销的商品没有特定关系的因素,比如,关于某特定市场的一般性调研。

(二)个别调研项目

个别调研项目是对拟销售的商品在该市场的产销情况调研。

这两项调查项目详细内容如表 2-1 所列。

表 2-1　国际市场调研项目的类别

一般调研项目	地理：包括位置、面积、地形、气候等	个别调研项目	供求状况：包括有关商品在当地的生产量与生产企业名单、输出入量与输出入企业名单
	人文：包括人口、语言、教育、宗教风俗等，输出入企业名单等		
	交通：包括铁路、公路、港口情况，运输设施等		当地竞争情形：包括当地产品资料、进口产品资料、消费数量以及替代品的相关生产销售情况等
	货币金融：包括通货、物价、外汇、银行等		
	工商政策及法令：包括贸易外汇管理法规、关税制度、度量衡制度等		推销相关事项：包括有关商品的销售渠道、推销方法等
	商业习惯：包括销售季节、销售渠道、消费者购买力		

确定未来市场是正式展开进出口贸易最前提的工作。目的在于了解国外市场的供求状况，寻找最有利的市场，寻求进口商或代理商，了解竞争对手等。这部分工作会直接影响到日后的交易过程。对于一名进出口经销商来讲，做好市场调查将会保证对市场、对目标客户有更准确的定位。比如，谁将会是最大的消费群体，谁将会从使用你的产品中受益，竞争对手的实力如何等，这都是在对市场调查研究时需要关注的。

第二节　"一带一路"带来的新机遇

2001 年 12 月 11 日，我国正式成为世界贸易组织第 143 个成员单位，标志着我国的对外开放进入了一个全新的阶段。此后，我国对外贸易在全球的地位迅速上升，与各个贸易伙伴开展的贸易规模不断扩大。1999 年，世界前五大出口国分别为美国、德国、日本、法国和英国，我国在 40 个主要贸易出口国中排名第九，2009 年我国超过德国成为世界第二大贸易国，进出口总值达到 22.072 万亿人民币。2012 年，我国对外贸易总额进一步攀升并首次超过美国，成为世界贸易规模最大的国家。2017 年我国的进出口总额约为 4.1 万亿美元，占全球进出口比重从 0.77% 上升到 10% 左右，在全球货物贸易中的排名由第 30 位跃升至第 1 位，并且连续 9 年保持全球货物贸易第一大出口国的位置。

经过了 40 年改革开放的发展，我国的对外贸易无论是在规模上还是竞争力上都取得了长足的进展，获得了举世瞩目的成绩。随着改革的进一步深入，中国国力不断增强，经济发展已经无可置疑地步入世界经济大循环的轨道之中。中国工程企业的生命力也随着国家整体经济实力的增强而进一步焕发，中国的国际工程承包和经济合作事业更是蓬勃发展。全球基础设施建设活跃，东南亚新兴国家、中东产油国、非洲国家逐步成为全球投资热点，北美和西欧的设施更新，南美、中东欧、俄罗斯及独联体国家的社会经济发展等，都为中国工程企业的发展提供了广阔的市场空间。亚洲基础设施投资银行(简称"亚投行")等针对发展中国家基础设施建设的跨国银行的成立进一步佐证了国际基础设施市场前景广阔,"一带一路"更是为中国工程企业提供了前所未有的发展机会。

一、"一带一路"内涵

国家主席习近平在2013年9月和10月分别提出建设"丝绸之路经济带"和"21世纪海上丝绸之路"的倡议,强调相关各国要打造互利共赢的"利益共同体"和共同发展繁荣的"命运共同体",倡导和平、交流、理解、包容、合作、共赢。

2015年5月27日,在重庆召开的亚欧互联互通产业对话会上,中共中央政治局常委、国务院副总理张高丽指出,互联互通是时代潮流,是世界各国的共同需要。推进亚欧互联互通产业合作,要加强政策沟通,凝聚共识,实现各国互联互通产业发展战略的对接。要加强设施联通,完善亚欧互联互通产业合作的硬件支撑,积极推动国际产能合作。要加强贸易畅通,构建有利于均衡增长、利益融合的亚欧经贸开放大市场。要加强资金融通,努力消除亚欧互联互通产业合作的瓶颈。

二、"一带一路"给对外承包工程企业带来的新机遇

2014年,中国对外承包工程业务完成营业额1421.1亿美元,合人民币8000亿元,同比增长3.8%;新签合同额1917.1亿美元,约合人民币1.2万亿元,同比增长11.7%;对外承包工程业务继续较快增长。同时,中国对外承包工程企业在一些传统国家的市场不断在萎缩,"一带一路"倡议的提出将"走出去"的重点聚焦在"一带一路"沿线国家,集中亚洲乃至世界的资源加强亚洲国家基础设施的建设,为对外承包工程开创了新的市场,必将给中国对外承包工程企业带来更多的机遇。

(一)设施联通将直接催生对外承包工程新的项目机会

基础设施互联互通是"一带一路"建设的优先领域,目标是形成连接亚洲各次区域以及亚欧非之间的基础设施网络,其中包括大量的对外承包工程业务。从《愿景和行动》来看,交通基础设施、能源基础设施和通信基础设施将是重点,相关市场机遇尤其值得关注。

(二)贸易畅通将通过解决投资贸易便利化问题及消除投资和贸易壁垒

有利于推动对外承包工程新的项目机会的落地。贸易畅通将推动"一带一路"沿线国家各领域的合作,特别是《愿景与行动》提出,沿线国家宜加强信息互

换、监管互认、执法互助的海关合作,以及检验检疫、认证认可、标准计量、统计信息等方面的双多边合作,推动世界贸易组织《贸易便利化协定》生效和实施,将有利于中国对外承包工程企业开拓市场和实施项目。2014年12月1日,国家质量监督检验检疫总局发布了《"丝绸之路经济带"检验检疫区域一体化工作方案》,推行丝绸之路经济带检验检疫区域一体化模式改革,自2015年5月1日起,中国启用丝绸之路经济带海关区域通关一体化通关方式,这些措施将有利于对外承包工程项目实施。

(三)资金融通将为对外承包工程提供急需的资金支持

在国际工程承包市场上,市场的竞争已从设计、采购、施工和工程管理的综合能力的竞争演变为企业融资能力的竞争。根据亚洲开发银行和世界银行的统计,亚洲基础设施投资的资金需求每年大约为8000亿美元,而世界银行所提供的约为300亿美元,如果没有资金支持,亚洲基础设施领域的对外承包工程市场机会无法变现。中国对外承包工程企业在激烈的国际市场竞争中已感受到融资渠道不通和成本高等瓶颈制约。随着"一带一路"倡议的实施,亚洲基础设施投资银行、丝路基金、金砖国家开发银行等金融机构的组建运营,将缓解"一带一路"沿线国家的基础设施建设资金需求,使得更多对外承包工程项目的落地成为可能,其他金融合作也有利于对外承包工程的融资和结算。

此外,政策沟通和民心相通作为合作重点,也有利于创造对外承包工程较好的双边和多边政策环境和社会环境,促进对外承包工程的合作。

第三节 国际贸易惯例及法律法规

一、《联合国国际货物销售合同公约》

《联合国国际货物销售合同公约》(the United Nations Convention on Contracts for the International Sale of Goods,CISG,以下简称《公约》)是由联合国国际贸易法委员会主持制定的,1980年在维也纳举行的外交会议上获得通过。《公约》于1988年1月1日正式生效。截至2015年12月29日,核准和参加该公约的共有84个国家。《公约》的宗旨是:以建立国际经济新秩序为目标,减少国际贸易的法律障碍,在平等互利的基础上发展国际贸易,促进各国间的友好关系。

《公约》全文共101条,分为四部分:一是适用范围和总则,共13条,主要是对《公约》的适用范围和适用《公约》的一般原则作出规定;二是合同的订立,共11条,主要对合同成立的程序和规则作了详细的规定;三是货物销售,共64条,主要对买卖双方的义务、违约后的救济措施以及风险转移作出了详尽的规定;四是最后条款,共13条,主要就《公约》的生效、缔约国的加入与退出、声明保留等内容作出规定。《公约》较好地适应了现代国际货物买卖的一般做法,是目前世界上关于国际货物买卖的一项最为重要的国际公约。

(一)公约的基本原则

建立国际经济新秩序的原则、平等互利原则与兼顾不同社会、经济和法律制度的原则。这些基本原则是执行、解释和修订公约的依据,也是处理国际货物买卖关系和发展国际贸易关系的准绳。

(二)适用范围

第一,公约只适用于国际货物买卖合同,即营业地在不同国家的双方当事人之间所订立的货物买卖合同,但对某些货物的国际买卖不能适用该公约作了明确规定。第二,公约适用于当事人在缔约国内有营业地的合同,但如果根据适用于"合同"的冲突规范,该"合同"应适用某一缔约国的法律,在这种情况下也应适用"销售合同公约",而不管合同当事人在该缔约国有无营业所。对此规定,缔约国在批准或者加入时可以声明保留。第三,双方当事人可以在合同中明确规定不适用该公约。(适用范围不允许缔约国保留)

(三)合同的订立

包括合同的形式和发盘(要约)与接受(承诺)的法律效力。

(四)买方和卖方的权利义务

第一,卖方责任主要表现为三项义务:交付货物;移交一切与货物有关的单据;移转货物的所有权。第二,买方的责任主要表现为两项义务:支付货物价款;收取货物。第三,详细规定卖方和买方违反合同时的补救办法。第四,规定了风险转移的几种情况。第五,明确了根本违反合同和预期违反合同的含义以及当这种情况发生时,当事人双方所应履行的义务。第六,对免责根据的条件作了明确的规定。

二、国际贸易惯例

国际贸易惯例,是指在国际贸易的长期实践中,在某一地区或某一行业逐渐形成的为该地区或该行业所普遍认知、适用的商业做法或贸易习惯,作为确立当事人权利义务的规则对适用的当事人有约束力。国际贸易惯例一般来说是"不成文"的。长期以来,国际贸易惯例缺乏足够的明确性,各国对其解释也存在着不少差异,这不仅容易引起当事人的争议,也影响了国际贸易的正常秩序。因此,为了便于商人们理解、掌握或选择适用,促进国际贸易的发展,一些民间国际组织和学术团体对某些重要的、常用的国际贸易惯例加以收集整理,编纂成文,使其内容统一化、规范化。目前,这类调整国际货物买卖关系的国际贸易惯例主要有:

(一)《1932年华沙—牛津规则》

国际法协会于1928年在华沙会议上制定了CIF合同的统一规则,又于1932年在牛津会议上修订,故定名为《1932年华沙—牛津规则》。该规则全文21条,对CIF合同的性质以及买卖双方的责任、风险、费用的划分等作了较为详尽的规定,反映了各国对CIF合同中买卖双方权利义务的一般解释,在国际上有一定影响。

(二)《1941年美国对外贸易定义修订本》

1919年,美国商会、美国进口商全国协会等商业团体制订了有关对外贸易定义,后于1941年在美国第二十七届全国对外贸易会议上对该定义作了修订,定名为《1941年美国对外贸易定义修订本》。它对6种贸易术语作了解释,这6种贸易术语为:Ex point of Origin、FOB、FAS、C&F、CIF和Ex Dock。但应当注意,它将FOB分为六种类型,仅第五种FOB Vessel与一般通用的FOB术语类似。自《1980年国际贸易术语解释通则》公布后,美国全国对外贸易协会等大商业团体也向美国商界推荐使用Incoterms,因此该定义的使用范围逐渐缩小。

(三)《2010年国际贸易术语解释通则》

国际商会于1936年制订了《1936年国际贸易术语解释通则》,为了适用国际贸易的发展,先后于1953年、1967年、1976年、1980年、1990年和2000年分别对它进行了修改和补充,将原来的9种贸易术语增加到13种。随着电子数据交换的广泛运用、运输技术的变化、安全清关及信息协助的要求和自由关税区的发展,国际商会又于2010年对该通则作了修订,定名为"INCOTERMS 2010",对11种贸易术语作了详尽的解释。该通则在国际上得到广泛的承认和采用,是目前国际货物买卖中最重要的贸易惯例。

三、我国有关国际货物贸易的法律

我国没有制定专门的货物买卖法和商法典,有关对货物买卖关系的法律调整在《中华人民共和国民法通则》中有原则性的规定。在总结我国对外贸易改革开放的经验和教训基础上,根据国际贸易发展的状况和趋势,我国于1994年制定了

《中华人民共和国对外贸易法》(以下简称《对外贸易法》),以立法形式确立了对外贸易经营秩序的基础和原则。2004年4月6日,第十届全国人大常委会审议并通过了《对外贸易法》修订案,自同年7月1日起施行。修订后的《对外贸易法》共分11章70条,修订主要包括三方面内容:对原外贸法与我国加入世贸组织承诺后与世贸组织规则不相符的内容进行了修改;根据我国入世承诺和世贸组织规则,对我国享受世贸组织成员权利的实施机制和程序作了规定;根据外贸法实施以来出现的新情况和促进对外贸易健康发展的要求对现行外贸法作出修改。它对于扩大对外开放,发展对外贸易,维护对外贸易秩序,保护对外贸易经营者的合法权益,促进社会主义市场经济的健康发展,具有重要意义。为了更好地保护合同当事人的合法权益,维护社会主义经济秩序,促进社会主义现代化建设,1999年3月15日,第九届全国人民代表大会第二次会议通过了《中华人民共和国合同法》(以下简称《合同法》),自同年10月1日起施行,同时废止《经济合同法》《涉外经济合同法》和《技术合同法》。这部《合同法》既适用于国内货物买卖,也适用于国际货物买卖。《对外贸易法》和《合同法》除了一般性的规定外,对涉外货物买卖都作了专门的规定,是我国调整国际货物买卖关系的重要法律规范。

案例分析

1. 关于法律适用问题的争议案

1996年1月2日,营业地点均设在香港特别行政区的交易双方在中国内地签订买卖2万吨锰矿石的合同,合同规定目的港为湛江港,采用信用证付款方式。在履约过程中,双方在交货品质和货款支付问题上产生争议,经彼此协商未果,卖方遂依约向中国国际经济贸易仲裁委员会提请仲裁。由于交易双方签订合同时未约定处理合同争议的准据法,故在仲裁过程中,双方对本案合同的法律适用问题存在分歧。卖方认为,本案不适用《联合国国际货物销售合同公约》;而买方则主张本案应优先适用该公约,其依据在于《中华人民共和国民法通则》中规定:中华人民共和国缔结或者参加的国际条约和中华人民共和国民事法律有不同规定的,适用该国际条约规定,但中华人民共和国声明保留的条款除外。《中华人民共和国民事诉讼法》也有类似的规定。最后,仲裁庭裁定适用中国法律。

请用所学知识分析此案例。

2. 由于误解国际贸易惯例致损案

中国某企业按信用证付款方式向加拿大商人出售2 000打纺织品,买方依约开来信用证,证中规定不准分批装运。卖方发运时,发现有部分货物品质较差,故未予交足,只装运1 900打。卖方原以为少装100打是可以的,其根据是《跟单信用证统一惯例》的规定："……在所支付款项不超过信用证金额的条件下,货物数量允许有5%的增减幅度。"银行审单过程也忽略了这点,之后单据寄到开证行时,遭到拒付。经卖方与开证人反复交涉,并说明情况,最后对方虽接受了单据,但卖方却因此遭受晚收回货款的利息损失。

请用所学知识分析此案例。

第三章 国际贸易术语

第一节 贸易术语的概念和作用

一、国际贸易术语的含义

贸易术语(Trade Terms)又称"贸易条件""价格术语",是进出口商品价格的一个重要组成部分,它是用一个简短的概念的三个开头的英文字母缩写而成,例如,"FOB"代表"Free on Board",用以表示商品的价格构成,说明买卖双方责任、费用和风险划分等方面的内容。专门用于贸易的术语是在国际贸易的长期实践中形成的,逐渐变为行业惯例。使用贸易术语大大简化了交易磋商的内容,缩短成交的过程,节省业务费用,有利于交易的达成和贸易的发展。

在国际贸易中采用某种贸易术语,主要是为了说明买卖双方在交接货物方面彼此承担责任、费用和风险的划分。贸易术语具有两重性,一方面表示交货条件,另一方面表示成交价格的构成因素。例如,按FOB条件成交和按CFR条件成交,由于交货条件不同,买卖双方各自承担的责任、费用和风险就有很大区别。同时,贸易术语也用来表示成交商品的价格构成,特别是货价中所包含的从属费用。如按FOB价成交与按CFR价成交,由于其价格构成因素不同,成交价格就有区别。

二、贸易术语的作用

每种贸易术语都有其特定的含义,一些国际惯例对各种贸易术语进行了统一的解释和规定,从而成为了国际贸易的行为准则,在国际上被广泛地使用。贸易术语在国际贸易中的作用,有以下几个方面:

(一)有利于买卖双方的交易磋商和订立合同

买卖双方只要商定按何种贸易术语成交,即可明确彼此在交接货物方面所应承担的责任、费用和风险。这样就能简化交易手续,缩短洽商交易的时间,从而有利于买卖双方迅速达成交易和订立买卖合同。

(二)有利于买卖双方核算价格和成本

由于贸易术语表示价格构成因素,所以,买卖双方确定成交价格时,必然要考虑采用的贸易术语中包含哪些从属费用,如运费、装卸费、保险费和其他费用等。这就有利于买卖双方进行比价和加强成本核算。

(三)有利于买卖双方解决履约中的争议

买卖双方商订合同时,如对合同条款考虑欠周,使某些事项规定不明确或不完备,致使履约当中产生的争议不能依据合同的规定解决,在此情况下,可以援引有关贸易术语的一般解释来处理。贸易术语的一般解释已成为国际惯例,并被贸易界和法律界的人士所理解和接受,它是大家所共同遵循的一种行为准则。

三、有关贸易术语的国际贸易惯例

(一)3个有关国际贸易术语的国际贸易惯例

1.《1932年华沙—牛津规则》(Warsaw-Oxford Rules1932,简称 W. O. Rules1932)

《华沙—牛津规则》是由国际法协会制定的,专门为解释 CIF 合同。1928年,该协会在华沙举行会议,制定了有关 CIF 买卖合同的统一规则,共22条,称为《1928年华沙规则》。后经1930年纽约会议,1931年巴黎会议和1932年牛津会议修订,定名为《1932年华沙—牛津规则》,共21条。本《规则》主要说明 CIF 买卖合同的性质和特点,并且具体规定了 CIF 合同中买卖双方所承担的费用、责任与风险。本《规则》适用的前提是必须在买卖合同中明确表示采用此《规则》。虽然这一《规则》现在仍得到国际上的承认,但实际上已很少采用。

2.《1941年美国对外贸易定义修订本》(Revised American Foreign Trade Definitions 1941)

1919年美国九大商业团体,共同制定了《美国出口报价及其缩写条例》,随后即得到世界各国买卖双方的广泛承认和使用。但自该《条例》出版以后,贸易习惯已有很大变化,因而在1940年举行的美国第27届全国对外贸易会议上强烈要求对它作进一步的修订。1941年7月30日,美国商会、美国进出口协会及全国对外贸易协会组成的联合委员会通过了《1941年美国对外贸易定义修订本》。其内容主要是规定了以下六种贸易术语的解释:EX Point of Origin(产地交货);FOB(在运输工具上交货,包括:FOB freight paid to; FOB freight allowed to; FOB vessel);FAS(Free Along Side,船边交货),C&F(Cost and Freight,成本加运费);CIF(Cost, Insurance and Freight,成本、保险费加运费);EX Dock(目的港码头交货)。《1941年美国对外贸易定义修订本》主要适用于美洲国家,很多解释与《贸易术语解释通则》不同,因此在该地区交易时,使用以上类似贸易术语要特别注意其含义。

3.《国际贸易术语解释通则》(International Rules for the Interpretation of Trade Terms)

《国际贸易术语解释通则》简称《2010 年通则》(《INCOTERMS 2010》)国际商会自 1921 年就开始了对贸易术语作统一解释的研究，1936 年提出了一套解释贸易术语的具有国际性的统一规则，定名为《INCOTERMS 1936》，其副标题为"International Rules for the Interpretation of Trade Terms"，故译作《1936 年国际贸易术语解释通则》。随后，国际商会为适应国际贸易实践的不断发展，于 1953 年、1967 年、1976 年、1980 年、1990 年、2000 年和 2010 年对《INCOTERMS》作了 7 次修订和补充。现行的《2010 年国际贸易术语解释通则》《INCOTERMS 2010》，修订版于 2010 年 9 月 27 日公布，于 2011 年 1 月 1 日实施。《INCOTERMS 2010》更加适应当代国际贸易的实践，不仅有利于国际贸易的发展和国际贸易法律的完善，而且标志着国际贸易惯例的最新发展。在买卖合同中引用《INCOTERMS 2010》，可以明确界定当事方各自的义务，并可减少引发法律纠纷的风险。

《2010 年国际贸易术语解释通则》(International Rules for the Interpretation of Trade Terms 2010)是对《INCOTERMS 2000》的修订。

国际商会根据国际货物贸易和运输形式的发展，将原版的 13 个贸易术语改为 11 个，原来划分的四组(E、F、C 和 D 四组)改为两组，即：第一组适合于任何运输方式的有七个：EXW、FCA、CPT、CIP、DAT、DAP 和 DDP；第二组是适合于海上和水陆运输方式的有四个：FAS、FOB、CFR 和 CIF。具体增删的术语有，删去了《INCOTERMS 2000》中的 4 个术语：DAF(Delivered at Frontier)边境交货、DES(Delivered Ex Ship)目的港船上交货、DEQ(Delivered Ex Quay)目的港码头交货和 DDU(Delivered Duty Unpaid)未完税交货，新增了 2 个术语：DAT(Delivered at Terminal)在指定目的地或目的港的集散站交货和 DAP(Delivered at Place)在指定目的地交货。即用 DAP 取代了 DAF、DES 和 DDU 三个术语，DAT 取代了 DEQ，且扩展至适用于一切运输方式。

修订后的《INCOTERMS 2010》取消了"船舷"的概念，卖方承担货物装上船为止的一切风险，买方承担货物自装运港装上船后的一切风险。在 FAS、FOB、CFR 和 CIF 等术语中加入了货物在运输期间被多次买卖(连环贸易)的责任义务的划分。考虑到对于一些大的区域贸易集团内部贸易的特点，规定《INCOTERMS 2010》不仅适用于国际销售合同，也适用于国内销售合同。

(二)《2010 年国际贸易术语解释通则》的内容

《2010 年国际贸易术语解释通则》共有 11 种贸易术语，按照所适用的运输方式划分为两大类：

第一组是适用于任何运输方式的贸易术语,共有七种:EXW、FCA、CPT、CIP、DAT、DAP 和 DDP。

EXW(Ex Works)	工厂交货
FCA(Free Carrier)	货交承运人
CPT(Carriage Paid to)	运费付至目的地
CIP(Carriage and Insurance Paid to)	运费/保险费付至目的地
DAT(Delivered at Terminal)	目的地或目的港的集散站交货
DAP(Delivered at Place)	目的地交货
DDP(Delivered Duty Paid)	完税后交货

第二组是适用于水上运输方式的贸易术语,共有四种:FAS、FOB、CFR 和 CIF。

FAS(Free Alongside Ship)	装运港船边交货
FOB(Free on Board)	装运港船上交货
CFR(Cost and Freight)	成本加运费
CIF(Cost, Insurance and Freight)	成本、保险费加运费

第二节　贸易术语的分类

在《2010 年通则》所解释的 11 种贸易术语中,使用最为广泛和频繁的三种贸易术语是 FOB、CFR 和 CIF。这三种贸易术语都只适用于水上运输,交货地点均为货物装运的港口,其次是 FCA、CPT 和 CIP,适用于多种运输方式,并都在指定地点交货。

一、常用贸易术语

(一)FOB—船上交货(指定装运港)

1. FOB 的含义

FOB 是 Free on Board 的缩写,译为"装运港船上交货",贸易术语后跟指定的装运港(Named Port of Shipment)。

本规则只适用于海运或内河运输。"船上交货"是指卖方在指定的装运港,将货物交至买方指定的船只上,一旦装船,买方将承担货物灭失或损坏造成的所有风险。FOB 不适用于货物在装船前移交给承运人的情形。如货物通过集装箱运输,在这些情形下更适用于 FCA 术语。在适用 FOB 时,销售商负责办理货物出口清关手续,但无义务办理货物进口清关手续、缴纳进口关税或是办理任何其他进口手续。

2. 采用 FOB 术语时，买卖双方各自承担的基本义务

(1)卖方义务：

①在合同规定的时间和装运港口，将合同规定的货物交到买方指派的船上，并及时通知买方。

②承担货物交至装运港船上之前的一切费用和风险。

③自负风险和费用，取得出口许可证或其他官方批准证件，并且办理货物出口所需的一切海关手续。

④提交商业发票和自费提供证明卖方已按规定交货的清洁单据，或具有同等作用的电子信息。

(2)买方义务：

①订立从指定装运港口运输货物的合同，支付运费，并将船名、装货地点和要求交货的时间及时通知卖方。

②根据买卖合同的规定受领货物并支付货款。

③承担受领货物之后所发生的一切费用和风险。

④自负风险和费用，取得进口许可证或其他官方证件，并办理货物进口所需的海关手续。

假如货物已被清楚地确定为合同中的货物(即特定物)，买方未按照规定给予卖方装船通知，买方必须从约定的装运日期或装运期限届满之日起，承担货物灭失或损坏的一切风险。

3. 按 FOB 贸易术语订立合同需注意的问题

(1)FOB 后面是指定的装运港，如 FOB 悉尼是指卖方在悉尼港装运，仅适用于江海运输或内河运输。"装上船"是 FOB 术语下合同双方划分责任和风险的界线，按照《2010 年通则》规定，FOB 合同的卖方必须及时在装运港将货物"装上船"，并承担货物在此之前的一切风险，当货物装上船舶时，卖方即履行了交货任务。这一点修订了 2000 年版通则的以船舷为界划分风险的说法，因为现代装船作业经常是包括货物从岸上起吊、越过船舷、装入船舱的一个连续的过程。卖方承担装船的责任，就必须连续完成上述作业，不可能在船舷办理交接。因此，新版通则更适用于目前的货物运输通常的做法，卖方的义务是负责把货物在装运港装到船上，并提供清洁的已装船提单，但是"装上船"只是买卖双方风险划分的界限，并不是双方责任和费用划分的界限。

(2)船货衔接问题。在 FOB 合同中，由买方负责安排船只(租船或订舱)，卖方负责装货，这就存在一个船货衔接的问题。如果船只如期到达指定的装运港，而卖方的货物却未能如期而至，买方则会因船只空舱等待而多支付空舱费；相反，如果卖方如期将货物运到规定地点,准备装船,而买方安排的船只却没有如期到达,卖方只好将货物存放在港口的仓库里等待,这需要支付额外的仓储费用,这就增加了卖方的成本。因此,在 FOB 合同中,必须对船货衔接问题作出明确规定,并在订约以后加强联系、密切配合,防止船货脱节。

按照国际惯例和有关法律的规定,按 FOB 贸易术语成交的合同,买方应在安排好船只后及时通知卖方,以便卖方备货装船。如果买方未能按规定通知卖方,或未能按时派船,这包括未经对方同意提前或延迟将船派到装运港的情况,卖方都有权拒绝交货;由此产生的各种损失,如空舱费、滞期费及卖方增加的仓储费等均由买方负担。如果买方指派的船只按时到达装运港,而卖方却未能备妥货物,那么由此产生的上述费用则由卖方负担。

在按 FOB 贸易术语订约的情况下,如成交数量不大,只需要部分舱位或用班轮装运时,卖方可以接受买方委托,代买方办理各项装运手续。但这纯属代办性质,买方应负担卖方由于代办而产生的费用,若租不到船只或订不到舱位,其风险也由买方自己负责。

(3)关于装货费用的负担。FOB 合同买卖双方费用的划分是以装上船为界。如果买方使用班轮运输货物,由于班轮运费内包括装货费用和卸货费用,自然由负责租船定舱的买方来承担。但在使用租船运输时,买卖双方对装船过程中的各项费用由何方负担应在合同中作出具体规定;也可采用在 FOB 贸易术语后加列字句或缩写,即 FOB 贸易术语的变形来表示。常见的 FOB 贸易术语变形有以下几种:

①FOB 班轮条件(FOB Liner Terms),是指装船费用按照班轮的条件办理,由支付运费的一方(即买方)负担。

②FOB 吊钩下交货(FOB Under Tackle),是指卖方将货物置于轮船吊钩所及之处,从货物起吊开始的装货费用由买方负担。

③FOB 包括理舱费(FOB Stowed,FOBS),是指卖方负责将货物装入船舱并支付包括理舱费在内的装船费用。

④FOB 包括平舱(FOB Trimmed,FOBT),是指卖方负责将货物装入船舱并支付包括平舱费在内的装船费用。

⑤FOB 包括理舱、平舱(FOB Stowed and Trimmed,FOBST),是指卖方负责将货物装入船舱,并支付包括理舱费和平舱费在内的装卸费用。按惯例,凡 FOB 后未加"理舱"和"平舱"字样,卖方一律不负担平舱和理舱所需费用。

使用贸易术语变形可以明确和改变买卖双方关于费用和手续的划分,但不改变交货地点和风险的划分。

美国对 FOB 贸易术语的特殊解释。《1941 年美国对外贸易定义修订本》将 FOB 术语分为 6 种,其中只有"指定装运港船上交货"(FOB vessel … named port of shipment)与《2010年通则》解释的FOB术语相近。主要区别是《1941年美国对外贸易定义修订本》规定,FOB vessel的卖方只有在买方提出请求,并由买方负担风险情况下,卖方才有义务协助买方取得由出口国签发的出口所需的证件和在目的地进口所需的证件,并且出口税以及其他捐税和费用也需要由买方负担。而《2010年通则》则将此作为卖方的一项义务。FOB vessel的货物风险转移点也是在船上。

(二)CFR—成本加运费(指定目的港)

1. CFR 的含义

CFR 是 Cost and Freight 的缩写,译为"成本加运费",贸易术语后跟指定目的港的名称(Named Port of Destination)。

CFR 是指卖方负责租船或订舱,在合同规定的装运日期或期间内将货物装上船,运往指定目的港,负担货物装上船为止的一切风险和费用,并支付运费。风险转移界限为货物越过装运港船舷,其后货物灭失或损坏的风险,以及由于发生意外事件而引起的任何额外费用由买方负担。CFR 贸易术语只适用于海运和内河航运,如合同当事人在陆上交货,则应使用 CPT 贸易术语。

2. 采用 CFR 术语时,买卖双方各自承担的基本义务

CFR 贸易术语与 FOB 相比,卖方承担了更大的责任和义务,即卖方要负责运输并支付运费。

(1)卖方义务:

①签订从指定装运港将货物运往约定目的港的合同,在买卖合同规定的时间和港口将合同要求的货物装上船并支付至目的港的运费,装船后及时通知买方。

②承担货物在装运港装到船上之前的一切费用和风险。

③自负风险和费用,取得出口许可证或其他官方证件,并且办理货物出口所需的一切海关手续。

④提交商业发票,及自费向买方提供为买方在目的港提货所用的通常的运输单据,或具有同等作用的电子信息。

(2)买方义务:

①接受卖方提供的有关单据,受领货物,并按合同规定支付货款。

②承担货物在装运港装上船以后的一切风险。

③自负风险和费用,取得进口许可证或其他官方证件,并且办理货物进口所需的海关手续,支付关税及其他有关费用。

3. 按 CFR 贸易术语订立合同需注意的几个问题

(1)租船或订舱的责任。

CFR 合同的卖方只负责按照通常条件租船或订舱,经惯常航线,运至目的港。因此,卖方有权拒绝买方提出的关于限制船舶的国籍、船型、船龄或指定某班轮公司的船只等要求。但在实际业务中,若国外买方所提上述要求,卖方能够办到,也不增加费用的情况下,可以考虑予以通融。

(2)装卸费用的负担。

在班轮运输的情况下,运输费用包括装货费用和卸货费用,由卖方负担。但是,如果采用租船方式运输,装运港的装货费用应由卖方支付,至于在目的港的卸货费用究竟由何方负担,则需要买卖双方在合同中订明。其规定方法,可以在合同内用文字具体订明,也可采用CFR贸易术语的变形来表示。CFR贸易术语的变形主要有以下几种:

①CFR班轮条件(CFR Liner Terms),是指卸货费用按班轮办法处理,即买方不承担卸货费,由支付运费的一方即卖方负担。

②CFR舱底交货(CFR Ex Ship's Hold),是指货物运到目的港后,由买方自行启舱,并负担货物从舱底卸到码头的费用。

③CFR卸到岸上(CFR Landed),是指卖方负担将货物卸到目的港岸上的费用。

④CFR吊钩下交货(CFR Ex Tackle),是指卖方负责将货物从船舱吊起卸到船舶吊钩所及之处的费用。

(3)关于装船通知。

按CFR订立合同,需特别注意的是装船通知问题。因为在CFR贸易术语下,卖方负责租船订舱,将货物装上船,由买方负责办理货物保险,货物在越过船舷以后所发生的风险损失由买方负责。因此,在货物装船后及时向买方发出装船通知,就成为卖方应尽的一项至关重要的义务。因为办理运输保险,就是针对运输过程中出现的风险和损失,而一旦因卖方未及时通知而导致买方不能及时投保,那么卖方就必须承担因此而产生的全部损失。

为此,在实际业务中,出口企业应事先与国外买方就如何发装船通知商定具体做法;如事先未商定,则应根据双方的习惯做法,或根据订约后、装船前买方提出的具体请求,及时用电信书面方式向买方发出装船通知。

(4)费用划分与风险界限。

按照CFR贸易术语成交,买卖双方风险划分的界限与FOB一样仍然在装运港,即货物装上船时风险即由卖方转移至买方。因为,CFR贸易术语仍然属于装运港交货的贸易术语,事实上卖方只是保证按时装运,但并不保证货物按时到达,也不承担将货物送抵目的港的义务。

尽管卖方要负责运输,支付货物到达目的港的运费,但卖方支付的运费只是正常情况下的运输费用,而不包括途中出现意外而产生的其他费用。

(三)CIF—成本加保险费加运费(指定目的港)

1. CIF 的含义

CIF 是 Cost, Insurance and Freight 的缩写,译为:"成本、保险费加运费",贸易术语后跟指定目的港名称(Named Port of Destination)。

该术语仅适用于海运和内河运输,指在装运港当货物装上船后卖方即完成交货,货物灭失或损坏的风险在货物于装运港装船时转移至买方。卖方不仅需要自行订立运输合同,支付将货物装运至指定目的港所需的运费和费用,还要订立货物运输保险合同并支付保险费用,不过在运输途中货物灭失或损坏的风险则是由卖方承担。

买方须知晓在 CIF 规则下卖方有义务投保的险别仅是最低保险险别。如买方望得到更为充分的保险保障,则需与卖方明确地达成协议或者自行作出额外的保险安排。

2. 采用 CIF 术语时,买卖双方各自承担的基本义务

(1)卖方义务:

①签订从指定装运港承运货物的合同,在买卖合同规定的时间和港口将合同要求的货物装上船并支付至目的港的运费,装船后须及时通知买方。

②承担货物在装运港装到船上之前的一切费用和风险。

③按照买卖合同的约定,自负费用办理水上运输保险。

④自负风险和费用,取得出口许可证或其他官方批准证件,并办理货物出口所需的一切海关手续。

⑤提交商业发票和在目的港提货所用的通常的运输单据或具有同等作用的电子信息,并且自费向买方提供保险单据。

(2)买方义务:

①接受卖方提供的有关单据,受领货物,并按合同规定支付货款。

②承担货物在装运港装上船之后的一切风险。

③自负风险和费用,取得进口许可证或其他官方证件,并且办理货物进口所需的海关手续。

3. 使用 CIF 贸易术语应注意的问题

(1)风险划分界限。

按 CIF 贸易术语成交,虽然由卖方安排货物运输和办理货运保险,但卖方并不承担保证把货物送到约定目的港的义务,因为 CIF 是属于装运港交货的术语,而不是目的港交货的术语,也就是说,CIF 术语的风险划分界限与费用划分界限是不同的,卖方将运费和保险费支付到目的港,但其承担风险的责任却在装运港就结束了,这也就是不能将 CIF 称为"到岸价"的原因所在。

按照惯例,使用 CIF 贸易术语,买卖双方风险划分界限与 FOB 和 CFR 相同,是在货物越过船舷时,即当货物越过装运港船舷时,风险即由卖方转移到买方,此后发生的风险与损失均由买方负担。在实际业务中,如果船舷不适合实际需要,比如在滚装运输或集装箱运输的情况下,使用 CIP 贸易术语更为适宜。

(2)保险的性质与险别问题。

CIF 是由卖方负责办理货运保险,但是如果货物在运输途中出现风险和损失,卖方并不承担责任,买方可以凭保险单向保险公司进行索赔,但是否得到赔偿也与卖方没有关系。因此,CIF 贸易术语下卖方是为了买方的利益办理保险,属于代办性质。卖方应投保什么样的险别,投保金额是多少,一般在签订买卖合同时应当有明确的规定。因为不同的惯例有不同的解释,按照"解释通则"规定,卖方只需投保最低的险别;在买方要求下且买方愿意承担费用的情况下,可加保战争、罢工险。保险金额最少应为合同金额的 110%,并应采用合同中的货币计算。

(3)象征性交货问题。

从交货方式上,CIF 是一种典型的象征性交货,所谓象征性交货是针对实际交货而言。实际交货是指卖方要在规定的时间和地点将符合合同规定的货物提交给买方或其指定的人,不能以交单代替交货;而象征性交货是指卖方只要按期在约定地点完成装运,并向买方提交合同规定的,包括物权凭证在内的有关单据,就算完成了交货义务,而无需保证到货。

可见,在象征性交货时,卖方是凭单交货,买方是凭单付款。只要卖方如期向买方提交了符合合同规定的全套合格单据,即使货物在运输途中损坏或灭失,买方也必须履行付款义务。反之,如果卖方提交的单据不符合要求,即使货物完好无损地运达目的地,买方也有权拒付货款。

(四)FCA——货交承运人(指定地点)

FCA 是 Free Carrier 的缩写,译为"货交承运人",贸易术语后跟指定地点(Named Place)。

FCA 是指卖方只要将货物在指定地点交给由买方指定的承运人,并办理了出口清关手续,即完成交货。如买方未指明确切地点,卖方可在规定的交货地或范围内选择交货地点,将货物交由承运人照管。所谓承运人,是指受托运人的委托,负责将货物从约定的起运地运往目的地的人。它既包括拥有运输工具,实际完成运输任务的运输公司,也包括不掌握运输工具的运输代理人。FCA 术语之后要加注双方约定的交货地点,即承运人接运货物的地点,如"FCA Beijing"。

1. 采用 FCA 贸易术语,卖方承担的责任和义务

(1)在合同规定的时间、地点,将合同规定的货物置于买方指定的承运人控制下,并及时通知买方。

(2)自负风险和费用,取得出口许可证或其他官方批准的证件,并办理货物出口所需要的一切海关手续。

(3)承担将货物交给承运人控制之前的一切费用和风险。

(4)提交商业发票或具有同等作用的电子信息,并自负费用提供通常的交货凭证。

2. 买方承担的责任和义务

(1)签订从指定地点承运货物的合同,支付有关的运费,并将承运人名称及有关情况及时通知卖方。

(2)自负风险和费用,取得进口许可证或其他官方批准的证件,并且办理货物进口所需要的海关手续。

(3)根据买卖合同的规定受领货物并支付货款。

(4)承担受领货物之后所发生的一切费用和风险。

采用这一交货条件时,卖方在规定的时间、地点把货物交给买方指定的承运人并办理了出口手续后,就算完成了交货。买方要自费订立从指定地点起运的运输契约,并及时通知卖方。如果买方有要求,或者买方没有及时提出相反意见,卖方也可协助买方与承运人订立运输合同。虽然,卖方可以给予买方这种必要的协助,但其风险和费用仍由买方承担。

FCA贸易术语适用于各种运输方式,其中包括公路、铁路、江河、海洋、航空运输以及多式联运。无论采用哪一种运输方式,卖方承担的风险均于货交承运人时转移,即卖方承担货交承运人前的风险和费用,买方承担货交承运人后的风险和费用。风险转移之后,与运输、保险相关的责任和费用也相应转移。

(五)CPT—运费付至(指定目的港)

CPT是Carriage Paid to的缩写,译为"运费付至",该贸易术语后跟指定目的地名称(Named Place of Destination)。CPT是指卖方将货物交给承运人,并支付货物运至指定目的地的运费。这种术语适用于各种运输方式。

1. 按照CPT贸易术语成交时,卖方承担的责任和义务

(1)在合同规定的时间、地点,将合同规定的货物置于承运人控制之下,并及时通知买方。

(2)必须提供符合合同的货物和商业发票,或与商业发票具有同等效力的电子数据。

(3)必须自负费用按通常条件订立运输合同,经惯常路线、按习惯方式将货物运至指定目的地的约定地点或其他合适的具体地点。

(4)必须承担将货物交给承运人控制之前的风险。

(5)自负风险和费用,取得出口许可证或其他官方批准证件,并办理出口清关手续,支付关税及其他有关费用。

2. 买方承担的责任和义务

(1)接受卖方提供的有关单据,受领货物,并按合同规定支付货款。

(2)承担自货物在约定交货地点交给承运人控制之后的风险。

(3)自负风险和费用,取得进口许可证或其他官方批准证件,并办理货物进口所需要的海关手续,支付关税及其他有关费用。

CPT贸易术语适用于各种运输方式,特别是多式联运,这是它与CFR的主要区别。采用CPT贸易术语成交,卖方应订立运输合同和支付正常的运费,承担货物交给第一承运人接管前的一切费用和风险,办理出口清关手续,并提供约定的各项单证,即完成交货,交货后及时通知买方,以便买方办理货运保险。风险在承运人控制货物后转移给买方。买方则应承担货物在运输途中的灭失或损坏的风险,以及从货物交给第一承运人接管时起所发生的一切额外费用,在目的地接受合同所规定的全部单证,支付货款,提取货物。

关于费用的负担,从交货地点到指定目的地的正常运费由卖方负担,正常运费之外的其他有关费用一般由买方负担。卸货费用可以包括在运费之中由卖方承担,也可以由双方在合同中另行约定。

在CPT贸易术语下,卖方交货的地点可以是在出口国的内陆,也可以在其他地方,如边境地区的港口或车站等。不论在何处交货,卖方都要负责货物出口报关的手续。卖方提交的单据也要包括出口报关所需的出口许可证及其他官方证件。除此之外,卖方还需提供商业发票或具有同等作用的电子信息,以及通常的运输单据等。

(六)CIP—运费和保险费付至(指定目的地)

CIP是Carriage Insurance Paid to的缩写,译为"运费、保险费付至"。贸易术语后跟指定目的地名称(Named Place of Destination)。CIP贸易术语是指卖方除了具有与CPT贸易术语相同的义务外,还应为买方办理货运保险、支付保险费。

1. 采用CIP贸易术语成交的合同,卖方承担的责任和义务

(1)必须提供符合合同的货物和商业发票,或与商业发票具有同等效力的电子数据,以及合同可能要求的证明货物符合合同的其他证件。

(2)在合同规定的时间、地点,将合同规定的货物置于承运人的控制之下,并及时通知买方。

(3)订立将货物运往指定目的地的运输合同,并支付有关运费。

(4)按照买卖合同的约定,自负费用投保货物运输险。

(5)承担将货物交给承运人控制之前的风险。

(6)自负风险和费用,取得出口许可证或其他官方批准的证件,并办理货物出口所需的一切海关手续,支付关税及其他有关费用。

2. 买方承担的责任和义务

(1)接受卖方提供的有关单据,受领货物,并按合同规定支付货款。

(2)承担自货物在约定地点交给承运人控制之后的风险。

(3)自负风险和费用,取得进口许可证或其他官方批准的证件,并且办理货物进口所需要的海关手续,支付关税及其他有关费用。

CIP也同样适用于包括多式联运在内的各种运输方式。按照CIP贸易术语成交,卖方要负责订立运输契约并支付将货物运达指定目的地的运费。此外,卖方还要办理货物运输保险手续,支付保险费。卖方在合同规定的装运期内将货物交给承运人或第一承运人处置,即完成交货义务。交货后,要及时通知买方,风险在承运人控制货物后转移给买方。买方要在合同规定的地点受领货物,支付货款,并且负担除运费、保险费以外的货物从交货地点运到目的地为止的各项费用,以及在目的地的卸货费和进口捐税。

CIP与CIF贸易术语有相同之处,它们的价格构成中都包括了通常的运费和保险费,因此,按这两种贸易术语成交,卖方都要负责安排运输和保险并支付有关运费和保险费。但是,CIP和CIF贸易术语也有明显的区别。主要是适用的运输方式的范围不同,CIP适用于各种运输方式,CIF仅适用于水上运输方式。

二、其他贸易术语

(一)EXW—工厂交货(指定地点)

EXW是Ex Works的缩写,译为"工厂交货"。这一术语代表了在商品的产地或所在地交货的条件。在EXW术语后面要注明产地名称,如EXW××工厂;或注明所在地名称,如EXW××仓库。

1. EXW术语的含义

采用EXW成交时,买卖双方的义务简单归纳如下:

(1)卖方按合同规定提交货物和商业发票或电子单证;买方要按合同规定的时间和方式支付货款。

(2)货物的出口和进口手续均由买方负责办理,相关费用包括关税也由买方承担。

(3)卖方在合同规定的时间和地点将货物交由买方控制后完成其交货义务,

买方要在规定的时间和地点受领货物。

(4)卖方承担货物交由买方控制之前的风险;买方承担货物交由自己控制之后的风险。

(5)卖方和买方均有义务向对方发出关于交货和受领货物的通知。

(6)买方必须支付任何装船前检验的费用,包括出口国的法定检验的费用。

按这一贸易术语达成的交易,在性质上类同于国内贸易。因为卖方是在本国的内地完成交货,他所承担的风险、责任和费用也都局限于出口国内,他不必过问货物出境、入境及运输、保险等事项,所以,在他与买方达成的契约中可不涉及运输和保险问题。而且,除非合同中有相反规定,卖方一般无义务提供出口包装。如果签约时已明确该货物是供出口的,并对包装的要求作出了规定,卖方则应按规定提供符合出口需要的包装。EXW术语适合于各种运输方式。

2. EXW术语的选用和应该注意的问题

根据国际惯例对EXW的上述解释,可以看出,按EXW术语成交时,卖方承担的风险、责任以及费用都是最小的。在交单方面,卖方只需提供商业发票或具有同等效力的电子单证,如合同有要求,才须提供证明所交货物与合同规定相符的证件。至于货物出境和入境所需办理的出口和进口手续以及所需提供的出口许可证、进口许可证或其他官方证件,均由买方自行办理,对此,卖方没有义务。但在办理出口手续时,如果买方自己取得上述证件有一定困难,也可要求卖方代办。

(二)FAS—船边交货(指定装运港)

FAS是"Free Alongside Ship"的缩写,译为"装运港船边交货",贸易术语后跟指定装运港(Named Port of Shipment)

FAS是指卖方在指定装运港将货物交到买方指定的船边(如码头上或驳船上),即完成交货。从那时起,货物灭失或损坏的风险发生转移,并且由买方承担所有费用。这项规则仅适用于海运和内河运输。当事方应当尽可能明确的在指定装运港指定出装货地点,这是因为到这一地点是买卖双方费用与风险的划分点。

1. 采用FAS术语成交,买卖双方的基本义务概括如下

(1)卖方按合同规定提交货物和商业发票或具有同等效力的电子单证;买方要按合同规定的时间和方式支付货款。

(2)卖方自负风险和费用,办理货物出口的海关手续;买方自负风险和费用,办理货物进口的海关手续。

(3)买方负责订立从装运港运输货物的合同,并承担相关运费。

(4)卖方在合同规定的装运港和装运期内,将货物交至买方指派船只的船边,完成其交货义务;买方要在卖方交货时受领货物。

(5)卖方在装运港船边完成交货义务时,风险由卖方转移给买方。

(6)卖方和买方均有义务向对方发出关于交货和受领货物的通知。

2. FAS 术语的选用和应该注意的问题

按这一术语成交,卖方要在约定的时间内,将合同规定的货物交到指定的装运港买方所指派的船只的船边,在船边完成交货义务。买卖双方负担的风险和费用,均以船边为界。如果买方所派的船只不能靠岸,卖方则要负责用驳船把货物运至船边,仍在船边交货。货物出口的通关手续由卖方负责办理,但装船的责任和费用由买方负担。

在按这一贸易术语成交时,卖方要提供商业发票或具有同等效力的电子单证,并自负费用和风险,提供通常的证明其完成交货义务的单据,如码头收据。在买方要求并由买方承担费用和风险的情况下,卖方可协助取得运输单据。货物通关过境所需的出口许可证及其他官方证件,也由卖方负责办理。第二节 适用于水上运输方式的贸易术语。

(三)DAT—运输终端交货(指定目的港或目的地)

DAT 术语是《2010 年通则》新增的一个术语,全文是 Delivered at Terminal (Insert Named Terminal at Port or Place of Destination),即运输终端交货(指定港口或目的地的运输终端)。是指卖方在指定港口或目的地的指定运输终端将货物从抵达的载货运输工具上卸下,交给买方处置时,即为交货。"运输终端"意味着任何地点,不论该地点是否有遮盖,如码头、仓库、集装箱堆场、空运货站。卖方承担将货物运送至指定港口或目的地的运输终端并将其卸下期间的一切风险。DAT 术语的交货点和风险转移点一致,适合任何运输方式。表述方式"DAT Guangzhou Baiyun Airport"广州白云机场交货。

DAT 术语条件下,承担在指定地点交货前的风险与相关费用,买卖双方应在合同中尽可能明确约定运输终端,最好能够约目的地的运输终端的特定点。

卖方必须自负费用签订运输合同,将货物运至目的港口或目的地的指定运输终端。如未约定特定运输终端或不能由实务确定,卖方可选择最适合其目的港口或目的地的运输终端。如果双方希望卖方承担货物由运输终端搬运至另一地点的风险和费用,则应使用 DAP 和 DDP 术语。

DAT 要求卖方办理出口清关和交货前从他国过境运输所需的海关手续,买方办理进口清关手续。

(四)DAP——目的地交货(指定目的港或目的地)

DAP 术语是 Delivered at Place(Insert Named Place of Destination)的缩写,译为"目的地交货(指定目的地)",是指卖方在指定的交货地点,将仍处于交货的运输工具上尚未卸下的货物交给买方处置即完成交货,卖方须承担货物运至指定目的地的一切风险。

DAP 是《2010 解释通则》新添加的术语,取代了 DAF(边境交货)、DES(目的港船上交货)和 DDU(未完税交货)三个术语。DAP 术语条件下尽管卖方承担货物到达目的地前的风险,该规则仍建议双方将合意交货目的地指定尽量明确,建议卖方签订恰好匹配该种选择的运输合同。如果卖方按照运输合同承受了货物在目的地的卸货费用,那么除非双方达成一致,卖方无权向买方追讨该笔费用。

DAT、DAP 与 DDP 的区别:DAT 适合其目的地的交货点,卖方在指定的目的港或目的地的指定的终点站卸货后将货物交给买方处置即完成交货。"终端"指任何约定或者不约定地点,包括码头,仓库,集装箱堆场或公路,铁路或空运货站。卖方应承担将货物运至指定的目的地和卸货所产生的一切风险和费用。若当事人希望卖方承担从终点站到另一地点的运输及管理货物所产生的风险和费用,那么应使用 DAP(目的地交货)或 DDP(完税后交货),DAP 不必从运输工具上卸货,DAT 和 DAP 术语规则都要求卖方办理货物的出口清关手续,但卖方没有义务办理货物的进口清关手续,以及支付任何进口税或者办理任何进口海关手续,如果当事人希望卖方办理货物的进口清关手续,支付任何进口税和办理任何进口海关手续,则应适用 DDP 规则。

(五)DDP—完税后交货(指定目的地)

DDP 是 Delivered Duty Paid 的缩写,即完税后交货。与 DAP 在交货地点上是相同的,即都是在进口国的内陆约定地点完成交货。两者的区别在于:按 DDP 条件成交,办理货物进口手续的责任和费用,包括进口税,改由卖方承担。DDP 术语也适合于各种运输方式。

1. 按照 DDP 贸易术语成交的合同,买卖双方承担的基本义务

(1)卖方按合同规定提交货物和商业发票或具有同等效力的电子单证;买方要按合同规定的时间和方式支付货款。有权决定具体的交货时间和地点,也要及时通知卖方。

(2)卖方自负风险和费用,办理货物出口及进口的海关手续。

(3)卖方负责订立运输合同,将货物运至指定的目的地,并承担运费。

(4)卖方在合同规定的交货期和目的地的指定地点将货物置于买方控制下,

即完成其交货义务;买方要在卖方交货时受领货物。

(5)卖方按规定条件完成交货义务时,风险由卖方转移给买方。

(6)卖方要将货物发运情况以及合同要求的其他信息及时通知买方。

2. 运用 DDP 贸易术语应该注意的问题

"完税后交货"是《2010 年通则》中包含的 11 种贸易术语中卖方承担风险、责任和费用最大的一种术语,它与 EXW"工厂交货"正好是两个极端。因为,按照 DDP 术语成交,卖方要负责将货物从起运地一直运到合同规定的进口国内的指定目的地,把货物实际交到买方手中,才算完成交货。卖方要承担交货前的一切风险、责任和费用,其中包括货物出口和进口的结关手续以及关税、捐税和其他费用,所以,DDP 的价格应该是最高的。这实际上是卖方已将货物运进了进口方的国内市场。如果卖方直接办理进口手续有困难,也可要求买方协助办理。如果卖方不能直接或间接地取得进口许可证,则不应使用 DDP 术语。如果双方当事人同意由买方办理货物的进口手续和支付关税,则应使用 DAP。

第三节 贸易术语的运用

一、运用贸易术语要考虑的主要因素

在国际贸易实践中,合同当事人如果能够合理、恰当的选用国际贸易术语,对合同的顺利磋商、签约和履约,提高经济效益,避免合同纠纷都有重要作用。在选用贸易术语时主要考虑以下因素:

(一)考虑采用何种运输方式运送

在本身有足够运输能力或安排运输无困难而且经济上又合算的情况下,可争取按由自身安排运输的条件成交,否则,应酌情考虑按由对方安排运输的条件成交。

(二)考虑运输途中的风险

在国际贸易中,交易的商品一般需要通过长途运输,货物在运输过程中可能遇到各种自然灾害、意外事故和人为的风险,特别是当遇到战争或正常的国际贸易遭到人为障碍与破坏的时期和地区,则运输途中的风险更大。此外承运人和合同对方利用远洋运输的诈骗行为也时有发生。因此,在洽商交易时,必须根据不同客户对象、不同时期、不同地区、不同运输路线和运输方式的风险情况,并结合购销意图来选用适当的贸易术语。

(三)考虑办理进出口货物结关手续的难易

在国际贸易中,关于进出口货物的结关手续,有些国家规定只能由结关所在国的当事人安排或代为办理,有些国家则无此项限制。因此,如果按照某出口国政府当局的规定,买方不能直接或间接办理出口结关手续,则不宜按 EXW 条件成交;若按照进口国当局的规定,卖方不能直接或间接办理进口结关手续,此时则不宜采用 DDP。

(四)还要考虑运费因素

运费是货价的构成因素之一,在选用贸易术语时,应考虑货物经由路线的运费收取情况和运价变动趋势。一般来说,当运价看涨时,为了避免承担运价上涨的风险,可以选用由对方安排运输的贸易术语成交。在运价看涨的情况下,如因某种原因不得不采用由自身安排运输的条件成交,则应将运价上涨的风险考虑到货价中去,以免遭受运价变动的损失。

(五)考虑货源情况

国际贸易中的货物品种很多,不同类别的货物具有不同的特点,它们在运输方面各有不同要求,故安排运输的难易不同,运费开支大小也有差异。这是选用贸易术语应考虑的因素。此外,成交量的大小,也直接涉及安排运输是否有困难和经济上是否合算。当成交量太小,又无班轮通航的情况下,负责安排运输的一方势必会增加运输成本,故选用贸易术语时,也应予以考虑。

二、我国贸易术语运用的实践

出口业务中使用 CIF 及 CFR 术语,有利于船货衔接,也可以促进我国远洋运输和保险事业的发展。目前,买方要求采用 FOB 术语成交日益增多。主要原因:一是采用 FOB 术语可以使外商清晰了解价格构成。二是外商可以从协助船方揽货中获取运费优惠,降低购货成本;甚至有的商人在付款取得提单之前,即将货物提走。近些年来,确实出现客户通过与境外货运代理勾结,无单放货之后宣告破产骗取我方货物的案件。为了避免此类事件的发生,尽量不要接受未经商务部批准在华经营国际货运代理的货代企业或境外货代代表处安排运输,如果必须接受,则须经商务部批准的货代签发提单并掌握货物的控制权,同时由签发提单的货代出具保函,保证货到目的港后凭正本提单放货,否则承担无单放货的赔偿责任。三是多式联运促进了综合物流系统的快速发展,外资货代综合物流承运人全方位地提供了短途运输、报检、报关、货物集港、投保及监装等服务项目,将全程运输作为一个完整的单一运输过程来安排,满足了贸易商对物流服务新的要求。因此,外商多将货物指定给国外综合物流承运人办理。我国的货运代理在向贸易商提供的服务地域、服务内容、服务价格及服务质量上还做得不够好,在这方面我们要尽快提高服务水平,争取更多地使用 CIF 或 CFR 术语。

在进口业务中,大多采用 FOB 术语,可以节省运费、保险费,促进我国航运、保险业的发展。另外,保险单在手,一旦货出风险可请求保险公司赔偿。如采用 CFR 术语,卖方指定的船舶不当或与船方勾结出具假提单,可能使我方蒙受损失,应谨慎对待。

案例分析

CIF 合同下卖方的交货义务

瑞士 A 公司(卖方)和中国 B 贸易公司(买方)以 CIF 条件签订了一笔 1 万吨钢材的买卖合同,支付条件为信用证,交货期为某年 7 月 20 日。买方向对方及时开出了信用证。A 公司也在 7 月 20 日之前按照合同规定的装运条件出运。此后不久,A 公司以传真通知买方:"装运给贵公司的 1 万吨钢材是与另外发给厦门的 2 万吨钢材一起装在一条船上的。"买方收到传真后,立即通知 A 公司:"这条船应在黄埔港卸完我们的货后再驶往厦门。"A 公司回复传真说,该船将先靠黄埔港。不料,该船实际上并没有先靠黄埔港,却先靠了厦门港,并且在那里停留了差不多一个月后才驶往黄埔港。在此期间,人民币与美元的兑换比率已有很大变动,买方需要付出更多的人民币才能兑换出足够支付这批钢材所需的美元。其结果使得买方不但得不到预期利润 8 万美元,而且要赔 2 万美元,共计损失 10 万美元。

于是买方在对方货物迟迟不到的情况下,以 A 公司单据与信用证不符为由通知了银行拒付货款。货物抵达目的港黄埔港之后,我方认为对方违反其"先靠黄埔港"的承诺,而且人民币对美元贬值,即使买方接受该批货物亦无利可图。于是,我方拒收该批货物。由于我方的拒收,直接导致 A 公司所派的船不能按时卸货,对方不得不支付滞期费 4 万美元,并将货卖与另一买主。A 公司认为 CIF 合同下,作为卖方,其已经在合同规定的期限内,在装运港把货物装上船,即他已经完成了交货义务。至于货物何时抵达目的港,并非 A 公司所能控制,系船运方所为。因此,他们认为我方没有理由拒收货物,并要求我方赔偿其滞期费损失,我方以对方违约在先为由而拒赔。于是 A 公司将争议提交中国国际贸易委员会进行仲裁。

卖方要不要承担责任?

第四章 国际贸易合同

第一节 国际贸易合同的作用和特点

一、国际贸易合同的含义

国际贸易合同(Contract of the International Sale of Goods)也称为国际货物销售合同,是指营业地处于不同国家或地区的当事人之间所达成的以买卖货物为目的的协议。

国际贸易合同是具有国际因素的买卖合同,《联合国国际货物销售合同公约》以当事人的营业地处于不同的国家或地区作为国际标准。《国际商事合同通则》虽然没有具体确定标准,但却对"国际"给予尽可能广义的解释,排除了根本不含有国际因素的情形。我国《合同法》尽管没有具体规定什么是国际贸易合同,但却规定了涉外合同的法律适用条款。

二、国际贸易合同的特征

国际贸易合同,与国内货物买卖合同一样,都属于商品交换的范畴,没有本质的区别。但由于国际贸易合同是在不同的国家或地区之间进行的,因而就具有与国内货物买卖合同不同的特征。

(一)合同当事人条件不同

中国《对外贸易法》第8条规定,只有经对外贸易经济主管部门的批准,取得对外贸易经营权的法人、其他组织或者个人,才能作为当事人与外商订立国际贸易合同。而国内货物买卖合同却没有如此严格的限制。

(二)合同的标的物范围不同

国际贸易合同的标的物必须以实物形态从一国(地区)转移到另一国(地区),是跨国界的,而不动产不具备这个条件,因此不包括在国际货物买卖的标的物之内。

(三)合同的履行情境不同

1. 更复杂

由于国际货物买卖是跨越一国国界的贸易活动,合同所涉及的交易数量和金额通常都比较大,合同的履行期限也比较长,又采用与国内买卖不同的结算方式,故相比国内货物买卖合同复杂得多。

2. 风险大

在进出口活动中,双方当事人要与运输公司、保险公司或银行发生法律关系,长距离运输会遇到各种风险,使用外汇支付货款和采用国际结算方式,可能发生外汇风险,此外,还涉及有关政府对外贸易法律和政策的改变,因此,国际贸易合同是当事人权利、义务、风险责任的综合体。

3. 环节多

国际贸易合同中买卖的货物一般很少由买卖双方直接交接,而是多由负责运输的承运人转交。而国内货物买卖合同则由双方当事人亲自交接。国际贸易合同中买卖双方多处于不同的国家和地区,了解不深,直接付款的情况少,多利用银行收款或由银行直接承担付款责任。

(四)合同的法律适用不同

国内货物买卖合同一般只适用本国法即可,而国际贸易合同从签订到履行要涉及国内法、外国法、国际法等一系列的法律规范,存在着法律适用多样性的问题。

三、国际贸易合同的作用

(一)作为合同成立的证据

特别是对于口头协商达成的交易,其作用更为明显,这也就是通常所说的"空口无凭、立字为据"。尽管许多合同法中并不否认口头合同的效力,但在国际贸易中一般都要签订书面合同,当双方事后发生争议提交仲裁或诉讼时,仲裁员和法官也要先确定双方是否已建立了合同关系,可见证据的重要性。

(二)作为合同履行的依据

无论是口头还是书面达成的协议,如果没有一份包括各项条款的合同,则给履行带来许多不便。所以在业务中,双方都要求将各自享受的权利和应承担的义务用文字规定下来,作为正确履行合同的依据。

(三)作为合同生效的条件

在实际业务中,合同生效以书面签订合同作为条件,这只是在特定环境下,如在磋商中,双方都同意以签订书面合同为准或者根据有关国家法律规定必须经主管部门批准的合同,这种情况下,可作为合同生效的条件。否则即是以接受生效作为合同生效的条件。

第二节 国际贸易合同的内容

一、国际贸易合同的结构

国际贸易合同内容一般由三个部分组成,即合同的约首(首部)、正文(主体)和约尾(尾部)。

(一)约首

约首通常包括合同的名称、编号、序言,订约的日期、地点,订约当事人的名称和法定地址、电子邮箱号码、传真号码、买卖双方订立合同的意愿和执行合同的保证等。

这一部分的内容有两点必须特别注意。其一,要把订约当事人的全名称和详细地址列明。因为有些国家的法律规定这是合同正式成立的条件之一;其二,要明确订约的地点。因为在合同中如果没有对合同适用的法律作出规定,则根据某些国家的法律规定和贸易习惯的解释,可适用于合同订约地国家的法律。

(二)正文

正文是合同的主要部分,具体规定了买卖双方各自的权利和义务,所以也叫做权利义务部分。它包括合同的主要条款和一般条款,用于规定有关货物买卖的各项交易条件,如品质、数量、包装、价格、装运、支付、保险、商检、索赔、仲裁、不可抗力等等。

(三)约尾

约尾通常包括使用的文字及其效力、合同正本份数、副本效力、买卖双方的签字等项内容。有的合同还根据需要制作了附件附在后面,作为合同不可分割的一部分。合同的约尾涉及合同的效力范围和有效条件等主要问题,所以又称为效力部分。

二、国际贸易合同的内容

国际贸易合同作为各国经营进出口业务的企业开展货物交易基础性的、具有法律效应的协议，从不同层面、不同角度来对买卖双方的行为进行规范。通常来讲，一项有效的国际销售合同，必须具备7项基本的内容。

(一)品质条款(Quality Clause)

商品的品质是指商品的内在素质和外观形态的综合。前者包括商品的物理性能、机械性能、化学成分和生物特性等自然属性；后者包括商品的品名、等级标准、规格、商标或牌号，外形、色泽、款式、透明度等。

(二)数量条款(Quantity Clause)

数量条款的基本内容是规定交货的数量和使用的计量单位。如果是按重量计算的货物，还要规定计算重量的方法，如毛重、净重、以毛作净、公量等。计位有克、公斤、公吨；件、双、套、打；公升、加仑、夸。

(三)包装条款(Packing Clause)

包装条款主要包括商品包装的方式、材料、包装费用和运输标志等内容。运输包装上的标志，按其用途可分为运输标志(又称唛头)、指示性标志和警告性标志3种。

(四)价格条款(Price Clause)

价格条款是由单价(unit price)和总值(amount)组成。其中单单价包括计量单位、单位价格金额、计价货物和价格术语四项内容。例如：每公吨100美元(CIF纽约)。

(五)支付条款(Terms of Payment)

支付条款包括在合同中明确规定汇付的时间、具体的汇付方式和汇付的金等。具体汇付、托收、信用证支付等方式。

(六)违约条款(Breach Clause)

1. 异议与索赔条款

主要内容为一方违约，对方有权提出索赔，这是索赔的基本前提。此外还包括索赔依据、索赔期限等。索赔依据主要规定索赔必备的证据及出证机构。若提供的证据不充足,不齐全、不清楚,或出证机构未经对方同意,均可能遭到对方拒赔。

2. 罚金条款

该条款主要规定当一方违约时,应向对方支付一定数额的约定罚金,以弥补对方的损失。罚金就其性质而言就是违约金。

(七)不可抗力条款(Force Majeure Clause)

这实际上是一项免责条款。是指在合同签订后,不是由于当事人的过失或疏忽而是由于发生了当事人所不能预见的、不可抗力,无法避免和无法预防的意外事故,而致使不能履行或无法如期履行合同的责任。在这种情况下遭受意外事故的方可以免除履行合同的责任或可以延期履行合同,另一方无权要求损害赔偿不可抗力的法律后果,主要表现在以下几个方面:解除合同、免除部分责任、延迟履行合同。

第三节 国际贸易合同条款细节

一、国际贸易合同中的品名条款

(一)列明品名的意义

在国际贸易中,交易双方在洽商交易和签订合同时,很少见到具体的商品,一般只是凭借对拟买卖的商品作必要的描述来确定交易的货物。按照有关的法律和商业惯例的规定,对交易货物的具体描述,是构成商品的一个主要组成部分,是买卖双方交接货物的一项基本依据。若卖方交付的货物不符合约定的品名或说明,买方有权拒收货物或撤销合同并提出损害赔偿。因此,在合同中列明交易货物的具体名称,具有重要的法律和实践意义。

(二)品名条款的内容

商品的品名是指某种商品区别于其他商品的称呼,在一定程度上体现了商品的自然属性、性能、用途等。按照我国和国际上的通常做法,合同中的品名条款一般比较简单,通常是在"商品名称"或"品名"(Name of Commodity)的标题下,列明交易双方同意买卖的商品名称,如:Name of Commodity:Plush Toy Bear(品名:绒毛玩具熊)。有时为了省略起见,也可不加标题,只在合同的开头部分,列明交易双方同意买卖某种商品的文句。但由于一种商品往往有不同的品种、等级和型号,为明确起见,可以把有关具体品种、等级或型号的概括性描述包括进去,有时甚至把商品的品质规格都包括进去,在这种情况下,它是品名条款与品质条款的合并。

(三)规定品名条款的注意事项

国际贸易合同中的品名条款,是合同中的主要条件。因此,在规定此项条款时,应注意下列事项:

第一,用文字表达品名条款的内容时必须明确、具体,应能确切反映商品的特点,切忌空泛、笼统或含糊,以免给合同的履行带来不应有的困难。

第二,条款中规定的品名,必须是卖方能够供应而买方所需要的商品,凡做不到或不必要的描述性词句都不应列入,以免给履行合同带来困难,引起纠纷。

第三,有些商品的名称,在各地叫法不一,为避免误解,应尽可能使用国际上通行的称呼。若必须使用地方性名称,交易双方应事先就其含义取得共识。对于某些新商品的定名及译名,应力求准确、易懂,并符合国际上的习惯。

第四,注意选用适当的品名,以利减低关税,方便进出口和节省运费开支。

二、国际贸易合同中的品质条款

(一)商品品质的含义

商品的品质(Quality of Goods),也称商品的质量,是指商品的内在素质和外观形态的综合。前者是指商品的物理和机械性能、化学成分、生物特征、技术指标等,后者是指人们的感官直接可以感觉到的外形特征,如商品的大小、造型、款式、色泽及味觉、嗅觉等。

品质就是商品的质量,其重要性是显而易见的,质量是产品的生命,在国际市场上,商品品质的优劣不但对商品价格高低起重要作用,而且直接影响其销路,甚至关系到国家的信誉。因此,提高出口商品的品质具有重大的政治、经济意义。

合同中的品质条款是买卖双方交接货物的依据。《联合国国际货物销售合同公约》(注:本教材其他地方均简称《公约》)规定,若卖方交货不符合合同约定的品质条件,买方有权要求损害赔偿,也可以要求修理或交付替代物,甚至拒收货物和撤销合同。

(二)合同中的品质条款

1.品质条款的内容

品质条款是国际贸易合同中的一项主要条件,它是买卖双方对货物的质量、等级、标准、规格、商标、牌号等内容的具体规定,同时也是商检机构进行检验、仲裁机构或法院解决品质纠纷案件的依据。品质条款的内容有繁有简,一般视商品品质的表示方法而定。

条款示例:

Quality to be strictly as per sample submitted by seller on the 10th January, 2007. Sample Number:NT002 Plush Toy Bear. Size:24'.

质量应严格符合卖方于2007年1月10日提供的样品。样品号:NT002长毛绒玩具熊。尺码:24英寸。

Chinese Green Tea,Special Chunmei Special Grade,Art No. 41022.

中国绿茶,特珍眉特级,货号41022。

Quality and technical data to be strictly in conformity with the description submitted by the seller.

品质和技术数据必须与卖方所提供的产品说明书严格相符。

"Golden Star" brand color television set. Model:SC374,System:PAL/BG, 220 V,50 Hz,2 round-pin plug,with remote control.

"金星牌"彩色电视机。型号:SC374,制式:PAL/BG,220 V,50 Hz,双圆头插座,带遥控。

2. 品质机动幅度

在国际贸易中,某些商品难以保证交货品质与合同规定完全一致,为保证交易的顺利进行,可在品质条款中规定一些灵活条款。

质量机动幅度(Quality Latitude):质量机动幅度是指对特定质量指标,允许在一定幅度内的波动,主要用于某些初级产品,以及某些工业制成品的质量指标。具体方法有三种:

规定范围。如色织条格布,幅宽40~41英寸。

规定极限。如羊绒衫,羊绒含量最少98%(wool 98% minimum)。

规定上下差异。如羽绒服:灰鸭毛,含绒量18%,允许误差±1%(1% more or less)。

品质公差(Quality Tolerance):品质公差是指为国际同行业所公认的产品品质的误差。在工业品生产过程中,产品的质量指标发生一定误差是难以避免的(如手表走时每天误差若干秒,应算走时正常)。这种误差即便在合同中没有规定,只要卖方交货品质在公差范围内,也不能视作违约。公差条款可以采用国际同行业公认的误差,也可以由买卖双方共同议定。

(三)订立品质条款应注意的问题

1. 选用适当的表示商品品质的方式

有些商品只适宜凭样品进行买卖,有的则需凭规格、等级、标准或说明书进行买卖。在具体业务中,如同时采用两种方式,应明确以何种为准,其余仅供参考。如果能使用一种方法表示,则尽量不要使用两种方法。若能用其他方法表示的,则尽量不使用凭样品表示。如果两种方式只是分别代表某一方面的要求,如样品表示商品的外形,规格表示商品的内在质量,则应在合同中作相应的规定,不要笼统定为"品质按样品和规格"。

2. 要从实际出发,不能订得过高或过低

3. 要注意科学性和灵活性

科学性是指用词要明确、具体,不能含糊笼统,一般不用"大约""左右""合理误差"等字样;灵活性是指质量指标不要订得太死、绝对化,可适当规定品质机动幅度或品质公差。

三、国际贸易合同中的数量条款

在进出口业务中,正确掌握交易商品的数量,对促进交易的达成和争取有利的价格具有重要的作用。商品数量是国际贸易合同中不可缺少的主要条件之一,合同中的数量条款是买卖双方交接货物的数量依据。《公约》规定,买方可以收取也可以拒绝收取全部多交货物或部分多交货物;如果卖方短交,则可允许卖方在规定交货期届满之前补齐,但不得使买方遭受不合理的不便或承担不合理的开支,即使如此,买方也保留要求损害赔偿的权利。

(一)计量单位和计量方法

在国际贸易中,当确定交易商品的数量时,必须明确采用什么计量单位。由于商品的种类和性质不同,适用的计量单位不尽一致,加上各国的度量衡制度的差异,所以采用的计量单位和计量方法多种多样。

1. 计量单位

国际贸易中使用的计量单位常见的有以下几种:

按重量(Weight)计算:许多农副产品、矿产品和工业制成品都按重量计算。重量单位有公吨、长吨、短吨、千克、克、盎司、公担、磅等。

按长度(Length)计算:适用货物如布匹、绳索、电线、电缆等。常用单位有米、英尺、码等。

按面积(Area)计算:适用货物如玻璃板、地毯、皮革、铁丝网、塑料布等。常见的单位有平方米、平方英尺、平方码等。

按体积(Volume)计算:适用货物如化学气体、木材等。常用单位有立方米、立方英尺、立方码等。

按容积(Capacity)计算:适用货物如谷物类,以及部分流体、气体物品。常用单位有公升、加仑、蒲式耳等。

按数量(Number)计算:适用货物如一般日用工业品、日用消费品以及部分农产品。常用单位有只、件、双、打、罗、箱、辆、包、袋、桶、瓶、罐、听、头、捆、套、令、卷等。

2. 计量方法

在国际贸易中,有许多商品是按重量买卖的。根据一般商业习惯,计算重量的方法有以下几种:

毛重(Gross Weight):毛重是指商品本身的重量加上包装的重量(即皮重)。在国际贸易中,有些低值货物常以毛重作为计算价格的基础。另外,有些商品因包装本身不便与商品分别计量,或因包装材料与商品价格差不多,习惯上也以毛重作为计算价格的基础,这种规定称之为"以毛作净"(Gross for Net)。

净重(Net Weight):净重是指商品本身的实际重量,不包括包装的重量。在国际贸易中,对以重量计量的商品,大部分都按净重计价,这是最常见的计量方法。

公量(Conditioned Weight):有些吸湿性较强的商品,如棉花、羊毛、生丝等,其重量很不稳定但经济价值较高。为了准确计算这类商品的重量,国际上通常采用按公量计算的方法。公量的计算公式为:

公量=商品实际净重×(1+标准回潮率)/(1+实际回潮率)

理论重量(Theoretical Weight):某些有固定规格、固定尺寸、重量大致相等的货物,以其单个重量乘以总件数而推算出来总重量,如钢板等。这种计量方法称为理论重量。

法定重量(Legal Weight):法定重量是指纯货物重量加上直接接触商品的包装材料的重量。法定重量是海关依法征收从量税时作为征税基础的计量方法。

实物净重(Net Net Weight):又称纯净重,它是指在法定重量中扣除直接接触商品的包装物料重量之后的纯商品重量。这种方法主要也为海关征税时使用。

(二)数量条款的内容

国际贸易合同的数量条款主要由成交数量和计量单位组成。以重量成交的商品还需明确计量的方法。另外,有时合同中还会规定数量的机动幅度。

例如,Quantity:1000M/T,gross for net,with 3% more or less at seller's option, such excess or deficiency to be at the contracted price.

数量：1000公吨，以毛作净，3%增减幅度，由卖方选择，增减部分按合同价格计算。

(三)规定数量条款应注意的事项

1. 数量条款应当明确具体

为了避免争议，合同中的数量条款要明确具体。在数量上一般不宜采用大约、近似、左右等词语来说明，因为交易双方对这些词语的解释可能不一致。对计量单位的使用要完整，如用吨，则要明确是公吨、长吨或短吨。

如果合同规定采用信用证支付方式，则要注意《跟单信用证统一惯例》对数量的解释规定："约"量解释为有不超过10%的增减幅度；没有"约"量，也可有5%的增减，但该规定不适用于按包装单位或个数单位计量的商品。

2. 合理规定数量机动幅度

在某些农副产品和工矿产品的交易中，由于受商品特性、生产能力、船舶舱位、装载技术或包装方式的限制，卖方在实际履约时难以严格按合同规定的数量交货，为了避免因卖方实际交货不足或超过合同规定而引起的法律责任，方便合同的履行，买卖双方可以在合同中规定数量机动幅度，即规定卖方在交货时可以溢交或短交合同数量的一定百分比，例如：500公吨，卖方可溢短装5%。这种条款称为溢短装条款。

一般来说，机动幅度由负责安排运输的一方选择，也可由运输方来决定，但为了避免争议，宜在合同中明确规定。

3. 溢短装数量的计价方法

对多装或少装部分的计价结算，一般按合同价格结算。但是，数量上的溢短装在一定条件下关系到买卖双方的利益。在溢短装上有选择权的一方可利用装运时市价的变化而选择多装或少装。因此，为防止有权选择溢短装的当事人利用行市的变化，有意多装或少装，以获取额外的好处，可在合同规定不按合同价格结算，而按装船日的市场价格或目的地的市场价格结算，也可以按部分合同价格、部分市场价格结算。

四、国际贸易合同中的包装条款

(一)包装条款的基本内容

按照国际惯例，包装条款是国际货物买卖合同的重要交易条件之一，是货物说明的主要组成部分。如果货物的包装与合同的规定或行业惯例有重大不符，买方有权索赔损失,甚至拒收货物。买卖合同中的包装条款一般包括包装材料、包装方式、包装规格、包装标志,有时也包括包装费用等内容。

条款示例:

木箱装,每箱 80 千克净重。

In wooden cases of 80 kilograms net each.

铁桶装,每桶净重 195～205 千克。

In iron drums of 195～205kg net each.

纸箱装,每箱 1 台,共 850 箱。

To be packed in cartons of one set each, total 850 cartons.

(二)订立包装条款应该注意的问题

为了订好包装条款,以利合同的履行,在商订包装条款时,应注意下列事项:

1. 考虑商品特点和不同运输方式的要求

商品的特性、形状和使用的运输方式不同,对包装的要求也不相同,因此,在约定包装材料、包装方式、包装规格和包装标志时,必须从实际出发,使约定的包装科学、合理,并满足安全、适用和适销的要求。

2. 对包装的规定要明确具体

不宜只笼统定为"适合海运包装""习惯包装",而要根据具体商品作具体明确的规定。

3. 要考虑有关国家的与进口包装有关的法律法规

有的国家和地区对包装材料、运输标志等有严格的限制和规定,所以要对此十分注意。

4. 明确包装费用由何方负担

按照国际贸易惯例,包装费用一般都包括在货价之内,不单独计价,在包装条款中无须另行订明。但如果买方有特殊要求,则需要在包装条款中订明。包装由谁供应通常有三种做法:一是卖方提供包装,连同商品一起交给买方;二是卖方提供包装,但在交货后再将其收回;三是由买方提供包装,在这种情况下,应明确规定买方提供包装或包装物料的时间,以及由于包装物料未能及时提供而影响发运时买卖双方所负的责任。

5. 采用定牌包装时,应该注意买方指定的商标或品牌是否侵犯第三方工业产权,为避免纠纷,最好在合同中订明:"因该商标或品牌所引起的知识产权纠纷,概与卖方无关,所有责任和费用皆由买方承担。"

五、国际贸易合同中的价格条款

价格条款是国际货物买卖合同的核心条款,因为它集中反映了交易双方的利益关系,并且其内容直接对合同的其他条款产生重大影响。因此,在实际业务中,正确掌握进出口商品价格,合理地采用贸易术语和各种作价办法,从而订好合同的价格条款,是十分重要的。

国际货物买卖合同中的价格条款一般包括单价、总值两项基本内容。另外,经常还有作价办法、佣金和折扣等其他方面的内容。

(一)单价和总值

货物的价格,通常是指货物的单价,简称单价(Unit Price)。在机电产品交易中,有时也有一笔交易含有多种产品或多种不同规格的产品而只规定一个总价的。国际贸易的单价远较国内贸易的单价复杂,一般需由计量单位、单位价格金额、计价货币和贸易术语四项内容组成。

例如: 每公吨　　　600　　　美元　　　CIFSingapore
　　　计量单位　单位价格金额　计价货币　贸易术语

单价和成交数量的乘积即为该批货物的总值。在价格条款合同中,总值项下一般也同时列明价格术语,总值所使用的货币名称必须与单价所使用的货币名称一致。

买卖双方在洽商和确定单价时,应注意以下问题:

1. 计价货币

计价货币(Money of Account)是指合同中规定用来计算价格的货币。它与支付货币(Money of Payment)在合同中可以是同一货币,也可以是不同的货币。

在国际贸易中,虽然买卖双方的立场不同,对使用货币的出发点不同,但双方所考虑的问题却是相同的。主要有两个:一是外汇风险负担问题。在当前国际金融市场普遍实行浮动汇率制的情况下,货币价值不是一成不变的,买卖双方都将承担一定的汇率变化的风险,因此在选择使用何种货币时,就不能不考虑货币汇率升降的风险。

在国际贸易中,把具有上浮(升值)趋势的货币称为"硬币",把具有下浮(贬值)趋势的货币称为"软币"。通常情况下,在出口贸易中,应当选择"硬币"作为计价货币;在进口贸易中,应当选择"软币"作为计价货币。在金额较大的进出口合同中,为了缓冲汇率的急升急降,应当采用多种货币组合来计价,称之为"一篮子计价法"。二是要考虑货币的自由兑换性,有利于调拨和运用,以及在必要时可转移货币汇率的风险。

2. 计量单位

由于各国的度量衡制度不同,合同中的计量单位必须明确规定清楚。一般说来,计价数量单位应与数量条款中所用的计量单位相一致。如计价数量单位为

"公吨",则数量和单价中均应用"公吨",而不要这一个用"公吨",而另一个用"长吨"或"短吨"。

3. 单位价格金额

应按双方协商一致的价格,正确填写在书面合同中。如在出口合同中把金额写错,或低于原来商定的金额,或在进口合同中错写成高于原来的金额,对方如将错就错,将使我方遭受损失,因为单位价格金额或书面合同中的其他条款如写错,又经当事人双方签署确认,按国际贸易法律是可以因此而否定或改变磋商时谈定的条件的。

4. 贸易术语

在国际贸易中,根据每种贸易术语的构成,买卖合同采用哪种贸易术语对买卖双方都是至关重要的。实际业务中选择贸易术语的一般原则是:出口业务采用 CIF 或 CFR 贸易术语,进口采用 FOB 贸易术语。但是还应根据方便贸易、促成交易的原则,权衡利弊,根据货物的销售情况、运输条件等方面灵活选用贸易术语。

(二)作价办法

在国际货物买卖中,作价的方法多种多样,我们可以根据不同情况,分别采取下列作价办法:

1. 固定价格

国际货物买卖的作价方法,一般均采用固定价格,即在交易磋商中,把价格确定下来,事后不论发生什么情况均按合同确定的价格结算货款。上列所提及的单价,如买卖双方对此无其他特殊约定,应理解为固定价格。它具有明确、具体、肯定和便于核算的特点。

不过,由于国际商品市场行情的多变性,价格涨落不定。因此,在国际货物买卖合同中规定固定价格,就意味着买卖双方要承担从订约到交货付款以至转售时价格变动的风险。况且,如果行市变动过于剧烈,这种做法还可能影响合同的顺利执行。一些不守信用的商人很可能为逃避巨额损失,而寻找各种借口撕毁合同。为了减少价格风险,在采用固定价格时,首先,必须对影响商品供需的各种因素进行仔细的研究,并在此基础上,对价格的前景作出判断,以此作为决定合同价格的依据,其次,对客户的资信进行了解和研究,慎重选择订约的对象。但是,国际商品市场的变化往往受各种临时性因素的影响,变化莫测。特别是从 20 世纪 60 年代末期以来,由于各种货币汇率波动不定,商品市场变动频繁,价格暴涨暴跌的现象时有发生,在此情况下,固定价格给买卖双方带来的风险比过去更大,尤其是在价格前景捉摸不定的情况下,更容易使客户裹足不前。因此,为了减少风险,促成交易,提高合同的履约率,在合同价格的规定方面,也日益采取一些变通做法。

2. 非固定价格

从我国进出口合同的实际做法看,非固定价格,即一般业务上所说的"活价",大体上可分为下述几种:

(1)具体价格待定。

这种规定又可分为下列两种方式:一是在价格条款中明确规定定价时间和定价方法。例如,"在装船月份前50天,参照当地及国际市场价格水平,协商议定正式价格";或"按提单日期的国际市场价格计算"。二是只规定作价时间,如"由双方在××年×月×日协商确定价格"。这种方式由于未就作价方式作出规定,容易给合同带来较大的不稳定性,双方可能因缺乏明确的作价标准,而在商订价格时各执己见、相持不下,导致合同无法执行。因此,这种方式一般只应用于双方有长期交往,已形成比较固定的交易习惯的合同。

(2)暂定价格。

即在合同中先订立一个初步价格,作为开立信用证和初步付款的依据,待双方确定最后价格后再进行最后清算,多退少补。例如:"单价暂定每公吨1000英镑CIF神户,作价方法:以××交易所3个月期货,按装船月份月平均价加5英镑计算,买方按本合同规定的暂定价开立信用证。"

(3)部分固定价格,部分非固定。

有时为了照顾双方的利益,解决双方在采用固定价格或非固定价格方面的分歧,也可采用部分固定价格、部分非固定价格的做法,或是分批作价的办法,交货期近的价格在订约时固定下来,余者在交货前一定期限内作价。

3. 滑动价格

在国际上,对于某些货物如成套设备、大型机械,从合同成立到履行完毕需时较长,在此期间,可能因原材料、工资等变动而影响生产成本。为了避免承担过大的价格风险,保证合同的顺利履行,可采用滑动价格。所谓滑动价格,是指先在合同中规定一个基础价格(Basic Price),交货时或交货前一定时间,按工资、原材料价格变动的指数作相应调整,以确定最后结算价格。对如何调整价格的办法,则应该在合同中一并具体订明。

六、国际贸易合同中的装运条款

在国际货物买卖中,货物的交付都是通过运输来实现的。而运输问题又直接关系到合同的顺利履行和买卖双方的权益。因此,作为货物买卖的双方,必须在合同中就货物运输的相关问题作出明确、合理的规定和安排,这就构成了买卖合同中的运输条款。一般来说,买卖合同中的运输条款主要涉及合同中的装运条款,应具体规定交货时间、装运地、目的地、能否分批装运和转运等内容。

(一)装运时间

1. 装运时间与交货时间

装运(Shipment)原义是指将货物交由船方运往目的地的行为,也就是一般所说的装船。在很多场合,也将装运泛指为将货物交由承运人(包括轮船、火车、飞机、卡车)运往指定目的地的行为。交货(Delivery)是指卖方为了完成货物的交接而采取的行为。在涉及运输的合同中,交货指把货物交给承运人以运交给买方的行为。由于我国大部分是以 FOB、CIF、CFR 和 FCA、CPT、CIP 术语签订合同的,采用这些贸易术语签约时,卖方在装运港或发货地将货物装上运输工具或交给承运人或第一承运人以运交给买方,交货义务即告完成。因此,业务上经常将"装运"和"交货"两者混同使用。

2. 装运时间的规定方法

(1)规定在某月或跨月装运。

即装运时间限于某一段确定时间(a period of time)。采用此种方法规定装运时间,卖方可在该段期间内的任何时间装运出口。

条款示例:

shipment during March 2015

2015 年 3 月装运。

shipment during April/May 2015

2015 年 4/5 月份装。

(2)规定在某月月底或某日前装运。

即在合同中规定一个最迟装运日期,在该日期前装运有效。

条款示例:

shipment at or before the end of August 2016

在 2016 年 8 月底或以前装运。

shipment not later than June 15th

最迟 6 月 15 日装运。

(3)规定收到信用证后一定期限内装运。

采用信用证支付方式的合同,卖方为了避免买方未能开出或未能及时开立信用证而可能造成卖方损失的风险,有时可采用此种方法规定装运时间,以保障卖方利益。此时卖方往往要等收到买方开来信用证后才开始备货或投产,因而交货时间与收到信用证的时间相关联。另外,为防止买方拖延或拒绝开证而造成卖方不能及时安排生产及装运进程的被动局面,合同中一般还同时订立一个限制性条款,即规定信用证的开立或送达期限。

条款示例

Shipment within 30 days after receipt of L/C. The buyers must open the relative L/C to reach the sellers not later than August 18th.

收到信用证后30天内装运。买方必须不迟于8月18日将信用证开到卖方。

(4)近期装运术语。

此类术语主要有"立即装运"(Immediate Shipment)、"迅速装运"(Prompt Shipment)、"尽快装运"(Shipment As Soon As Possible)等。这些近期术语在国际上并无统一的解释,因而为避免误解引起纠纷,除买卖双方有一致理解外,应尽量避免使用。国际商会第500号出版物中明确规定:"不应使用诸如'迅速''立即''尽快'等词语,否则,银行将不予理睬。"

另外,在签订合同时,应特别注意避免"双到期",即信用证结汇有效期与装运期同时到期。一般卖方应争取结汇有效期长于装运期7~15天,以便于货物装船后有足够的时间办理结汇手续。

3. 规定装运时间应注意的问题

(1)买卖合同中的装运时间的规定,要明确具体,装运期限应当适度。

(2)应注意货源情况、商品的性质和特点以及交货的季节性等。

(3)应结合考虑交货港、目的港的特殊季节因素。

(4)在规定装运期的同时,应考虑开证日期的规定是否明确合理。

(二)装运港(地)和目的港(地)

对于装运港(地)和目的港(地)的规定关系到买卖双方履行义务、划分风险责任、费用结算等问题,因而,须在合同中作出具体规定。

1. 装运港(地)

一般情况下,装运港(地)由卖方提出,经买方同意后确定,以便于卖方安排货物装运。实际业务中,应考虑多方面因素,根据合同使用的贸易术语和运输方式合理选择装运港(地)。

(1)原则上选择靠近产地、交通方便、费用较低、基础设施较完善的地方。

(2)采用CFR、CIF等术语交易时,应多订几个装运港(地),便于灵活选择;采用FOB条件时,买方应特别注意装运港(地)的装载条件是否适合。

(3)采用集装箱多式联运时,一般以有集装箱经营人收货站的地方为装运地。

在买卖合同中,通常只规定一个装运港(地),如"装运港:宁波"(Port of Shipment:Ningbo)。有时因实际业务需要,也可规定多个装运港(地),如"装运港:上海和宁波"(Port of Shipment: Shanghai and Ningbo)。此时,若签订的是由卖方负责运输的 CFR、CIF 等合同,卖方可根据实际需要,任意选择一个装运港;若是买方负责运输的合同,则卖方应在装运时间之前的合理时间将选定的装运港通知买方,以便于买方办理派船接运或指定承运人等事项。

2. 目的港(地)

在进出口业务中,目的港(地)一般由买方提出,经卖方同意后确定。合同中一般只规定一个目的港,必要时也可规定两个或两个以上或作笼统规定,由买方在装运期前通知卖方。

出口业务中,对于目的港(地)的选择,要考虑如下因素:

(1)要注意不能以我国政府不允许进行贸易往来的国家或地区作为目的港(地)。

(2)目的港必须是船舶可以安全停泊的港口(非疫、非战争地区),争取选择装卸条件良好、班轮经常挂靠的基本港口。若货物运往无直达班轮或航次较少的港口,合同中应规定"允许转船"条款。

(3)目的港(地)的规定应明确具体。一般不宜笼统定为"某地区主要港口",如"非洲主要港口"(African Main Ports)等,以免因含义不明给卖方带来被动。

(4)除非以多式联运方式运输,否则一般不接受内陆城市为目的地的条款,如向内陆国家出口货物,应选择离目的地最近且卖方能安排船舶的港口为目的港。

(5)合理使用"选择港"。采用"选择港"时,应注意:第一,"选择港"数目一般不要超过三个;第二,备选港口应在同一航线上,且是班轮都挂靠的港口;第三,合同中应明确规定买方最后确定目的港的时间;第四,合同中应明确因选择港而增加的运费、附加费等均应由买方承担;第五,运费应按选择港中最高的费率和附加费计算;第六,按一般惯例,如货方未在规定时间通知船方最后选定的卸货港,船方有权在任何一备选港口卸货。

注意所规定的目的港(地)有无重名问题。如维多利亚(Victoria)全世界有 12 个;的黎波里(Tripoli)在利比亚、黎巴嫩各有一个,甚至同一国家地名也有重合的。因而,此种情况下,应在合同中明确标明目的港(地)所在的国家和所处方位,以免发生差错。

(三)分批装运和转运

分批装运(Partial Shipment)和转运(Transhipment)直接关系到买卖双方的利益,因此往往是进出口合同中的重要内容,需要在交易磋商时即给予确定。

1. 分批装运

分批装运又称"分期装运"(Shipment by Installments),是一个合同项下的货物先后分若干期或若干次装运。在国际贸易中,凡数量较大,或受货源、运输条件、市场销售或资金的条件限制,有必要分期分批装运、到货者,均应在买卖合同中规定分批装运条款。如为减少提货手续,节省费用,在进口业务中要求国外出口人一次装运货物的,应在进口合同中规定不准分批装运(Partial Shipment Not Allowed)条款。

在进出口合同中规定分批装运的方法主要有以下几种:

(1)只规定允许分批装运,对于时间、批次和数量不作具体规定。这种做法对卖方比较有利,卖方完全可以根据货源和运输条件,在合同规定的交货期内灵活掌握。

条款示例:

允许分批装运。

partial shipment are allowed.

(2)在规定分批装运的时候,订立每期装运的时间和数量。这种做法对卖方的限制较严。在接受这种条件之前,卖方必须慎重考虑货源和运输条件的可能性,以免造成被动。但从买方角度看,比较有利于生产或销售的安排。

条款示例:

2月至3月分两批每月平均装运。

shipment during Feb./Mar. in two equal monthly lots.

(3)对于一些大宗交易,有时也可以只在合同中规定允许分批交货,但具体时间和数量可由卖方在合同签订后,提出交货计划表,由买卖双方协商确定,纳入合同,予以执行。

根据国际商会《跟单信用证统一惯例(2007年修订本)》(《UCP600》)规定,除非信用证作明示规定,否则卖方可分批装运。但是,如果信用证规定不准分批装运,卖方就无权分批装运。因此,为防止误解,如需要分批装运的出口交易,应在买卖合同中对允许分批装运(Partial Shipment To Be Allowed)作出明确规定。

2. 转运

转运是指自装货港、发运地或接受监管地到卸货港、目的地的运输过程中,货物从一运输工具卸下,再装上同一运输方式的另一运输工具;或在不同运输方式运输的情况下,货物从一种运输工具卸下,再装上另一种运输工具的行为。货物在中途转运,容易受损和散失、延迟到达目的地,但在无直达运输工具、转运不可避免的情况下,就有必要在买卖合同中规定允许转运,有时还要规定在何地和以何种方式转运的条款。

随着运输工具的不断改进和大型化,集装箱船、滚装船、母子船的不断涌现,以及各种新的运输方式的广泛运用,转运在实际业务中几乎已成为经常发生的现象,并成为被各国贸易界人士普遍接受的事实,转运的含义也发生了变化。《UCP600》规定:即使 L/C 规定不准转运,如果是集装箱运输,也可以接受转运提单。

条款示例:

5000 M/T shipment before May 2010 from Shanghai via Hong Kong to London by container vessel.

5000公吨,2010年5月前集装箱装运,由上海经中国香港至伦敦。

条款示例:

During Apr/May in two equal monthly shipments, to be trasshipped at Hong Kong.

4/5月分两次每月平均装运,由中国香港转运。

3.《跟单信用证统一惯例》对分批装运和转运的规定

根据国际商会第500号出版物《跟单信用证统一惯例》的有关规定,关于分批装运和转运应注意如下几点:

(1)如信用证中没有规定禁止分批装运和转运,可视为允许分批装运和转运。但实际业务中,还是在合同中明确规定允许分批装运和转运为宜。

(2)对于同一船只、同一航次及同一目的港的多次装运,即使运输单据表面上注明不同的装运日期或不同的装运港口,也不应视为分批装运。

(3)对于分批装运的货物,如其中任何一批未按规定装运,则该批及以后各批均告失效。

(四)装运通知

装运通知(Shipping Advice)是装运条款中不可缺少的一项重要内容。不论按哪种贸易术语成交,交易双方都要承担相互通知的义务。规定装运通知的目的在于明确买卖双方的责任,促使双方互相配合,共同做好车、船、货的衔接,有利于贸易的顺利进行。实际业务中,基本上采用电传通知。

装运通知的作用是使买方得知货物装运情况和预计到达时间,以便及时转售货物,准备接货并办理必要的保险。装运通知对 CFR 及其他由买方负责保险的合同具有特殊重要的意义。按照有些国家的法律,CFR 合同下的卖方在货物装船后必须无延迟地向买方发出装运通知,以便买方及时办理保险,否则,卖方应承担货物在运输途中的一切风险。在具体买卖合同中,为了明确双方责任,避免对"无延迟"有不同解释而引起纠纷,一般应明确规定卖方必须在装船后及时以电讯方式通知买方。

装运通知具体有三种:

1. 派船通知

派船通知是 FOB 合同、适用海运的 FCA 合同特有的条款。通常规定买方必须在装运期开始前若干天,将拟派出的船名、预计到达日期、装运数量等通知卖方。然后在船只到达前若干天,将船只的预计到达日期、承载的数量、船名、船籍等正式通知卖方。

2. 备货通知

备货通知是 FOB 和 FCA 合同中所特有的条款,卖方应在约定的装运期开始之前,一般在装运月前 30 天,向买方发出货物备妥的通知。

3. 装船通知

装船通知是指卖方在将货物装运完毕后,给卖方发出的有关货物业已装妥的通知。通知内容的繁简可因要求不同而异。一般应包括:品名、实装数量、船名、装船日期、金额、唛头、起运港、目的港等。

(五)装卸时间、装卸率和滞期、速遣条款

在国际贸易中,大宗货物多数采用程租船运输。由于装卸时间直接关系到船方的经济效益,在租船人负责装卸货物的情况下,租船合同中船方一般对货物的装卸时间要作出明确规定,并制定罚款和奖励办法,用以约束租船人。但是,在业务中,负责装卸货物的不一定是租船人,可能是买卖合同的另一方,如 FOB 合同的租船人是买方,而装货是卖方;反之,CIF 合同的租船人是卖方,而卸货的则是买方。因此,负责租船的一方为了敦促对方及时完成装卸任务,就必须在买卖合同中规定装卸时间、装卸率和滞期、速遣条款。

1. 装卸时间

装卸时间是指合同中规定的完成货物装卸所用的时间。当前国际上较为普遍采用的规定方法是:按"连续 24 小时好天气工作日"计算,即在好天气情况下,连续作业 24 小时为一个工作日,不分昼夜,将中间因坏天气而无法作业的时间予以扣除。

关于装卸时间的起算和止算,各国法律规定或习惯不完全一致,一般规定在船长向承租人或其代理人递交了"装/卸准备就绪通知书"后,经过一定的规定时间开始计算。较为普遍的规定是:如船长递交"装/卸准备就绪通知书"(Notice Of Ready,NOR)在上午 8~12 点送达,则从下午 2 点起算;如在下午 2~6 点送达,则从次日上午 8 点起算。终止时间则以最后一件货物装上或卸下船为准。关于止算时间,世界各国习惯上都以货物装完或卸完时间为准。

2. 装卸率

装卸率(Load/Discharge Rate)是指每日装卸货物的数量,它直接影响装卸时

间。合同中规定的装卸率一般应按照港口习惯的正常装卸速度来订明。装卸率的高低,关系到完成装卸任务的时间和运费水平,装卸率规定过高或过低都不合适。过高,完不成装卸任务,要承担拖期损失;过低,虽然能提前完成任务,但船方会因装卸率低、船舶在港时间长而增加运费,也使租船人得不偿失。

3. 滞期费(Demurrage)和速遣费(Dispatch Money)

在程租运输中,由于装卸货时间的长短影响到船舶的使用周期和在港费用,这直接关系到船方的经营效益,因而为节省船期,在程租合同中一般都规定有租船人在一定时间内完成装卸作业的条款,即许可装卸时间条款,或称装卸期限条款。

如果租船人未能在许可装卸时间内完成装卸作业,则自许可装卸时间终止到实际装卸完毕时的这段时间称为滞期,为此,租船人须向船方支付一定的罚款,以补偿船方的损失。这种罚款称为滞期费。滞期费等于滞期时间和约定的滞期费率的乘积。滞期时间是通过实际装卸时间与合同允许使用的装卸时间相比较得出的,按航运界惯例,遵循"一旦滞期,始终滞期"(Once on Demurrage, Always on Demurrage)的原则。

在滞期期间的星期日、节假日,乃至因天气或其他原因停止工作的时间是否作为滞期时间,常常是争议之处。为避免争议,租船合同中常用一些明确的术语来表明滞期时间的计算,如:"滞期时间连续计算"和"滞期时间非连续计算"或"按同样的日"。合同中如果没有明确约定采用哪一种术语计算滞期时间,则通常解释是按普通法下"滞期时间连续计算"的方式计算。

反之,速遣是指租船人在许可装卸时间终止前,提前完成装卸作业,由于节省了船期,船方要向租船人支付一定的奖金,这称为速遣费。速遣费通常规定为滞期费的一半。对于速遣时间有两种计算方法:一是按节约的全部时间计算;二是按节约的工作时间计算。在计算速遣时间的问题上,容易发生争议的问题是在节省的时间中是否扣除星期日、节假日及不良天气停止工作的时间。为防止争议,租船合同中也常采用含义明确的用语,即"节省全部时间"和"节省全部工作时间"。当合同中没有明确约定采用哪种用语来计算速遣时间时,通常解释是按"节省全部工作时间"计算。

在买卖合同中规定的滞期和速遣条款要和租船合同规定的内容协调起来,避免出现一方面支付滞期费,另一方面又要支付速遣费的矛盾局面。

七、国际贸易合同中的保险条款

(一)我国海运货物保险的险别

中国人民保险公司根据我国保险工作的实际情况,按照1963年伦敦保险协会货物保险条款,并参照国际保险市场的习惯做法,分别制订了海洋、陆上、航空及邮包运输方式的货物运输保险条款,以及适用于以上四种运输方式货物保险的附加条款,总称为"中国保险条款"(China Insurance Clauses,简称 CIC)。1972 年曾修改过一次,到 1981 年 1 月 1 日又修订为当前的保险条款,目前在国内应用广泛。中国人民保险公司制订的"中国保险条款",将海运货物保险险别,分为基本险和附加险两类。基本险可以单独投保;附加险不能单独投保,承保由外来原因所造成的损失,必须在投保某种基本险的基础上加保。

1. 基本险

海运货物保险的基本险别分为平安险、水渍险和一切险三种。

(1)平安险。

平安险(Free from Particular Average,简称 FPA)是三个基本险别中承保责任范围最小的一个,其英文原义是指单独海损不负责赔偿。概括起来,平安险承保的具体责任范围如下:

①在运输过程中,由于自然灾害和运输工具发生意外事故,造成被保险货物的实际全损或推定全损。

②由于运输工具遭遇搁浅、触礁、沉没、互撞、与流冰或其他物体碰撞以及失火、爆炸等意外事故造成被保险货物的全部或部分损失。

③在运输工具已经发生搁浅、触礁、沉没、焚毁等意外事故的情况下,货物在此前或此后又在海上遭受恶劣气候、雷电、海啸等自然灾害所造成的部分损失。

④在装卸转船过程中,被保险货物一件或数件落海所造成的全部损失或部分损失。

⑤被保险人对遭受承保责任内危险的货物采取抢救、防止或减少货损措施而支付的合理费用,但以不超过该批被救货物的保险金额为限。

⑥运输工具遭遇自然灾害或意外事故,需要在中途的港口或者在避难港口停靠,因而引起的卸货、装货、存仓以及运送货物所产生的特别费用。

⑦发生共同海损所引起的牺牲、分摊和救助费用。

⑧发生了保险责任范围内的危险,被保险人对货物采取抢救、防止或减少损失的各种措施,因而产生的合理施救费用。但是保险公司承担费用的限额不能超过这批被救货物的保险金额。施救费用可以在赔款金额以外的一个保险金额限度内承担。

(2)水渍险。

水渍险(With Average 或 With Particular Average,简称 WA 或 WPA)的责任范围,除包括上列平安险的各项责任外,还负责被保险货物由于恶劣气候、雷电、海啸、地震、洪水等自然灾害所造成的部分损失。

(3)一切险。

一切险(All Risks)的责任范围,除包括平安险和水渍险的所有责任外,还包括货物在运输过程中的一般外来原因所造成的被保险货物的全损或部分损失。

投保了一切险,并不是指保险公司承保了一切的风险,海运中的特殊外来原因引起的损失并不包含在内。此外,投保了一切险后不必再投保一般附加险,因为已包含在内,以免增加支付不必要的保险费。由于一切险承保责任范围大,其保险费在三种基本险中也最高。

(4)保险责任起讫和除外责任。

中国人民保险公司的《海洋运输货物保险条款》规定,基本险承保责任起讫期限或称保险期限,采用国际保险业务中惯用的"仓至仓条款",即保险责任自被保险货物运离保险单所载明的起运地仓库或储存处所开始运输时生效,包括正常运输过程中的海上、陆上、内河和驳船运输在内,直至该项货物到达保险单所载明目的地收货人的最后仓库或储存处所或被保险人用作分配、分派或非正常运输的其他储存处所为止。如未抵达上述仓库或储存处所,则以被保险货物在最后卸载港全部卸离海轮后满60天为止。如在上述60天内被保险货物需转运至非保险单所载明的目的地时,则于货物开始转运时终止。

2. 附加险

附加险是对基本险的补充和扩大,分为一般附加险和特殊附加险。附加险承保的是除自然灾害和意外事故以外的各种外来原因所造成的损失。《中国保险条款》中的附加险不能单独投保,附加险只能在投保某一种基本险的基础上才可加保。

(1)一般附加险。

一般附加险(General Additional Risk)承保由一般外来原因造成的货物的全部或部分损失。一般附加险有11种险别:偷窃、提货不着险,淡水雨淋险,渗漏险,短量险,混杂、玷污险,碰损、破碎险,串味险,受潮受热险,钩损险,包装破裂险,锈损险。

(2)特殊附加险(Special Additional Risk)。

特别附加险是指承保由军事、政治、国家政策法令以及行政措施等特殊外来原因所引起的风险与损失的险别。中国人民保险公司承保的特别附加险主要包括:

①战争险。

战争险(War Risk)主要承保以下损失:其一是直接由战争、类似战争行为和敌对行为、武装冲突或海盗行为所致的损失;其二是由上述原因引起的捕获、拘留、扣留、禁止、扣押所造成的运输货物损失;其三是各种常规武器,包括水雷、鱼雷、炸弹所造成的运输货物的损失;其四是战争险责任范围内的共同海损牺牲、分摊和救助费用。但是,对于使用原子或热核武器造成的损失和费用则不负责赔偿。

战争险保险责任的起讫采用的是保险人只负责水面风险的原则,即从货物装上海轮或驳船时开始至货物运抵目的港卸离海轮为止。如果不卸离海轮,则以货物到达目的港当日午夜起15天为限。

②罢工险。

罢工险(Strikes Risk)主要承保以下损失:其一是由罢工、被迫停工、工人参加工潮、暴动和民众斗争的人员所造成的直接损失;其二是在罢工期间任何人的恶意行为造成的直接损失;其三是恐怖主义者出于政治目的采取行动而造成的损失;其四是由上述行动或行为所引起的共同海损的牺牲、分摊和救助费用。

根据国际保险业的习惯做法,罢工险往往与战争险同时投保。若被保险人已经投保了战争险,需加保罢工险,一般不另收保险费。如果被保险人只投保罢工险,则要按战争险费率缴付保险费。

(二)合同中的保险条款

订立明确合理的保险条款是国际货物买卖合同的重要内容之一。国际贸易合同中保险条款的内容,必须根据贸易术语而定。

1. FOB、FCA 和 CFR、CPT 合同中的保险条款

如果按 FOB、FCA 和 CFR、CPT 条件成交,签订出口合同时,保险条款可规定为:"Insurance to be effected by the Buyers."(保险由买方自理。)

如果对方委托我方代办,可以订为:"Insurance to be effected by the Sellers on behalf of the Buyers for×××％of invoice value against×××Risk, premium to be for Buyer's account."(由买方委托卖方按发票金额×××％代为投保×××险,保险费由买方负担。)

2. CIF 和 CIP 合同中的保险条款

如果按 CIF 和 CIP 条件成交,签订出口合同时,应将双方约定的险别、保险金额以及保险条款等内容在合同中加以明确。如:"Insurance to be effected by the Seller for×××％ of invoice value against×××Risks as per Ocean Marine Cargo Clauses of the Peoples Insurance Company of China dated×/×/×."(由卖方按发票金额×××％投保×年×月×日中国人民保险公司海运货物保险条款×××险。)

(三)海上货物运输保险索赔

在索赔过程中,被保险人应做好下列工作:

1. 损失通知

当被保险人获悉或发现保险货物受损,应立即通知保险人,以便保险人检验损失,出具检验报告,提出施救意见,确定保险责任,查核发货人或承运人责任。延迟通知将会耽误保险人进行有关工作,引起异议还会影响索赔。损失通知是保险理赔的第一项程序。在船舶保险中,如其事故在国外,还应通知距离最近的保险代理人。

2. 向有关责任方提出索赔

被保险人或其代理人在提货时发现货物明显受损或整件短少,除向保险公司报损外,还应立即向承运人、受托人以及海关、港务局等索取货损货差证明。当这些损失涉及承运人、受托人或其他有关方面如码头、装卸公司的责任,应立即以书面向他们提出索赔,并保留追偿权利,必要时还要申请延长索赔时效。我们日常处理的不少案件中,往往因为收货人没有此意识,从而丧失了保险人向责任方追偿的有力证据,也为此影响了保险赔付。因此,收货人在提货时一旦发现货损货差,一定要向有关责任方索取相关记录、证明,如责任方拒不出具,也可以向其他相关第三方取得证据:如港口、理货公司、二程运输公司、商检等。索赔人在取得证明之后应立即向责任方提出书面索赔,并在此后积极配合保险人与有关责任方交涉,同时保留责任方所有回函,以备保险索赔并便于今后保险人向责任方追偿。在海上保险合同中,一般订有代位求偿条款。根据该条款的规定,保险人在赔偿被保险人的损失后,可以在其赔付金额的限度内,要求被保险人让渡其对造成损失的他人要求赔偿的权利;同时被保险人不得随意放弃对他人的索赔权,否则,保险人将以不能行使代位求偿权为理由,拒绝被保险人的索赔。

3. 查勘检验

保险人或其代理人获悉损失通知后应立即开展保险标的损失的查勘检验工作,主要有两个步骤:

(1)港口联合检验。货物抵达目的港后发现货损时,收货人应及时通知保险公司,向商检部门申请联检,共同查明致损原因、损坏数量和程度,并编制港口联检报告或情况记录。

(2)异地联合检验。当货物转运至内陆收货人时,无论货物在港口卸货是否发现损坏,只要货物运抵目的地,发现有保险责任范围内短缺残损时,收货人可通过当地保险公司进行联合检验并编制联检报告。通过货物检验后,理赔人员应据此确定货损责任的归属。货物"原残"是发货人的责任,属于保险条款的险外责任,保险人不负责赔偿。"船残""工残"或其他外来原因造成的损失,只要在承保期间内发生均属保险责任,保险人应予赔偿。

检验申请人向保险人或其指定检验代理人申请检验时应提供填写如下内容

的必要单证:申请检验表、海运提单、货物发票、海事报告、保险单证、装箱单、理货单、货物的重量单等。

4. 及时施救,防止损失进一步扩大

一般货运险保单中"施救条款"规定,"被保险人或索赔人必须采取一切措施减少损失","实质上被保险人、索赔人必须像一个谨慎的未投保的人那样为了使损失降到最小而行事"。因此,收货人在通知保险人指定检验代理货损的同时,应立即自行或在代理的指导下对货损进行及时有效的施救,以防止损失进一步扩大。通常情况下,有关施救费用在索赔金额外另外索赔,但分开好坏货物的费用一般不属于保险公司责任。比如进口羊毛遭受部分水湿,收货人在掏箱时就应进行干湿分装等简单处理,而收货人该行为通常被视为其应尽的义务,保险人一般不对由此所产生的费用进行赔付。这一点在保单的"重要事项"中也有类似规定。

5. 向理赔代理或保险公司提供索赔单证

小额理赔或货物丢失的赔案,索赔人可直接向理赔代理提供相关索赔单证。索赔单证通常包括:正本保单、正本提单、装箱单(复印件)、发票(复印件)、破损记录、理货报告(原件)、向有关责任方的索赔函及复函(复印件)、向保险人的索赔函(原件)、维修或更换零件费用发票等,实施检验的需提交正本检验报告及检验费支付凭证。理赔代理审核索赔单证及检验报告,并据报告中的损失原因判定货损是否属于保险责任,同时根据损失程度出具理赔报告,连同索赔单证寄交保险人。通常理赔代理在单证齐全的前提下3~5个工作日内完成理赔。保险公司在收到单证后通常根据保险条款对货物的损失、有关修理和更换费用、共同海损分摊费用、施救和救助费用等扣除残值后进行赔付。

6. 收到赔款

保险人结束审核并确认赔付后,即将赔款划付至索赔人指定的银行账户。通常在 CIF 价格条件下,保险受益人为国外买方,如需卖方办理索赔并受益,买方需出具"授权委托书",以确保受益人的利益得到充分的保障。

7. 签署"权益转让书"

保险人赔付后,索赔人需签署"权益转让书"将索赔权转让给保险人,以便保险人及时向第三者责任方追偿。

8. 索赔时效展延

我国相关的法律明确规定:海上货物运输向承运人索赔的时效为一年,航空运输的为两年,水路、公路、铁路运输的均为180天,提货不着、丢失等索赔期相对较短。值得注意的是,在追偿过程中承运人往往利用时效限制的规定拖延时间,等到时效将近时才答复拒赔,致使索赔人来不及向法院提出诉讼。同时,由于从出险到损失赔付往往需花费较长的时间,故实际留给保险人的有效追偿时间往往很有限。有些案情复杂的案件,甚至时效将近时保险赔付尚未解决,这便给保险人办理追偿带来困难。因此,在责任方认赔之前,不论结果如何,收货人应在时效终止前(通常2个月左右),正式办理扩展追偿时效的申请手续,并尽早取得责任方对索赔时效展延的书面确认。

另外,在案件处理中常常出现保险保障不充分的问题,集中体现在保险区间不充分上。例如,一票高价值的精密医疗设备从汉堡运往山西运城,保单终止于天津新港。货物在港口未发现损失,但运抵最终目的地后发现破损。在这种情况下,保险人通常会以货物在保险区间完好为由而拒赔。因此,建议国内收货人在签订贸易合同时,提请投保人在安排保险时充分注意港口与内陆运输的接口问题,以确保得到充分保障。

八、国际贸易合同中的支付条款

合同中的支付条款是根据所采用的支付方式来确定的。不同的支付方式,合同中规定支付条款的内容也不一样。

(一)汇款方式的规定方法

采用汇款方式时,应在合同中明确规定汇款的办法、汇款时间、汇款的金额和汇款的途径等。例如:"The Buyers shall pay 50% of the sales proceeds in advance by M/T to reach the Sellers not later than Feb. 15th 2008."(买方应不迟于2008年2月15日将50%的货款用信汇预付给卖方)。

(二)托收方式的规定方法

采用托收方式时,应在合同中明确规定托收种类、进口人的承兑和(或)付款责任以及付款期限等。

1. 即期付款交单条款的规定方法

例如,合同中规定:"Upon first presentation the Buyers shall Pay against documentary draft drawn by the Sellers at sight. The shipping documents are to be delivered against payment only."(买方应凭卖方开具的即期跟单汇票于见票时立即付款,付款后交单)。

2. 远期付款交单条款的规定方法

例如,合同中规定:"The Buyers shall duly accept the documentary draft drawn by the Sellers at⋯days upon first presentation and make payment on its maturity. The shipping documents are to be delivered against payment only."(买方对卖方开具的见票后××天付款的跟单汇票,于提交时应即予承兑,并应于汇

票到期日即预付款，付款后交单）。或者应规定："The Buyers shall pay against documentary draft drawn by the Sellers at…days after date of B/L. The shipping documents are to be delivered against payment only."（买方应凭卖方开具的跟单汇票，于提单日后××天付款，付款后交单）。或者应规定："The Buyers shall pay against documentary draft drawn by the Seller at…days after date of draft. The shipping documents are to be delivered against payment only."（买方应凭卖方开具的跟单汇票，于汇票出票日后××天付款，付款后交单）。

3. 承兑交单条款的规定办法

例如，合同中规定："The Buyers shall duly accept the documentary draft drawn by the Seller at…days sight upon first presentation and make payment on its maturity. The shipping documents are to be delivered against acceptance only."（买方对卖方开具的见票后××天付款的跟单汇票，于提出当时应即予承兑，并应于汇票到期日付款，承兑后交单）。

(三)信用证方式的规定方法

采用信用证方式时，应在合同中明确规定信用证种类、开证日期、信用证有效期和议付地点等。

1. 即期信用证条款的规定方法

例如，在合同中规定："The Buyers shall open through a bank acceptable to the Sellers an Irrevocable sight Letter of Credit to reach the Sellers…days before the month of shipment, valid for negotiation in China until 15th day after shipment."（买方应通过卖方所接受的银行于装运月份前××天开立并送达卖方的不可撤销即期信用证，有效期至装运后15天在中国议付）。

2. 远期信用证条款的规定方法

例如，合同中规定："The Buyers shall open through a bank acceptable to the Sellers an Irrevocable Sight Letter of Credit to reach the Sellers…days before the month of shipment, valid for negotiation in China until 15th day after shipment."（买方应通过卖方所接受的银行于装运月份前××天开立并送达卖方不可撤销见票后××天付款的信用证，有效期至装运后15天在中国议付）。

(四)部分信用证、部分托收的规定方法

采用部分信用证和部分托收方式时，应注意有关装运单据必须全部随附托收项下的汇票，待全部货款收妥后，银行才能将单据交给买方。一般在合同中可以作如下或类似的规定："The Buyers shall open through a bank acceptable to the

Seller an Irrevocable L/C to reach the Sellers … days before the month of shipment, stipulating that 80% of the invoice value available against clean draft at sight while the remaining 20% on D/P at sight. The full set of the shipping documents of 100% invoice value shall accompany the collection item and shall only be released after full payment of the invoice value. If the Buyers fail to pay full invoice value, the shipping documents shall be held by the issuing bank at Sellers disposal."(买方应通过卖方所接受的银行于装运月份前××天开立以卖方为受益人的不可撤销即期信用证,规定80%发票金额凭即期光票支付,余20%即期付款交单。100%发票金额的全套装运单据随附托收项下,于买方付清发票的全部金额后交单。如买方不付清全部发票金额,则装运单据须由开证行掌握凭卖方指示处理)。

第四节 依法订立和履行合同

一、依法订立合同

订立合同是对以往磋商过程中双方达成的协议、共同接受的交易条件的最终书面确认。合同具有法律效力,一经订立,以后的贸易活动都应与合同条款一致。因此在国际贸易业务中,交易磋商是合同订立的重要环节。商品的国际交易能否顺利签订合同,主要取决于双方对交易条件进行磋商的结果。交易双方为了争取有利的贸易条件,经常会产生争端。因此,双方要在平等互利的基础上,通过友好协商尽量争取做到双方共赢。

(一)交易磋商

交易磋商(Business Negotiation)是指买卖双方通过直接洽谈或函电的形式,就某项交易的达成进行协商,以求完成交易的过程。这一阶段首先要做的是广告宣传,使国外客户了解公司产品性能,在此基础上再进行磋商并订立合同。广告宣传的方式有:在报刊上刊登商业广告;通过广播、电视等传播信息;举办专门的展销会;采用赠送样品的方式使消费者直接迅速了解其产品;派专门的推销小组到国内进行直接的宣传活动。广告宣传要依据不同商品特点和不同市场习惯,采用灵活多样的方式进行。

交易磋商的程序可概括为四个环节:询盘、发盘、还盘和接受。其中发盘和接受是必不可少的两个基本环节。

1. 询盘(Inquiry)

询盘又称询价,或要约邀请,是指交易的一方为购买或出售某种商品,向对方口头或书面发出的探询交易条件的过程。其内容可繁可简,可只询问价格,也可询问其他有关的交易条件。

询盘对买卖双方均无约束力,接受询盘的一方可给予答复,也可不作回答。但作为交易磋商的起点,商业习惯上,收到询盘的一方应迅速作出答复。

询盘一般多由买方向卖方发出,例如:

Please cable us your lowest price for Grey duck down.

请电告灰鸭绒最低价。

Please offer 50metric tons of groundnut kernel.

请发盘50公吨花生仁。

另外,卖方在市场处于动荡变化及供求关系反常的情况下,也会探听市场虚实、选择成交时机,主动寻找有利的交易条件。例如:

For China's northeast soybean, please bid.

可供中国东北大豆,请递盘。

2. 发盘(Offer)

发盘也称报盘、发价、报价,法律上称为"要约"。是指交易的一方向另一方提出一定交易条件,并表示愿意按照提出的交易条件达成买卖该项货物的交易,并签订合同的一种口头或书面的表示。发盘人可以是买方,也可以是卖方。发盘有实盘和虚盘之分,前者有约束力,后者无约束力。

(1)有效发盘应具备的条件。

①发盘必须是向一个(或几个)特定受盘人提出的订立合同的建议。

向特定人提出,即是向有名有姓的公司或个人提出。提出此项要求的目的在于,把发盘同普通商业广告及向广大公众散发的商品价目清单等行为区别开来。对广大公众发出的商业广告是否构成发盘的问题,各国法律的规定都不一样。英美法系中规定:"向公众作出的商业广告,只要内容明确,在某些场合下也视为发盘。"大陆法系中规定:"凡向公众发出的商业广告,不得视为发盘。"《公约》持折中态度,在第十四条第二款规定:"非向一个或一个以上特定的人提出的建议,仅应视为邀请作出发盘,除非提出建议的人明确地表示相反的意向。"我国《合同法》第十五条规定:"要约邀请是希望他人向自己发出要约的意思表示。寄送的价目表、拍卖公告、招拍公告、招股说明书、商业广告等为要约邀请。商业广告的内容符合要约规定的,视为要约。"

邀请发盘注意:若发盘中带有保留条件和限制性条件,如"仅供参考""以我方最后确认为准""为未售出为准"这样的发盘都不构成发盘,而只是邀请发盘。

②发盘的内容必须十分确定。

发盘的内容必须十分确定,一旦受盘人接受,合同即告成立。如果内容不确定,即使对方接受,也不能构成合同成立。《公约》第十四条规定:"一个建议如果表明货物并且明示或暗示地规定数量和价格或规定如何确定数量和价格,即为十分确定。"如此来看,一项发盘只要包含商品的名称、数量、价格这三个条件,就算完整。

③发盘表明受约束的意旨。

发盘人须表明承受按发盘条件与对方成立合同的约束意旨。如"发盘""不可撤销发盘""递盘""不可撤销递盘""……限××日复到有效"等。

④发盘必须送达受盘人。

根据《公约》规定,发盘于送达受盘人时生效。如发盘由于在传递中遗失以至受盘人未能收到,则该发盘无效。我国《合同法》第十六条第二款对此作出了规定:"采用数据电文形式订立合同,收件人指定特定的系统接收数据电文的,数据电文进入该特定系统的时间,视为到达时间;未指定特定系统的,数据电文进入收件人任何系统的首次时间,视为到达时间。"

(2)发盘示例:

Thank you for your inquiry of Aug. 14, 2012, asking us to make you a firm offer for cotton pads. We have sent a letter this morning, offering you 300boxes at USD2/box CIF New York, shipment in Nov. 2012. Subject to your reply reaching here by Aug. 21st.

2012年8月14号有关询问化妆棉实盘的电子邮件已收悉。今日上午电子邮件报价:化妆棉300盒,每盒CIF纽约价为2美元。于2012年11月装运。以上实价需由贵公司于2012年8月21日前回复确认有效。

3. 还盘(Counter Offer)

还盘又称还价,在法律上称为反要约。还盘是指受盘人不同意或不完全同意发盘提出的各项条件,并提出了修改意见,建议原发盘人考虑,即还盘是对发盘条件进行添加、限制或其他更改的答复。

还盘实质上构成对原发盘的某种程度的拒绝,也是受盘人以发盘人地位所提出的新发盘。因此,一经还盘,原发盘即失效,新发盘取代它成为交易谈判的基础。如果另一方对还盘内容不同意,还可以进行返还盘(或称再还盘)。还盘可以在双方之间反复进行,还盘的内容通常仅陈述需变更或增添的条件,对双方同意的交易条件无须重复。在国际贸易中,往往经过多次的还盘和返还盘,才最终达成协议。

还盘示例:

Thank you for your offer of Aug. 18, we regret to say that your price is too high, should you reduced to USD 1.6/box CIF New York, we might come to terms.

贵方 8 月 18 日的报价,我方认为价格偏高,如果你们降为每盒 1.6 美元 CIF 纽约,我方可接受。

4. 接受(Acceptance)

接受在法律上称为"承诺",是指受盘人在发盘有效期内无条件全部同意发盘的全部内容,并愿意签订合同的一种口头或书面的表示。接受可由买方表示,也可由卖方作出。

(1)构成一项法律上有效的接受的条件:

①接受必须由发盘所指定的接受人作出;

②接受必须表示出来;

③接受必须与发盘条件相符;

④接受必须在发盘有效期限内送达发盘人。

(2)接受示例:

Yours 20th Accepted. Cotton pads 300boxes at USD1.6/box CIF New York shipment in Nov. 2012.

你方 20 号电接受。化妆棉 300 盒,每盒 1.6 美元,CIF 纽约,11 月份交货。

(二)订立合同

《公约》第 23 条规定:"合同于按照本公约规定对发价的接受生效时订立。"我国《合同法》第 32 条规定:"当事人采用合同书形式订立合同的,自双方当事人签字或者盖章时合同成立。"第 33 条规定:"当事人采用信件、数据电文等形式订立合同的,可以在合同成立之前要求签订确认书。签订确认书时合同成立。"

二、出口合同的履行

在出口业务中,卖方履行合同的基本义务是向买方提交符合合同规定的货物,并移交一切与货物有关的单据和转移货物的所有权。采用不同的价格术语和支付方式,卖方履行合同就会产生不同的做法。在我国的外贸业务中,广为使用的是以 L/C 作支付方式和 CIF 价格术语成交的合同。在 CIF 条件和凭 L/C 支付的方式下,履行出口合同一般需经过下列各环节:备货、催证、审证、改证、租船订舱、商品检验、投保、报关、装船、制单、交单、结汇。其中以货、证、船、款四个环节最为重要。

(一)备货

备货是根据合同规定的品质、包装、数量和交货时间的要求,进行货物的准备工作。在备货过程中应注意以下几点:

1. 货物的品质

货物的品质、规格,应按合同的要求核实,必要时应进行加工整理,以保证货物的品质、规格与合同规定一致。

2. 货物的数量

应保证满足合同或信用证对数量的要求,备货的数量应适当留有余地,以备装运时可能发生的调换和适应舱容之用。

3. 货物的包装和唛头(运输标志)

应进行认真检查和核实,使之符合信用证的规定,并要做到对保护商品和适应运输的要求,如发现包装不良或破坏,应及时进行修整或换装。标志应按合同规定的式样刷制。

4. 备货时间

应根据信用证规定,结合船期安排,以利于船货衔接。

(二)落实信用证

在履行以信用证付款的合同时,对信用证的掌握、管理和使用直接关系到我国对外政策的贯彻和收汇的安全。落实信用证包括催证、审证和改证三项内容。

1. 催开信用证

如果在出口合同中买卖双方约定采用信用证方式,买方应严格按照合同的规定按时开立信用证,这是卖方履约的前提。但在实际业务中,有时国外进口商在市场发生变化或资金发生短缺的情况时,往往会拖延开证。对此,我们应催促对方迅速办理开证手续。特别是大宗商品交易或买方要求而特制的商品交易,更应结合备货情况及时进行催证。必要时,也可请我驻外机构或中国银行协助代为催证。

2. 审核信用证

信用证是一种银行信用的保证文件,但银行的信用保证是以受益人提交的单据符合信用证条款为条件的,所以,开证银行的资信、信用证的各项内容,都关系着收汇的安全。为了确保收汇安全,我外贸企业于收到国外客户通过银行开立的信用证后,立即对其进行认真的核对和审查。核对和审查信用证是一项十分重要的工作,做好这项工作,对于贯彻我国对外贸易的方针政策,履行货物装运任务,按约交付货运单据,及时、安全地收取货款等方面都具有重要意义。

在实际业务中,银行和出口公司共同承担审证任务。其中,银行着重审核开证行的政治背景、资信能力、付款责任和索汇路线等方面的内容,出口公司则着重审核信用证的内容。

3. 修改信用证

在实际业务中，出口企业在对信用证进行了全面细致的审核以后，当发现问题时，通常还应区别问题的性质进行处理，有的还须同银行、运输、保险、检验等有关部门取得联系共同研究后，方能作出适当妥善的决策。一般说来，凡是属于不符合我国对外贸易方针政策，影响合同履行和收汇安全的问题，必须要求国外客户通过开证行修改，并坚持在收到银行修改信用证通知书认可后才可装运货物；对于可改可不改的，或经过适当努力可以做到的，则可酌情处理，或不作修改，按信用证规定办理。

在一份信用证中，有多处条款需要修改的情形是常见的。对此，应做到一次向开证人提出，否则，不仅增加双方的手续和费用，而且对外影响也不好。其次，对于收到的任何信用证修改通知书，都要认真进行审核，如发现修改内容有误或我方不能同意的，我方有权拒绝接受，但应及时作出拒绝修改的通知送交通知行，以免影响合同的顺利履行。

为防止作伪，便于受益人全面履行信用证条款所规定的义务，信用证的修改通知书应通过原证的通知行转递或通知。如由开证人或开证行径直寄来的，应提请原证通知行证实。

对于可接受或已表示接受的信用证修改书，应立即将其与原证附在一起，并注明修改次数，这样可防止使用时与原证脱节，造成信用证条款不全，影响及时和安全收汇。

(三) 安排装运

安排装运货物涉及的工作环节甚多，其中以租船订舱、报关、投保、装运和发装运通知等工作尤为重要。

1. 租船订舱

在 CIF 或 CFR 条件下，租船订舱是卖方的责任之一。如出口货物数量较大，需要整船载运的，则要对外办理租船手续；对出口货物数量不大，不需整船装运的，则安排洽订班轮或租订部分舱位运输。

2. 投保

凡是按 CIF 价格成交的出口合同，卖方在装船前，须及时向保险公司办理投保手续，填制投保单。出口商品的投保手续，一般都是逐笔办理的，在办理投保手续时，通常应填写国外运输险投保单，列明投保人名称、货物的名称、标记、运输路线、船名或装运工具、开航日期、航程、投保险别、保险金额、投保日期、赔款地点等。保险公司据此考虑接受承保并缮制保险单据。

3. 报检

根据中国有关法律、法规，由商检机构或国家指定的监督检验机构对出口法检商品进行强制性检验。出口报检首先由报验人填写"出口检验申请书"，并提供有关的单证和资料，如外贸合同、信用证、厂检结果单正本等；商检机构在审查上述单证符合要求后，受理该批商品的报验；如发现有不合要求者，可要求申请人补充或修改有关条款。其次，由商检机构派员主持进行，根据不同的货物形态，采取随机取样方式抽取样品。最后，由商检机构对检验合格的商品签发检验证书，出口企业在取得检验证书或放行通知单后，在规定的有效期内报关出口。

4. 报关

报关是指出口货物装船出运前，向海关申报的手续。按照《中华人民共和国海关法》（以下简称《海关法》）的规定：凡是进出国境的货物，必须经由设有海关的港口、车站、国际航空站进出，并由货物所有人向海关申报，经过海关放行后，货物才可提取或者装船出口。出口企业在装船前，须凭以下单证向海关申报：填写出口货物报关单、许可证和其他批准文件、装货单、合同副本或信用证副本、发票、装箱单、商检证书（必要时提交）等送交海关申报。海关查验货、证、单相符无误，并在装货单上加盖放行章放行后，货物即可凭以装船。

5. 装运

承运船舶抵港前，外贸企业或外运机构根据港区所作的货物进栈计划，将出口清关的货物存放于港区指定仓库。轮船抵港后，由港区向托运人签收出口货物港杂费申请书后办理提货、装船。装船完毕，即由船长或船上大副根据装货实际情况签发大副收据。外贸企业或外运机构可凭此单据向船公司或其代理换取海运提单。

6. 发装运通知

货物装船后，外贸企业应及时向国外买方发出"装运通知"，以便对方准备付款、赎单，办理进口报关和接货手续。

（四）制单结汇

货物装运后，出口企业应立即按照信用证的规定，正确缮制各种单据，并在信用证规定的交单到期日及有效期内，将各种单据和必要的凭证送交指定的银行，办理要求付款、承兑或议付手续，并在收到货款后向银行进行结汇。

1. 制作单据

对于出口单据的制作，必须符合"正确、完整、及时、简明、整洁"的要求。对结汇的单据，要求做到以下几点：单据与信用证要求一致，单据与单据之间要一致；单据的份数和单据本身的项目必须完整无缺；在信用证有效期内，及时将单据送交议付银行;单据的内容应按信用证要求和国际惯例填写,力求简明;单据缮写或打印的字迹要清楚,单据表面要清洁。

2. 交单结汇

交单指出口人(信用证的受益人)在信用证到期前和交单期限内向指定银行提交符合信用证条款规定的单据。这些单据经银行确认无误后,根据信用证规定的付汇条件,由银行办理出口结汇。

第五节 谨防合同欺诈和合同陷阱

一、谨防合同欺诈

合同欺诈,是指以订立合同为手段,以非法占有为目的,用虚构事实或隐瞒真相的欺骗方法骗取公私财物的行为。司法解释为"一方当事人故意告知对方虚假情况,或者故意隐瞒真实情况,诱使对方当事人作出错误意思表示"。

(一)合同欺诈构成要件

合同欺诈行为是一种民事法律行为,它有五个构成要件,在判断一份合同是否存在欺诈行为时,可看其是否存在以下行为,只要具备其一则可以认定是合同欺诈罪。

一是合同一方在主观上有欺诈的故意。这种故意反映在行为人要约或承诺过程中。

二是合同一方在客观上实施了欺诈行为。即要约或承诺表示的意思是虚假信息,且在合同履行中未就虚假信息予以更正。

三是合同一方因欺诈成就合同获取了非法的、不正当的或若不实施欺诈不可实现的利益。

四是合同另一方在因受欺诈而对要约成承诺的条件产生错误认识

五是合同另一方在因受欺诈而对要约成承诺的条件产生错误认识的基础上与行为人订立、履行合同。

(二)外贸合同欺诈的三大手法

利用外贸合同进行诈骗活动是近年来出现在外贸行业的一种新情况。对此,工商部门对相关企业进行了全方位排查,并陆续对涉嫌合同诈骗的企业进行了深入调查,查实是否有诈骗行为。从调查情况来看,外贸合同欺诈的手法常常表现为以下三类。

1. 帮助出口骗取"认证费"

这种骗子公司一般拥有产品进出口权。他们通常以优惠的价格作诱饵,称可以帮企业将产品打入国际市场,并诱使企业签订合同。之后其再称产品出口须具备进出口地的卫生许可证、检验检疫证等相关证件,从而骗取企业所谓"认证费",将资金骗到手后却没了下文。

案例 4-1

2012 年 6 月,深圳工商部门接到江西赣州鑫海食品厂的投诉。事情经过是这样的:深圳高富海公司的谢某打电话给江西省赣州市鑫海食品厂负责人,称有一俄罗斯外商需订购一批腊制品。鑫海食品厂对这个开拓海外市场的机会非常重视,遂与高富海公司签订了销售代理业务合约书,约定高富海公司为销售代理,负责海外客商订单,高富海公司称俄联邦西比国际有限公司需 100 吨腊制品订货,但要求提供俄联邦商品检验局核发的《商品质量证明书》和《卫生许可证》。鑫海食品厂表示没有办法办理。于是,高富海公司称其在俄罗斯有办事处,可帮助办理。鑫海食品厂于是又与高富海公司签订《委托协议》,全权委托其办理相关证明文件,并按其要求从银行转 2 万元给高富海公司。

之后,高富海开始以种种借口拖延时间,直到 12 月 9 日,鑫海食品厂再次拨打高富海公司电话时,对方称与鑫海食品厂联系的相关人员已离开高富海公司。警方发现,高富海公司已去向不明。工商人员再到相关会计师事务所调查发现,高富海公司涉嫌虚报注册资本 200 万元。

2. 打融资幌子骗取"考察费"

这种打着"融资"的幌子骗取企业考察费的现象,是合同诈骗中一种常见的手段。诈骗企业往往打着国际财团在中国大陆地区总代理的旗号,通过种渠道搜寻到内地企业的招商项目后,再放出各种优惠条件,诱使内地企业与其签订融资合同,在骗取到"考察费""评估费"等名目的费用后便不见踪影。

案例 4-2

2002 年 4 月,吉林某市一家企业接到一张来自"世界华人工商促进会"的邀请函,声称可以帮助该企业到海外市场融资,对企业进行技术改造还可以包销经技术改造后企业的产品。随后,该市领导亲自带队到深圳谈融资事宜。一名自称"深圳华商融实业有限公司"负责人和"世界华人工工商促进会"秘书长的人物接待了他们并进行了合作洽谈。随后,双方签订合同,按照合同约定,该企业缴纳了10万元的项目考察费和评估费。等企业回去后再与这家公司及相关人等联系时,对方却已不见踪影。

3. 利用海外关系骗取"保证金"

这种利用"海外关系"帮助企业出口以骗取保证金和其他费用的现象,也是非常普遍的一种外贸诈骗行为。诈骗企业一般在媒体刊登广告,声称与海外某公司签订了大额货物购销合同,要求有生产能力和组织货源能力的企业与之联系。有企业前来联系时,骗子公司利用对方急需把产品销售出去的心理,要求支付一定的"履约保证金"。拿到保证金后,骗子公司先采取拖延战术,最后要么谎称海外合作方有变、自己也是受害者,要么干脆一走了之。

案例 4-3

2004年6月23日,罗湖工商分局接到市工商局转来的一份有关涉嫌合同欺诈的投诉。深圳市永东利进出口贸易有限公司声称要购买投诉人钟先生的木材用于出口。双方签订合同后,该公司主动提出给钟先生汇美元当货款,于是钟先生先交了定仓费1万元。当钟先生把合同取回后,该公司却不见了踪影。

二、避免合同陷阱

近年来,我国的国际贸易出口合同中多以FOB价格条款成交,因为有不少卖买方认为,以FOB价格条款成交比较省事,可以省去耗费在租船、订舱、投保等环节上的诸多精力及费用。因此在利用这一条款时对运输、保险等环节研究不多,或者说重视不够,往往陷入风险之中。

(一)谨慎签订FOB条款

在对外贸易中,客户往往会特别要求使用FOB条款的情况,因为,使用FOB条款通常是对方指定的境外船公司、货代公司,或者无船承运人安排运输,需要在信用证结算上设置客户检验证书等软条款。有些被指定的境外货代或无船承运人趁机暗中操作,居心不良,与买方合谋串通,搞无单放货。也有些客户特意设置境外货代或无船承运人来国内进行骗货。这样就有可能使出口企业货、款尽失,带来巨大的损失。再加上风险防范意识淡薄等,很容易陷入合同陷阱。

在FOB价格条款下,出口企业应力拒信用证条款中"客户检验证书"之类的软条款,该条款是信用证交易的特别条款,是银行承兑或垫付货款的前提条款。如外商坚持使用"客户检验证书",出口企业可接受,但在发货前要将"客户检验证书"的印鉴与外商在银行预留印鉴相比对,印鉴比对不一致必须拒绝发货。

采用 FOB 条款应严格依照现行的《国际贸易术语解释通则》对 FOB 条款的规定和解释签订贸易合同,谨防落入 FOB 陷阱。出口企业应熟悉 FOB 条款中买卖双方的权利、义务和责任。在 FOB 价格条款下,卖方负责在贸易合同规定的期限和装运港将货物装上买方指定的船舶并通知买方,负责货物装上船前的费用和风险,负责办理货物出口手续并取得相应文件,负责提供相关的装运单据。买方负责订舱租船和支付运费,将船名船期及时通知卖方,负担货物越过船舷后的费用、风险和投保及费用,负责货物进口和收货手续,接受装运单据并按合同支付货款。

(二) FOB 合同陷阱

FOB 条款最容易出现的两个陷阱,一个是无单放货,另一个是无船承运人。这两个问题也是海运外贸业务中经常遇到的合同陷阱问题。正是很多出口商忽略了这两个问题,因此海运贸易商经常因为货物丢失发生纠纷。有些出口企业在收到境外海运公司签发的提单时,从未要求出具提单的船公司或货代公司出具保函,对提单或提单签发所显示的承运人是否合法存在不作审查。

1. 无单放货问题

无单放货,又叫"无正本提单放货",是指承运人或其代理人(货代)、港务当局、仓库管理人在未收回正本提单的情况下,依提单上记载的收货人或通知人凭副本提单或提单复印件,加保函放行货物的行为。

无单放货发生在国际货物运输中负有承运义务的船东/承运人和提单持有人之间。船东/承运人签发了装船提单,不仅是与提单持有人之间运输合同的证明,而且是承运人收到货物或者货物已装船的证明和在目的港保证据以交付货物的凭证。承运人必须把货物安全运到目的港并正确交货,才是其履行运输合同的义务。但在船速提高、航线较短或提单转让过程延迟的情况下,货物一般会先于提单到达目的港,若严格凭单放货会导致压货、压船、压仓、压港,造成严重的经济损失以及被强制拍卖或没收的危险,船东/承运人或其代理人为规避风险,往往会被无正本提单的收货人说服或担保提取了货物。

2. 无船承运人问题

在国际贸易中,无船承运人即以承运人身份接受货主(托运人)的货载。同时以托运人身份委托班轮公司完成国际海上货物运输,根据自己为货主设计的方案路线开展全程运输,签发经过备案的无船承运人提单。无船承运人购买公共承运人的运输服务,再以转卖的形式将这些服务提供给货主、其他运输服务需求方。

对于卖方来讲,将货物交给无船承运人运输,比交给传统意义上的承运运输在手续上要简便得多,而且可省去委托货运代理人这一环节。但由于经济、技术实务不同,无论在国内还是在国外,无船承运人经营业务的范围大有区别,有的无船承运人兼办货物报关、货物交接、短程托运、货物转运和分拨、订舱及各种不同运输方式代理业务,有的只办理其中的一项或几项业务。

按照中国海商法的规定,承运人的责任制采用的是不完全过失责任制,如此一来远洋公共承运人享受的不完全过失责任制无船承运人也可以享受,此外还有若干的免责事由可以使无船承运人免于对货物的灭失、损害承担责任。不仅如此,无船承运人还享有承运人的收取运费、留置货物等权利。

但在承运人的法定义务方面,谨慎处理使船舶适航、合理速遣、不进行不合理绕航、妥善谨慎地管理货物等规定,是针对经营船舶的远洋公共承运人而言的,与无船承运人无关。此外,在免责条款中,航行过失、管船过失、船上火灾、海上救助等条款,也是针对远洋公共承运人的,无船承运人由于不实际拥有或经营船舶,就不可能进行上述活动。

(三)应对策略

1. 尽量用 CIF 或 CFR 条款来代替 FOB 条款

很多企业为节约出口成本,在与外商签订合同时,会选择 FOB 贸易方式尤其是初入外贸行业的企业更喜欢这种方式,因为这种方式将货物的运输权利、运输方式和选择承运人的权利交给买方,卖方承担的义务较少。可也正是对方掌握了主动权才隐患无穷,在运输环节由外商掌握的情况下,往往盲目听从境外贸易买家,及其(国内和国外)代理的指令,将货物实际交给境外买家(或其代理)在装货港的代理人。

因此,在签订外贸合同时,应尽量避免外商指定船公司、境外货代或无船承运人来安排运输货物,把主动权牢牢掌握在自己手里

2. 客户坚持 FOB 条款时尽量避免接受指定的境外货代或无船承运人

FOB 条款通常是买方指定船公司、境外货代或无船承运人,如果必须以 FOB 的形式,卖方应在这个环节上把好关。比如,可接受知名的船公司,或者指定其他限制条件,要求对方严格执行,或对指定的境外货代或无船承运人的信誉进行严格的调查,了解是否有我国合法代理人向交通部办理无船承运人资格的手续。

3. 委托我国有关部门对境外货代提单进行审查

要求货主按照我国的货代或无船承运人规定出具保函,承诺被指定境外货代或无船承运人安排运输的货物到达目的港后,必须凭信用证项下银行流转的正本提单放货,否则要承担无单放货的赔偿责任。

只有这样,一旦出现无单放货,才能有依据进行索赔。但不能接受未经我国有关部门批准在华经营货代业务的货代企业或境外货代企业以及资信情况不明

的公司签发的提单和运输安排。尤其需要注意的是,在 FOB 条款下,卖方以交出装船单证证明完成交货义务并取得货款,买方以付款取得装船单证实现提货之权利。

第六节 国际结算

国际贸易货款的收付方式主要涉及信用、付款的时间和地点等问题,在进出口商之间互相提供的信贷属于商业信用。如果进出口商中的一方信贷资金的获得是由银行或其他金融机构提供的,就属于银行信用。货款收付方式的不同,对货款的安全和资金周转的影响有很大差别。

货款的收付形成资金的流动,而资金的流动是通过支付工具(这里指票据)的传送来实现的。因此支付方式按资金的流向和支付工具的传递方向,可分为顺汇和逆汇。顺汇是指资金的流动方向与支付工具的传递方向相同,如汇付方式即是顺汇。逆汇是指资金的流动方向与支付工具的传递方向相反,如托收和信用证方式属于逆汇。

目前,国际上常用的支付方式有汇付、托收、信用证、银行保函业务等。有时也采用两种或两种以上方式结合使用的办法进行货款的收付。

一、汇付(Remittance)

汇付又称"汇款",是指付款人主动通过银行将款项汇交收款人。

(一)汇付方式的当事人

1. 汇款人(Remitter)

汇款人是汇出款项的人。在进出口业务中,汇款人通常是进口人。

2. 收款人(Payee)

收款人是收取款项的人,在进出口交易中收款人通常是出口人。

3. 汇出行(Remitting Bank)

汇出行是受汇款人的委托,汇出款项的银行,通常是进口人所在地银行。

4. 汇入行(Paying Bank)

汇入行是受汇出行委托解付汇款的银行,又称"解付行",通常是出口人所在地银行。

(二)汇付的种类及其业务流程

汇付方式主要有信汇、电汇和票汇三种。

1. 电汇

电汇汇款(Telegraphic Transfer,简称 T/T)是汇款人(付款人或债务人)委托汇出行以电报、电传或环球银行间金融电讯网络(SWIFT)电文的方式,指示出口地某一银行(其分行或代理行)作为汇入行,解付一定金额给收款人的汇款方式。电汇方式的优点是收款人可迅速收到汇款且安全系数高,但费用也较高。电汇业务的基本程序见图 4-1。

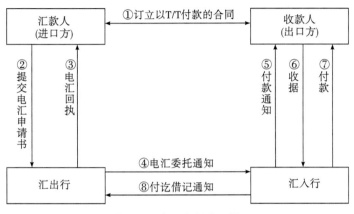

图 4-1 电汇业务流程图

流程图说明:

①进出口双方在贸易合同中约定采用电汇支付方式。

②汇款人填写汇款申请书,向汇款行交纳款项和支付汇款手续费。汇款人汇款给收款人时,要在汇出行柜台填写汇出汇款申请书,按照申请书上的内容如实填写,国际结算中的汇款的金额要注明货币名称(在我国,如果涉及使用外汇,要持国家外汇管理局的有关批汇文件,到银行以购汇当日的外汇卖出汇率来购买相应金额的外汇办理)。汇款金额大小写必须一致,在汇款方式一栏选择电汇,并将要汇出的金额和汇款的费用交给汇出行,汇出行接受,就代表汇款人与汇出行之间的契约关系成立,汇出行要按照汇款人的指示汇款给收款人。

③汇出行审核后,将汇款申请书其中的一联作为电汇回执交给汇款人。汇出行交给汇款人的回执代表汇出行已经收到款项并同意按汇出汇款申请书行事,还可以作为汇款人以后查询和判断汇出行是否违约的证明。

④汇出行发出加押电报、电传或 SWIFT 的电汇委托书给汇入行。委托汇入行解付委托书上所标注的金额给指定的收款人。

⑤汇入行收到汇出行的加押电报、电传或 SWIFT 后,核对密押无误,缮制电汇通知书,通知收款人收款。

⑥收款人取款。收款人收到通知书,核对款项正确后,在收据联上盖章,前往汇入行收款。如果其在汇入行开立了账户,可以指示汇入行把款项贷记在收款人的账户上;如果是个人,则要带有关的身份证明到汇入行柜台取款。

⑦汇入行解付款项给收款人。汇入行核对收款人的身份和取款通知书无误后,按照收款人的要求直接付款或入收款人的账户。

⑧汇入行将付讫借记通知书寄给汇出行,通知款项已解付完毕,并取得汇出行的资金偿付。

2. 信汇

信汇汇款(Mail Transfer,简称 M/T)是汇出行应汇款人申请,将信汇委托书(M/T Advice)或支付委托书(Payment Order)邮寄给汇入行,授权其解付一定金额给收款人的一种汇款方式。采用信汇方式收汇在时间上比电汇慢,但费用较电汇低。信汇结算业务流程与电汇大致相同。

3. 票汇

票汇(Demand Draft,简称 D/D)是汇款人向本地银行购买银行汇票,自行寄给收款人,收款人凭以向汇票上指定的银行取款的汇款方式。这种银行汇票和逆汇中的商业汇票不同,银行汇票用于银行代客拨款,故出票人和付款人是同一银行(代理行)。

票汇与电汇、信汇的不同在于票汇的汇入行无须通知收款人取款,而由收款人持票登门取款。这种汇票除有限制转让和流通的规定外,经收款人背书,可以转让流通,而电汇、信汇的收款人则不能将收款权转让。因此,票汇具有较大的灵活性,使用也较方便。

票汇业务流程如图 4-2 所示。

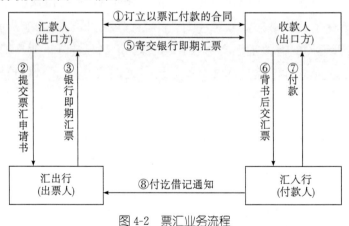

图 4-2 票汇业务流程

流程图说明:

①进出口双方在贸易合同中约定采用票汇支付方式。

②汇款人填写汇款申请书,说明使用票汇方式汇款,并将所汇款项和应支付的费用交给汇出行。

③收到汇款人款项后,汇出行作为出票行,开立银行即期汇票交给汇款人。

④汇款人亲自携带汇票出国,在完成一手交钱、一手交货的交易后,将其交给

收款人或将汇票寄给收款人。

⑤汇出行将汇款通知书寄汇入行。汇入行凭此与收款人提交的汇票正本核对(现在基本取消这个步骤)。

⑥收款人向汇入行提示银行即期汇票,并要求付款。

⑦汇入行核对银行即期汇票的真实性后,解付款项给收款人。

⑧汇入行将付讫借记通知书寄给汇出行,通知它款项已解付完毕,并取得汇出行的资金偿付。

(三)汇付方式在国际贸易中的使用

在国际贸易中,使用汇款方式结算买卖双方的债权债务,主要有以下两种做法。

1. 预付货款

预付货款(Payment in Advance)是进口商先将货款的一部分或全部汇交出口商,出口商收到货款后再发货的一种汇款结算方式。预付货款是对进口商而言,对出口商来说则是预收货款。

预付货款的结算方式,有利于出口商,而不利于进口商。出口商顾虑进口商不履行买卖合同,以预收部分货款作为担保,倘若进口商毁约,出口商就可以没收该预收货款。这种预付的货款,实际上是出口商向进口商收取的预付订金(Down Payment)。通常需要预付货款的商品,多数是热门货。

预付货款不但占压了进口商的资金,而且使进口商负担着出口商可能不履行交货和交单义务的风险。因此,进口商有时为了保障自身的权益,就规定了解付汇款的条件,即于收款人取款时,应提供书面担保,以保证在一定时间内将货运单据寄交汇入行,转交汇款人;或提供银行保证书,保证收款人如期履行交货交单义务,否则负责退还预收货款,并加付利息。

2. 货到付款

货到付款(Payment after Arrival of Goods)是出口商先发货,待进口商收到货物后,立即或在一定期限内将货款汇交出口商的另一种汇款结算方式。这种方法实际上是一种赊账方式。广东、广西、福建等省常年向港澳地区出口牛、羊、猪、鲜花、蔬菜等鲜活商品,因为商品时间性较强不能积压,出口商大都采用将提单随船带交给进口商的方式,便于进口方迅速提货,并按实际收到货物,汇付货款结算。另外就是在寄售业务中常常使用货到付款方式,寄售时出口商先将货物运至进口地,委托进口商在当地市场代为销售,待货物售出后,被委托人将货款按规定扣除佣金后全部汇交出口商。

二、托收(Collection)

托收是指债权人(出口人)出具汇票委托银行向债务人(进口人)收取货款的一种支付方式。其基本做法是出口人根据买卖合同先发运货物,然后出口人根据发票金额开出以进口人为付款人的汇票,连同有关货运单据,委托出口地银行(托收行)通过其在进口地的分行或代理行(代收行)向进口人收取货款。为区别于凭信用证收付方式,我国习惯上把托收方式叫作"无证托收"。由于托收所使用的汇票通常是跟单汇票,所以这种托收方式又称为跟单托收。在国际贸易中也有使用光票托收的,即债权人开出汇票时,不附货运单据。光票托收通常用于收取货款差额、样品费、佣金、代垫费用、索赔款项等从属费用。

(一)托收方式的当事人

1. 委托人

委托人(Principal)指开出汇票委托银行向国外付款人代收货款的人,也称为出票人,在国际贸易的货款托收中通常为出口商。

2. 托收行

托收行(Remitting Bank)指接受出口商的委托代为收款的银行,在国际贸易中通常为出口地银行。托收行有义务按照委托人的指示办事办理业务,其与委托人之间是委托代理关系。因此,托收行对单据的正确性不负责任。对于因委托人的指示,利用外国银行的服务而发生的一切费用和风险,托收行也不负责任。

3. 代收行

代收行(Collecting Bank)指接受托收行的委托向付款人收取票款的银行。代收行在国际贸易中通常为非出口地银行,多为进口地银行,但有时也有第三国银行(如托收货币的清算中心的银行)参与代收业务的。代收行应遵从托收行的指示尽快向付款人提示汇票,要求其付款或承兑,付款人付款或承兑后,应无延误地通知托收行。

4. 提示行

提示行(Presenting Bank)指负责向付款人提示汇票和单据的银行。代收行可以自己兼任提示行,也可以委托与付款人有账户往来关系的银行作提示行。

5. 付款人

付款人(Drawee)指提示行根据托收指示,向其作出提示的人。如使用汇票,即为汇票的受票人,也就是付款人,在国际贸易中通常为进口商。

委托人与托收行的关系是委托代理关系。委托的内容以及双方的责任均在托收申请书中列明。托收行接受委托人的申请书后,即构成托收行和委托人之间的契约关系,双方的权利义务以托收申请书为准,托收行与代收行的关系也是委托代理关系。通常它们之间已建立代理关系,对双方相互委托代办的业务范围和事项已有约定。但是对于每一笔委托业务的具体事项,仍须根据托收行向代收行发出的托收委托书(Collection Advice)办理。托收委托书中的指示应与委托人出具的托收申请书的指示相一致。委托人与托收银行、托收银行与代收银行之间既然是委托代理关系,所以托收银行和代收银行对托收的款项能否收回不负责任,对于汇票从随附的单据的遗失、延误等也不负责任。但是托收银行和代收银行有义务按委托人的指示办事。

(二)托收方式的分类

根据委托人签发的汇票是否附有单据,托收结算方式可分为光票托收和跟单托收。

1. 光票托收

光票托收(Clean Collection)指的是金融单据托收,而不伴随商业单据委托银行代收款项的一种托收结算方式。贸易上的光票托收,一般用于收取货款尾数、代垫费用、佣金、样品费,或其他贸易从属费用,其货运单据由卖方直接寄交买方,汇票委托银行托收。

2. 跟单托收

跟单托收(Documentary Collection)指金融单据伴随商业单据的托收,或者商业单据不伴随金融单据的托收。

跟单托收(Documentary Collection)是指出口方将汇票连同装运单据一并交给银行,委托其收取货款的方式。依据交单条件的不同,可分为付款交单和承兑交单两种。

(1)付款交单(Documents against Payment,简称 D/P)。

付款交单是指出口方的交单以进口方的付款为条件,即出口方将汇票连同装运单据交给银行托收时,指示银行只有在进口方付清货款时,才能交出装运单据。按支付时间的不同,付款交单又可分为即期付款交单和远期付款交单:

①即期付款交单(Documents against Payment at sight,简称 D/P at sight),是指出口方装运之后,开具即期汇票,连同装运单据交给当地银行,通过银行向进口方提示,进口方见票后须立即付款,付清货款后,领取装运单据,即通常所说的"一手交钱,一手交货"。

②远期付款交单(Documents against Payment after sight,简称 D/P after sight),是指出口方装运之后,开具远期汇票,连同装运单据交给当地银行,通过银行向进口方提示,由进口方承兑远期汇票,于汇票到期日付清货款后领取装运单据。

在远期付款交单条件下,进口方为了抢行应市,不失时机地转销货物,可与代收行商量在汇票到期前借单提货,待汇票到期日再付清货款,这是代收行给予资信较好的进口方的一种通融方式。代收行要求进口方出具信托收据,借取装运单据,先行提货。所谓信托收据(Trust Receipt,简称 T/R),是指进口方向代收行借取装运单据时,提供的一种书面担保的文件,用来表示愿意以代收行的受托人身份代为提货、报关、存仓、保险、出售并承认货物所有权仍属银行,货物售出后所得货款应交银行。这是代收行向进口方提供信用便利,而与出口方无关。因此,如在代收行借出单据后,当汇票到期不能收到货款,则代收行应对出口方负全部责任,这种形式具有银行信用的性质;如果由出口方主动授权代收行向进口方凭信托收据借取装运单据提货,这种做法称为"付款交单凭信托收据借单"(D/P·T/R),若汇票到期,进口方拒付,则与代收行无关,由出口方自己承担拒付风险。

付款交单(D/P)托收方式的业务流程如图 4-3。

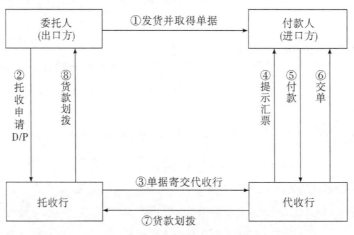

图 4-3 付款交单托收方式业务流程图

流程图说明:

①出口方按合同规定备货并办理出口报关和报检手续后装船发货,获取货运单据。

②出口方填写托收委托申请书,开具即期汇票,连同货运单据交托收行,委托其代收货款。

③托收行根据托收申请书缮制托收委托书连同汇票、货运单据寄交进口地代收行委托代收货款。

④代收行按照委托书的指示向进口方提示汇票与单据。

⑤进口方付款。

⑥代收行交单。

⑦代收行办理转账并通知托收行款已收妥。

⑧托收行向委托人转账付款。

(2)承兑交单(Documents against Acceptance,简称 D/A)。

承兑交单是指出口方装运之后,开具远期汇票连同装运单据交给当地银行,通过银行向进口方提示,由进口方承兑远期汇票之后,即可取得装运单据,提取货物,待汇票到期再付清货款。这种方式,出口方通过银行向进口方交单,是以进口方承兑远期汇票为条件的,所以对于出口方来说,风险较大。

承兑交单(D/A)托收方式业务流程如图 4-4。

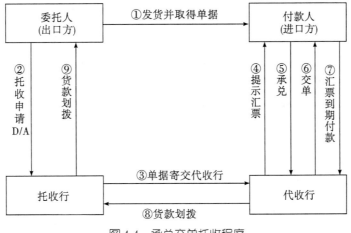

图 4-4 承兑交单托收程序

流程图说明:

①出口方按合同规定备货并办理出口报关和报检手续后装船发货,获取货运单据。

②出口方填写托收委托申请书,开具远期汇票,连同货运单据交托收行,委托其办理承兑交单代收货款。

③托收行在收到委托人的全套单据、远期汇票和托收申请书后,如果决定为其办理承兑交单业务,则要根据托收申请书的内容认真核对单据是否齐全,然后给委托人一份回执,代表托收行同意办理托收,而且已经收到全套单据和远期汇票。托收行根据托收申请书来缮制托收指示书,连同全套单据和远期汇票寄给国外的代收行,委托其代为收取货款。

④代收行收到托收指示书后要仔细核对单据是否齐全,然后将远期汇票连同全套单据向付款人(进口商)作第一次的提示,即承兑提示,要求付款人作出承兑。

⑤付款人审核单据无误后作出承兑。

⑥代收行交出全套单据。

⑦汇票到期,代收行会对付款人作第二次提示,即付款提示。付款人向代收行付款。在汇票上加盖"付讫"章,交给付款人。

⑧代收行通知托收行款项已收妥,扣除自己应得的手续费和其他相应费用后,汇交货款给托收行。

⑨托收行将收到的款项贷记委托人账户。

(三)托收的性质及在出口贸易中的运用

托收的性质为商业信用。银行办理托收业务时,是以委托人的代理人的身份行事,只按委托人的指示办理,既无检查货运单据是否正确的义务,也无承担付款人必须付款的责任。如果买方拒不赎单提货,除非事先约定,银行也无代提货、存仓和保管货物的义务。因此,卖方必须关心货物的安全,直到买方付清货款为止。由此可见,采用托收方式收取货款,卖方要承担比较大的风险。

当然,不同的跟单托收方式,卖方所承担的风险也有区别。在付款交单条件下,买方在付清货款之前,取不到货运单据,提不走货物,货物所有权仍属卖方。如果买方破产或丧失清偿债务能力或拒不付款赎单,卖方除可根据合同与买方交涉外,还可以把货物另行处理或运回。但是卖方需承担额外费用或降价等风险。在承兑交单条件下,买方只要在远期汇票上履行了承兑手续,即可取得货运单据,并凭以提货,一旦汇票的承兑人(买方)到期不履行付款义务,虽然卖方可以向法院起诉,但如果买方已无付款能力,或破产倒闭,卖方便会遭受货、款两空的损失。因此对卖方而言,采用承兑交单比采用付款交单所要承担的风险更大。

跟单托收对出口人虽有一定的风险,但对进口人来说,可以减少费用支出,而且有利于资金融通和周转。因此在出口业务中采用托收方式,有利于调动进口商的积极性,从而有利于促进成交和扩大出口,所以许多出口商都把采用托收方式作为加强对外竞销的手段。

(四)使用托收方式时应注意的问题

采用托收方式,对于进口商比较有利,进口商在见单前不用垫付任何资金;而对于出口商能否安全收汇则有一定的风险。为了调动进口商的积极性,促进交易达成,在出口贸易中可以适当采用托收方式。但是为了收汇的安全,在采用托收方式时,应注意下列问题:

一是要注意调查和考察国外进口商的资信情况和经营作风,了解有关商品的市场动态,成交金额不要超过进口商的信用额度,成交数量不要超过进口地市场的容纳量。

二是要了解进口国家的贸易管制和外汇管制制度。对于贸易管制和外汇管制比较严的国家,使用托收方式要慎重,以免货到目的地后,由于不准进口或收不到外汇而蒙受损失。例如,有的国家规定凭进口许可证进口。我方在发货前必须确认进口商已申取到进口许可证;又如有的国家规定在向进口商提示汇票时,可以先用当地货币支付,存放在代收银行,待中央银行批准后,才能兑换成外汇向国外出口商付款。

三是要熟悉了解有些国家的银行对托收业务的一些特殊习惯和做法,以避免由于这些习惯做法可能给出口商带来的损失。例如,有些拉美国家不分即期汇票还是远期汇票,均要等货物到达目的港后才办理付款或承兑手续,甚至把远期付款交单按承兑交单处理。

四是出口合同应争取按 CIF 或 CIP 条件成交,由出口商办理投保手续。这种合同项下购买货物如果在运输途中遭遇保险责任范围内的损失,进口方因此而不付款赎单,出口方可凭保险单向保险公司索赔。如果争取不到 CIF 或 CIP 条件、只能按 CFR、CPT 或 FOB、FCA 条件成交时,出口方应投保"卖方利益险",投保此险后,一旦货物在运输途中遭遇保险范围内的损失,进口方因此而拒付时,出口方可凭该险的保险单向保险公司索赔。

五是要等进口人签回销货合同或销货确认书后,再办理装运货物的手续。一旦发生争议,有双方签字的合同为依据,责任明确。同时要注意严格按照合同发货和提供货运单据,以免给进口方拒绝付款或拖延付款找到借口。

六是预先在进口地找到可靠的"需要时代理",一旦发生进口人拒付的情况可由该代理出面照料货物,即代为办理存仓、转售或运回等事宜。

七是对采用托收方式收付货款的合同,要注意定期检查,及时催收清理,发现问题应迅速采取适当措施,以避免或减少可能发生的损失。

(五)托收的国际惯例

为了统一各国银行在办理托收业务时的做法,减少委托人和被委托人之间可能发生的纠纷或争议,国际商会在对以往规则进行修订的基础上,于 1978 年出版了《托收统一规则》(Uniform Rules for Collection),即国际商会第 322 号出版物,于 1979 年起实施。根据国际贸易发展的需要,国际商会又于 1993 年着手对 322 号出版物进行修订,新修订的版本为国际商会第 522 号出版(以下简称 URC522),该修订本已于 1996 年 1 月 1 日开始实施。《URC522》包括总则与定义、托收的方式及结构、提示方式、义务与责任、付款、利息手续费及费用、其他规定等七部分共 26 条。《托收统一规则》自颁布实施以来,被各国银行普遍采用。但是,该规则只是一项惯例,不是法律,只有在有关当事人事先约定采用该惯例的条件下,才受其约束。

三、信用证(Letter of Credit,L/C)

自 19 世纪开始使用信用证以来,随着国际贸易的发展,信用证方式逐渐成为国际贸易中通常使用的一种支付方式。信用证是国际贸易发展到一定程度的历史产物,是在银行与金融机构参与国际贸易结算的过程中逐步形成的,与此同时,它也促进了国际贸易的发展。信用证支付方式把由进口方履行付款责任,转为由银行来付款,保证出口方安全迅速地收到货款,买方按时收到货运单据。因此,在一定程度上解决了进出口方之间互不信任的矛盾;同时,也为进出口双方提供了资金融通的便利。所以,自出现信用证以来,这种支付方式发展很快,并在国际贸易中被广泛运用。当今,信用证付款已成为国际贸易中普遍采用的一种主要的支付方式。

(一)信用证的含义与特点

1. 信用证的含义

根据《跟单信用证统一惯例(2007年修订本)》,即国际商会第600号出版物(简称《UCP600》)的解释,信用证是指由银行开立的,承诺有条件付款的书面文件,它是一项不可撤销的安排,无论其名称或描述如何,该项安排构成开证行对相符交单予以承付的确定承诺。

2. 信用证的特点

(1)信用证属于银行信用,开证行承担第一性的付款责任。

(2)信用证是独立于贸易合同之外的另一种契约,是开证行与受益人之间的付款合同。

(3)信用证业务是纯单据买卖,银行只从表面上确认单据是否与信用证相符,从而决定是否承担付款责任。

(二)信用证的当事人

1. 开证申请人(Applicant)

开证申请人又称开证人,指向银行申请开立信用证的人,一般为进口商。

2. 开证行(Opening Bank; Issuing Bank)

开证行指应申请人要求或者代表自己开出信用证的银行。接受开证申请人的委托开立信用证的银行,一般为进口地的银行。

3. 受益人(Beneficiary)

受益人是指信用证中所指定的有权使用信用证、提供符合信用证规定的单据、向开证行或付款行要求支付货款的人,一般为出口商。

4. 通知行(Advising Bank; Notifying Bank)

通知行指受开证行委托,将信用证的内容转递给受益人的银行,一般是出口地的银行。

5. 付款行(Paying Bank;Drawee Bank)

付款行指信用证上规定的付款人,在大多数情况下,付款行就是开证行。但付款行也可以是受开证行委托代为付款的另一家银行。一旦信用证中指定了另一家银行作为付款行,受益人或议付行应向付款行寄单索偿。付款行审核单据无误后才能付款,付款后无追索权,付款行再向开证行寄单索偿。付款行有权拒绝付款,此时仍应由开证行承担付款责任。

6. 议付行(Negotiation Bank)

议付行指买入受益人按信用证规定提交的单据、贴现汇票的银行。议付行一般是出口商所在地的银行。

7. 保兑行(Confirming Bank)

保兑行指根据开证行的授权或要求对信用证加具保兑的银行。

8. 偿付行(Reimbursing Bank)

偿付行指开证行在信用证中指定的、代开证行向议付行或付款行清偿垫款的银行。开证行之所以指定偿付行,是为了便于调拨资金,所以偿付行都是开证行在国外的账户银行,并且双方订有代理权的协议。

(三)信用证的业务流程

信用证的种类不同,具体做法也不完全相同,下面以即期不可撤销信用证为例介绍信用证的业务流程,如图 4-5 所示。

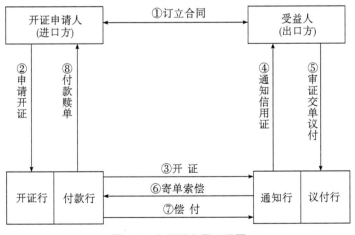

图 4-5 信用证业务流程图

流程图说明:
①进出口商订立买卖合同,明确规定买方以信用证方式支付货款。
②开证人,即进口人,向开证行申请开立信用证。申请开证时要递交开证申请书。

③开证行按申请书的要求向指定的受益人开立信用证,并将其传递给通知行。

④通知行收到信用证后,经核对开证行的签字与密押无误,将其转交给受益人。

⑤受益人收到信用证,审核信用证条款与买卖合同条款一致后发货,制作并取得信用证规定的全部单据,连同所开立的汇票,提交议付行议付。议付是议付行购进受益人开立的汇票及所附单据。

⑥议付行办理议付后,凭汇票和单据向开证行或其指定的付款行请求偿付。

⑦开证行或其指定的付款行向议付行付款。

⑧开证行付款后向开证人提示单据,开证人审核单据无误后,向开证行付款。

(四)信用证的内容及跟单信用证统一惯例

1. 信用证的内容

(1)对信用证本身的说明。

对信用证本身的说明包括信用证的种类、性质、信用证号码、开证日期、有效期、到期地点、交单期限等。

(2)对汇票的说明。

在信用证项下,如使用汇票,要明确汇票的出票人、受票人、受款人、汇票金额、汇票期限和主要条款等。

(3)对装运货物的说明。

在信用证中,应列明货物的名称、规格、数量、单价等,且这些内容应与买卖合同的规定相一致。

(4)对运输事项的说明。

在信用证中,应列明装运港、目的港、装运期限以及可否分批装运、转运等项内容。

(5)对单据的说明。

在信用证中,应列明所需的各种单据,如商业发票、运输单据、保险单据及其他单据。

(6)其他事项。

开证行对议付行的指示条款;开证行保证付款的文句;开证行的名称及地址;其他特殊条款。

2. 跟单信用证统一惯例

信用证自出现以来得到广泛使用,成为国际贸易中通用的支付方式。国际商会为了减少因解释不同而引起的争端,调和各有关当事人之间的矛盾,于1930年拟定了《商业跟单信用证统一惯例》(Uniform Customs and Practice for Commercial Documentary Credits),并于 1933 年正式公布,建议各国银行采用。随着国际贸易实践的发展,国际商会对该惯例进行了数次修订,最近一次的修订形成了《跟单信用证统一惯例——2007 年修订本,国际商会第 600 号出版物》(简称《UCP 600》),并已于 2007 年 7 月开始实施。

《跟单信用证统一惯例》虽然不是法律,但影响力巨大,已被世界上 170 多个国家和地区的银行采纳,成为国际上处理信用证业务的标准。

四、各类支付方式的选用

(一)选择结算方式应注意的问题

1. 汇付结算方式

使用汇付方式时,应在买卖合同中明确规定汇付的时间、具体的汇付方式和金额等。

2. 托收结算方式

使用托收方式,应在买卖合同中明确规定交单条件、买方付款和/或承兑责任以及付款期限等。

3. 信用证结算方式

在国际贸易中若双方同意以信用证方式支付,则必须将所开信用证的有关事项在合同中加以明确,主要包括:

(1)开证时间。在信用证业务中,按时开来信用证是买方的一项基本义务,也是卖方履约的基础。若合同中明确规定开证时间则对卖方较有利,如买方不按时开证,则构成违约。若合同中未规定开证日期,在实际业务中,由于市场情势的变化,买方可能拖延开证,则卖方处于不利的地位。为了明确开证责任,开证时间应在合同中加以规定。

(2)信用证的种类。信用证种类繁多,在我国出口业务中,一般只接受不可撤销的信用证,其他类别则应根据每笔交易的不同加以灵活选择。如成交金额大,或对开证行的资信表示怀疑或由于其他特殊原因,可考虑要求买方开立不可撤销的可转让信用证。对交货时间较长且分批交货的合同,可考虑使用循环信用证。这样可省去买方分批开证的手续和费用,也便于卖方安排出口。

(3)信用证的金额。信用证的金额一般都规定为发票金额的 100%,若预计可能发生一些额外的费用如港口拥挤费、保险费等,可要求买方在信用证中规定,超过的有关费用凭受益人提交的有关费用收据,在信用证金额外支付给受益人。

(4)付款的日期。付款的日期关系到买卖双方收付货款的时间。卖方希望收到货款越快越好,而买方则希望远期付款。因此,在合同中必须规定付款日期。

(5)信用证的有效期及到期地点。信用证的有效期是指信用证中规定的交单付款、承兑或议付的到期日。我国大部分采用议付信用证,合同条款一般都规定:"议付有效期为最后装运期后15天在中国到期。"

信用证的到期地点是指信用证有效期的终止地点。一般有三种情况:在出口方到期;在进口方到期;在第三国到期。在实际业务中,我国基本上都要求信用证在中国到期。

(二)不同结算方式的使用

在国际贸易中每一种结算方式均可以单独使用,但在特定的贸易条件下,为促成交易或为加速资金周转或安全地收、付汇,也可以将不同的支付方式结合起来使用。

1. 信用证与汇付相结合

信用证与汇付相结合是指部分货款以信用证方式支付,部分货款以汇付方式结算。这种支付方式一般用于成交量大、交货机动幅度也较大的商品上。其主要部分用信用证方式支付,超过信用证部分用汇付方式支付。有些交易的预付款用汇付方式支付,其余部分采用信用证支付。

2. 托收与信用证相结合

这种支付方式是指部分货款用托收方式支付,部分货款用信用证方式支付。一般做法是来证规定:出口人出具两张汇票,信用证部分用光票付款,全套货运单据附在托收部分汇票项下收取。但在信用证内必须注明"在发票金额全部付清后方可交单"的条款。

3. 汇付、托收与信用证三者相结合

这种支付方式一般用在大型成套设备项目、船舶、飞机等金额大、交货期长的交易中。

(三)分期付款与延期付款

1. 分期付款

分期付款是买卖双方在合同中规定,在产品投产前,买方可采用汇付方式预付部分订金,其余货款根据商品制造进度或交货进度,买方开立不可撤销的信用证,即期付款。全部货款在货物交付完毕时付清或基本付清,货物所有权则在付清最后一笔货款时转移。分期付款实际上是一种即期交易,按分期付款成交。买方在预付订金时,通常要求卖方通过银行出具保函或备用信用证,以确保买方预付金的安全。

2. 延期付款

延期付款是买卖双方在合同中规定,买方在预付一部分订金后,其余大部分货款在卖方交货后相当长时间内分期摊还。延期支付的那部分货款可采用远期信用证方式支付。所以延期付款实际上是卖方向买方提供的商业信贷,它带有赊销赊购的性质,因此买方应承担延期付款的利息。

> **课后案例**

2011年11月8日,我国上海某贸易股份有限公司以FOB贸易形式,与韩国一公司签订了一批出口服饰的合同。合同中规定,付款方式以信用证的形式。韩国公司指定韩国某货代公司为货物承运人,负责将该批货物从中国上海运至韩国釜山。受委托之后,这家货代公司就签发了以上海某贸易股份有限公司为托运人的正本提单:"托运人为中国贸易股份有限公司,通知方为丁股份有限公司,收货人为'根据某银行指示'。"货发出之后,上海这家贸易公司一直没有收到足额的货款。由于一直没有收到付款,因此上海这家贸易股份有限公司一直持有上述提单正本。经调查,原来货物运抵目的港后,已由前述提单通知人以银行保函形式,向货代公司提取货物,即涉案货物已由货代公司在目的港未放回正本提单前,被他人提走了,最终导致上海某贸易公司货款两失。为此,12月8日,我国上海这家贸易股份有限公司诉至我国海事法院,请求判令被告韩国这家货代公司赔偿相应经济损失5.9598万美元,及该款自某年11月起的利息损失。最终,根据我国的相关法律,判决如下:韩国某货代公司向我国贸易公司赔偿货款损失5.9598万美元及利息损失。

本案是一起海上货物运输合同纠纷案,涉案货物在对方未提交正本提单的情况下被人提走。被告人韩国某公司负有直接的责任,尽管不是他们亲自所为,而是他们委托的托运公司的行为违反了海上货物运输合同中承运人应凭正本提单交付货物的航运条款。依照《中华人民共和国海商法》理应就此向原告承担相应的赔偿责任。

第五章 FIDIC 合同

第一节 FIDIC 组织

一、FIDIC 组织简介

FIDIC 是国际咨询工程师联合会(Fédération Internationale Des Ingénieurs Conseils)的法文缩写,中文音译为"菲迪克",其英文名称是 International Federation of Consulting Engineers。国际咨询工程师联合会于 1913 年在比利时成立,后将总部设在瑞士日内瓦。经过 100 多年的发展,FIDIC 早已成为国际上最有权威的咨询工程师组织。

FIDIC 成立 80 多年来,对国际上实施工程建设项目,以及促进国际经济技术合作的发展起到了重要作用。由该会编制的《业主与咨询工程师标准服务协议书》(白皮书)、《土木工程施工合同条件》(红皮书)、《电气与机械工程合同条件》(黄皮书)、《工程总承包合同条件》(桔黄皮书)被世界银行、亚洲开发银行等国际和区域发展援助金融机构作为实施项目的合同和协议范本。这些合同和协议文本,条款内容严密,对履约各方和实施人员的职责义务作了明确的规定;对实施项目过程中可能出现的问题也都有较合理规定,以利遵循解决。这些协议性文件为实施项目进行科学管理提供了可靠的依据,有利于保证工程质量、工期和控制成本,使业主、承包人以及咨询工程师等有关人员的合法权益得到尊重。此外,FIDIC 还编辑出版了一些供业主和咨询工程师使用的业务参考书籍和工作指南,以帮助业主更好地选择咨询工程师,使咨询工程师更全面地了解业务工作范围和根据指南进行工作。该会制订的承包商标准资格预审表、招标程序、咨询项目分包协议等都有很实用参考价值,在国际上受到普遍欢迎,得到了广泛承认和应用,FIDIC 的名声也显著提高。

二、FIDIC 组织宗旨

作为一个国际性的非官方组织,FIDIC 的宗旨是:要将各个国家独立的咨询工程师行业组织联合成一个国际性的行业组织;促进还没有建立起这个行业组织的国家也能够建立起这样的组织;鼓励制订咨询工程师应遵守的职业行为准则,以提高为业主和社会服务的质量;研究和增进会员的利益,促进会员之间的关系,增强本行业的活力;提供和交流会员感兴趣和有益的信息,增强行业凝聚力。

三、FIDIC 组织机构

FIDIC 的组织机构分为三种，执行委员会、常设委员会和特别小组，其组织机构如图 5-1 所示。

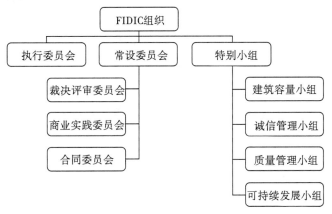

图 5-1　FIDIC 组织机构

执行委员会的职责是处理那些会员大会职权范围所无法涵盖的管理工作，包括：执行会员大会的决议、准备年度报告、修订议事程序、签署年度费用报告、任命常委会和特别小组的人选、审查其职责范畴并监督其行为、根据需要提名授予某人联络沟通责任、执行 FIDIC 的战略计划、定期评价以及更新或根据需要起草新的政策、加强 FIDIC 组织与其他国际组织的交流。例如，对影响咨询业的发展进行连续评估，在适当的时候对 FIDIC 的计划和行动进行重新定位，评价并更新现有的战略计划。

常设委员会具体设有裁决评审委员会、商业实践委员会、合同委员会。一般性的日常活动是由几个常委会和由执行委员会任命的特别小组来负责组织和管理的。特别小组具体设有建筑容量小组、诚信管理小组、质量管理小组、可持续发展小组。

四、FIDIC 组织会员

FIDIC 规定，要想成为它的正式会员，须由该国的一家"全国性的咨询工程师协会"（以下简称"全国性协会"）提出申请，"全国性协会"应当达到以下要求：应为业主和社会公共利益而努力促进工程咨询行业的发展；应保护和促进咨询工程师和私人业务方面的利益和提高本行业的声誉；应促使会员之间在职业、经营方面的经验和信息交流。FIDIC 还对"全国性协会"的主要任务提出建议：要使社会公众和业主了解本行业的重要性和它的服务内容，以及作为一个独立咨询工程师团体和个人的职能；要制订出严格的规则和措施，促使会员保证遵守职业道德标准，维护本行业的声誉；致力于开展国际交流，并为会员开展业务，获取先进技能，提供国际接触通道；了解和发挥本国工程咨询的某些优势和特点；广泛地建立会员与其他工程组织机构和教学单位的联系，充实咨询内容和明确新的方向；促进使用标准程序、制度和合约(如以上所说的有白皮书、红皮书、黄皮书等);向政府报告本行业的共同性问题并提出需要政府解决的问题;传递 FIDIC 提供的各种信息和其他国家同行业协会的经验;研究会员收取咨询服务合理报酬的办法;提倡按能力择优选取咨询专家,避免单纯价格竞争导致降低工程咨询标准和服务质量。

中国工程咨询协会(中咨协会,China National Association of Engineering Consultants,英文缩写为 CNAEC)是对外代表中国工程咨询业的行业协会,1992 年成立,1996 年中咨协会被接纳为 FIDIC 的正式会员。

第二节 FIDIC 出版物

一、FIDIC 合同体系

根据合同的性质,FIDIC 出版的合同范本包括两大类:一类是工程合同范本,即用于业主与承包商之间以及承包商与分包商之间的合同范本(简称"工程合同")。另一类是工程咨询服务合同范本,主要用于咨询服务公司与业主之间以及咨询服务公司之间等签订的咨询服务协议或合作协议(简称"咨询服务合同")。自 1913 成立后,FIDIC 致力于编写工程合同范本。1999 年出版具有里程碑意义的一套四本彩虹族合同范本后,截至 2017 年,FIDIC 一直在补充、修改、更新原来的范本。为了满足市场发展的需要,也增加或计划增加编制新型的合同范本,如与 PPP 项目相关的合同或文件。其分类如图 5-2 所示:

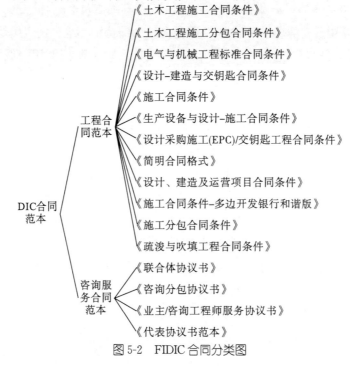

图 5-2 FIDIC 合同分类图

(一)FIDIC 工程合同范本的发展

1. 总体发展脉络

FIDIC 专业委员会编制了一系列规范性合同条件,构成了 FIDIC 合同条件体系。它们不仅被 FIDIC 会员国在世界范围内广泛使用,也被世界银行、亚洲开发银行、非洲开发银行等世界金融组织在招标文件中使用。

FIDIC 最早在 1957 年发布了第一版《土木工程施工合同条件》,(Conditions of Contract for Work of Civil Engineering Construction),这个国际版主要基于《海外土木工程合同条件》(简称 ACE 合同范本),由通用条件和专用条件两部分组成。由于题目太长,又因为其封面为红色,很快它就被人们广泛称为"红皮书"。

红皮书第二版于 1969 年出版,该版本增加了用于疏浚与填筑的专用合同条件,并将其作为第三部分,得到了亚洲与西太平洋承包商协会国际联合会的批准与认可。

1977 年,应 20 世纪 70 年代末到 80 年代后期发展中国家经济高速增长的需要,红皮书第三版问世,其中包含了一些重大修改,例如,定义费用、定义工程师的权利与义务以及规定合同范围被扩充等。该版本在全世界许多项目上都得到了成功运用,已被翻译成了法语、德语与西班牙语。

红皮书第四版于 1987 年正式出版,与此同时第三版被大幅度地修改,甚至范本的题目也作了变动:第三版题目中的"国际"一词被删除,目的是让全世界建筑业各参与方不但在国际工程中使用红皮书,而且在国内工程中也使用它。随后,"红皮书"第四版于 1988 年重印并在其末尾刊出编辑方面的订正内容,订正的内容只涉及一些细枝末节,并不影响相关条款的含义。于 1992 年重印时,又补充了一些订正内容,不仅统一了第四版"红皮书"的起草风格,而且其中一些增加或修改相关条款含义的修订具有重要意义。

1994 年,FIDIC 出版了与第四版红皮书配套使用的《土木工程施工分包合同条件》(Conditions of Sub-contract for Works of Civil Engineering Construction)。

随着工业机电项目的增多,FIDIC 于 1963 年出版了《电气与机械工程标准合同条件》(Conditions of Contract for Electrical and Mechanical Works,通称为"黄皮书")的第一版,并于 1980 年和 1987 年进行调整,发布了新的版本。

1995 年,《设计－建造和交钥匙合同条件》(Conditions of Contract for Design-Build and Turnkey,通称为"橘皮书")正式出版。红皮书(1987)、黄皮书(1987)以及橘皮书(1995)主要构成了早期 FIDIC 彩虹族系列工程合同范本文件。

20 世纪末,FIDIC 根据国际工程市场的发展,编制了一套工程合同范本,于 1999 年正式出版《施工合同条件》(Conditions of Contract for Construction)、《生产设备与设计－施工合同条件》(Conditions of Contract for Plant and Design-Build)、《设计采购施工(EPC)/交钥匙工程合同条件》(Conditions of Contract for EPC/Turnkey Projects)、《简明合同格式》(Short Form of Contract)。这套合同范本与原红皮书和黄皮书相比发生了革命性的变化。这套合同版本发行后,总体上受到了业界的欢迎,但也有一些不同声音,如《设计采购施工(EPC)/交钥匙工程合同条件》由于在风险分担中承包商承担绝大部分风险,因此国际承包商对此版本颇有微词,甚至被称为"披着羊皮的狼"。尽管如此,1999年这套新范本出版后,很快得到了广泛的使用。

2005年,根据世界银行等国际金融组织贷款项目的特点,FIDIC编制了专门用于国际多边金融组织出资的建设项目的合同范本,即《施工合同条件－多边开发银行和谐版》(Multilateral Development Banks Harmonized Edition,通称"粉皮书")。

2006年,FIDIC发布了第一版《疏浚与吹填工程合同条件》(Form of Contract for Dredging and Reclamation Works,通称"蓝绿皮书")。随后,FIDIC对第一版蓝绿皮书进行修订,于2016年发布了第二版《疏浚与吹填工程合同条件》。

为适应国际承包形势的发展,FIDIC于2008年出版了DBO合同条件,即《生产设备、设计、建造及运营项目合同条件》(Conditions of Contract for Plant and Design, Build and Operate,通称"金皮书")。

2011年,FIDIC出版了与1999年版《施工分包合同条件》配套的《施工分包合同条件》(Conditions of Subcontract for Construction)。

2017年12月,FIDIC在伦敦举办的国际用户会议上,发布了1999版三本合同条件的第二版,分别是:施工合同条件(Conditions of Contract for Construction)、生产设备和设计－建造合同条件(Conditions of Contract for Plant and Design-Build)和设计－采购－施工与交钥匙项目合同条件(Conditions of Contract for EPC / Turnkey Projects)。

2. 主要工程合同

(1)《施工合同条件》。

《施工合同条件》(Conditions of Contract for Construction,通称"新红皮书"),是在1987年第四版红皮书的基础上,经过实质性修改编制而成的。

(2)《生产设备与设计－施工合同条件》。

1999年版《生产设备与设计－施工合同条件》(Conditions of Contract for Plant and Design-Build,通称"新黄皮书"),适用于电气和(或)机械设备供货,以及房屋建筑或土木工程的设计和实施。

(3)《设计采购施工(EPC)/交钥匙工程合同条件》。

《设计采购施工(EPC)/交钥匙工程合同条件》(Conditions of Contract for

EPC/Turnkey Projects，通称"银皮书"），是基于 1995 年版《设计－建造和交钥匙合同条件》，即"橘皮书"的基础上进行修订的，它与《设计－建造和交钥匙合同条件》相似但不完全相同。

(4)《简明合同格式》。

《简明合同格式》(Short Form of Contract，通称"绿皮书"）。在适用范围上，《简明合同格式》适用于资金额较小的工程或建筑项目，也可用于金额较大但是简单、重复性、工期短的工程项目。

(5)《施工合同条件－多边开发银行和谐版》。

2005 年，FIDIC 与世界银行等国际金融组织合作编制了专门用于国际多边金融组织出资的建设项目的合同范本，即《施工合同条件－多边开发银行和谐版》(Multilateral Development Banks Harmonized Edition，通称"粉皮书"），并分别于 2006 年和 2010 年进行调整修改。

(6)《疏浚与吹填工程合同条件》。

FIDIC 于 2006 年发布了第一版《疏浚与吹填工程合同条件》(Form of Contract for Dredging and Reclamation Works，First Edition，2006，通称"蓝绿皮书"）。

(7)《生产设备、设计、建造及运营项目合同条件》。

为适应国际承包形势的发展，FIDIC 于 2008 年出版了 DBO 合同条件，即《生产设备、设计、建造及运营项目合同条件》(Conditions of Contract for Plant and Design，Build and Operate，通称"金皮书"）。

(8)《施工分包合同条件》。

2011 年出版与 1999 年版《施工分包合同条件》配套的《施工分包合同条件》(Conditions of Subcontract for Construction)。在适用范围上，《施工分包合同条件》和 1999 年版《施工合同条件》配套使用，也可以稍加修改用于任何分包项目。

(二)FIDIC 咨询服务合同范本的发展

1. 总体发展脉络

FIDIC 除了出版一系列在世界范围内广泛使用的规范性工程合同条件外，也致力于咨询服务合同范本的编制。

1990 年，FIDIC 正式出版了《业主/咨询工程师标准服务协议书》(Client/Consultant Model Services Agreement，通称"白皮书"，后期也有译者翻译为：客户/咨询工程师服务协议书范本)。随后于 1991 年、1998 年以及 2006 年，FIDIC 对第一版白皮书进行修订和增补，分别出版了第二版、第三版和第四版。为适应市场发展的需要，《客户/咨询工程师服务协议书范本》第五版于 2017 年正式推出。

1992 年,FIDIC 正式出版第一版《联营体协议书》(Joint Venture Agreement),第二版《联营体协议书》(Model Joint Venture /Consortium Agreement)于 2017 年正式出版推出。

1992 年,FIDIC 出版第一版《咨询分包协议书》(Sub-consultancy Agreement),2017 年,FIDIC 对该协议书进行修订,参照第五版《客户/咨询工程师服务协议书范本》出版了第二版《咨询分包协议书》。

2004 年,FIDIC 出版《代表协议范本测试版本》(Model Representative Agreement Test ED)。2013 年,在该试用版的基础上进行修正,FIDIC 正式推出了供咨询工程师雇用项目所在国的当地代表时所使用的代表协议书范本,即《代表协议书范本》(Model Representative Agreement,通称"紫皮书")。

《业主/咨询工程师标准服务协议书》《联营体协议书》《咨询分包协议书》和《代表协议书范本》共同构成了 FIDIC 的系列咨询服务协议书。以下对咨询服务协议书系列进行简要介绍。

2. 主要咨询服务合同

(1)《联营体协议书》。

1992 年,FIDIC 正式出版第一版《联营体协议书》(Joint Venture Agreement)。第二版《联营体协议书》(Model Joint Venture/Consortium Agreement)于 2017 年正式出版。

(2)《业主/咨询工程师标准服务协议书》。

《业主/咨询工程师标准服务协议书》(Client/Consultant Model Services Agreement,通称"白皮书")最早问世于 1990 年,随后于 1991 年、1998 年以及 2006 年,FIDIC 对第一版白皮书进行修订和增补,分别出版了《业主/咨询工程师标准服务协议书》第二版、《客户/咨询工程师服务协议书范本》第三版、《客户/咨询工程师服务协议书范本》第四版。为适应市场发展的需要,《客户/咨询工程师服务协议书范本》第五版于 2017 年正式推出。

(3)《咨询分包协议书》。

FIDIC 最早于 1992 年出版第一版《咨询分包协议书》(Sub-consultancy Agreement)。2017 年,FIDIC 对《咨询分包协议书》进行修订,出版第二版《咨询分包协议书》。

(4)《代表协议书范本》。

2004 年,FIDIC 出版《代表协议范本测试版本》(Model Representative Agreement Test ED)。2013 年,FIDIC 在该试用版的基础上进行修正,正式推出了供咨询工程师雇用项目所在国的当地代表时所使用的代表协议书范本,即《代表协议书范本》(2013 年第一版)(Model Representative Agreement,通称"紫皮书")。

(三)FIDIC合同文本结构

FIDIC出版的所有合同文本结构,都是以通用条件、专用条件和其他标准化文件的格式编制。

1. 通用条件

通用条件是指工程建设项目不论属于哪个行业,也不管处于何地,只要是土木工程类的施工均可适用。条款内容涉及:合同履行过程中业主和承包商各方的权利与义务,工程师(交钥匙合同中为业主代表)的权利和职责,各种可能预见到事件发生后的责任界限,合同正常履行过程中各方应遵循的工作程序,以及因意外事件而使合同被迫解除时各方应遵循的工作准则等。

2. 专用条件

专用条件是相对于"通用而言",要根据准备实施的项目的工程专业特点,以及工程所在地的政治、经济、法律、自然条件等地域特点,针对通用条件中条款的规定加以具体化。可以对通用条件中的 规定进行相应补充完善、修订或取代其中的某些内容,以及增补通用条件中没有规定的条款。专用条件中条款序号应与通用条件中要说明条款的序号对应,通用条件和专用条件内相同序号的条款共同构成对某一问题的约定责任。如果通用条件内的某一条款内容完备、适用,专用条件内可不再重复列此条款。

3. 标准化的文件格式

FIDIC编制的标准化合同文本,除了通用条件和专用条件以外,还包括有标准化的投标书(及附录)和协议书的格式文件。

投标书的格式文件只有一页内容,是投标人愿意遵守招标文件规定的承诺表示。投标人只需要填写投标报价并签字后,即可与其他材料一起构成有法律效力的投标文件。投标书附件列出了通用条件和专用条件内涉及工期和费用内容的明确数值,与专用条件中的条款序号和具体要求一致,以使承包商在投标时予以考虑。这些数据经承包商填写并签字确认后,合同履行过程中作为双方遵照执行的依据。

协议书是业主与中标承包商签订施工承包合同的标准化格式文件,双方只要在空格内填入相应内容,并签字盖章后合同即可生效。

二、FIDIC其他出版物

FIDIC除了合同体系出版物以外,还有下列各主要出版物,如图5-3所示:

招标文件与协议	业主/咨询工程师(单位)协议书、合资公司协议书、咨询服务分包协议书
指南文件	红皮书指南、橘皮书指南、黄皮书指南、白皮书指南、合资公司协议书指南、咨询服务分包协议书指南、运营一维护一培训合同指南
质量管理	ISO9001:2000 国际质量管理体系、质量管理培训手册、提高工程建设质量行动指南
廉洁管理	业务廉洁管理系统培训手册、业务廉洁管理系统指南
风险管理	质量管理培训手册、风险管理展望、职业赔偿保险、大型土木工程项目保险
招投标管理	FIDIC 招投标程序、标准资格预审文件
环境与可持续发展	咨询工程师与环境行动之南、可持续发展战略、工程可持续管理指南

图 5-3　FIDIC 其他出版物

第三节　FIDIC 合同特点

FIDIC 成立 100 多年来,对国际上实施工程建设项目,以及促进国际经济技术合作的发展起到了重要作用。其特点有如下几点:

一、国际性、权威性、通用性

FIDIC《土木工程施工合同条件》的国际性和权威性,从其出台的过程以及它多年被应用于国际工程所证实。

其通用性表现在只要是土木工程,包括房屋工程、桥隧工程、公路工程等均通用;另一方面,它不仅用于国际工程,也可以应用于国内工程,如我国国内工程曾广泛应用的交通部编制的《公路工程施工合同条件》就是等同采用 FIDIC 合同条件,原铁道部编制的《铁路工程施工合同条件》等就是等效采用 FIDIC 合同条件而出台的。

二、权利和义务明确、职责分明、趋于完善

FIDIC 合同条件文件不仅对工程得规模、范围、标准以及费用得结算办法都规定得十分明确,而且对工程管理过程中的许多细节都作了明确的规定,同时对雇主、承包商、工程师等各方权责规定的十分明确,这是保证工程实施的重要条件,从而减少执行过程中的误解和纠纷。如雇主与承包商之间是雇用与被雇用的关系,但是雇主必须通过工程师来传达自己的命令。雇主和工程师是委托与被委托的关系,但是雇主不能干预工程师的正常工作,但是可以向监理单位提出更换不称职的监理人员。工程师和承包商之间没有任何合同关系,双方是监理与被监理的关系,承包商所进行的工作都必须通过工程师的批准,严格遵照工程师的指示。但是承包商可以通过法律手段来保护自己的合法权益。

三、文字严密、逻辑性强、内容广泛具体、可操作性强

合同各个条件之间既有相互制约的关系,又有互相补充的关系,从而构成了一个完整的合同体系。但是同时也明确规定了文件的优先次序。

四、法律制度完善

合同条件中形成了一套完整的具有法律特征的管理制度体系,如工程保险制度、合同担保制度、质量责任制度、价款支付制度、施工监理制度等,使得合同地顺利履行具备了制度上的保证。

五、合同条件具有唯一性

即 FIDIC 合同条件是承包商和工程师各自工作的唯一依据。双方在签订合同之后,就只能以此合同作为办事依据。

第四节　FIDIC 合同的应用

菲迪克条款(简称菲迪克)是国际咨询工程师联合会编制的适用于建设工程总承包的合同范本,已被国际同业包括承包商、雇主(建设方)和金融组织广泛接受,成为国际承包工程普遍遵循的规则。

一、直接采用 FIDIC 合同

国际金融组织贷款和一些国际项目可直接采用 FIDIC 合同。在世界各地,凡世行、亚行、非行贷款的工程项目以及一些国家和地区的工程招标文件中,大部分全文采用 FIDIC 合同条款。

二、合同管理中对比分析使用

许多国家在学习、借鉴 FIDIC 合同条件的基础上,编制了一系列适合本国国情的标准合同条件。这些合同条件的项目和内容与 FIDIC 合同条件大同小异。主要差异体现在处理问题的程序规定上以及风险分担规定上。

我国的涉外工程(包括对外承包工程和对外发包工程)已经越来越普遍地选用菲迪克合同通用条件作为总承包合同的通用条件,我国建设部(建议改为建设主管部门)制定的建设工程示范文本也越来越倾向于与菲迪克条款接轨,逐步完成菲迪克条款的属地化工作,我国对菲迪克条款的了解自改革开放以来在纵深两个方面都有发展。最初菲迪克根据建设工程所属行业的不同编制不同的施工总

承包合同文本,曾出版过《土木工程施工合同条件》和《电气与机械工程合同条件》两种分别适用于土木工程和电气与机械工程施工总承包的合同范本。于1995年又编制了《设计建造与交钥匙工程合同条件》,适用于各个行业的交钥匙总承包工程。

FIDIC合同条件的各项程序是相当严谨的,处理业主和承包商风险、权利及义务也比较公正。因此,业主、咨询工程师、承包商通常都会将FIDIC合同条件作为一把尺子与工作中遇到的其他合同条件相对比,进行合同分析和风险研究,制定相应的合同管理措施,防止合同管理上出现漏洞。

三、在合同谈判中使用

FIDIC合同条件的国际性、通用性和权威性使合同双方在谈判中可以以"国际惯例"为理由要求对方对其合同条款的不合理、不完善之处作出修改或补充,以维护双方的合法权益。这种方式在国际工程项目合同谈判中普遍使用。

四、部分选择使用

即使不全文采用FIDIC合同条件,在编制招标文件、分包合同条件时,仍可以部分选择其中的某些条款、某些规定、某些程序甚至某些思路,使所编制的文件更完善、更严谨。在项目实施过程中,也可以借鉴FIDIC合同条件的思路和程序来解决和处理有关问题。

需要说明的是,FIDIC在编制各类合同条件的同时,还编制了相应的"应用指南"。在"应用指南"中,除了介绍招标程序、合同各方及工程师职责外,还对合同每一条款进行了详细解释和说明,这对使用者是很有帮助的。另外,每份合同条件的前面均列有有关措词的定义和释义。这些定义和释义非常重要,它们不仅适合于合同条件,也适合于其余全部合同文件。

第五节　FIDIC合同条件简介

一、主要工程合同简介

(一)《施工合同条件》

1.《施工合同条件》简介

《施工合同条件》(Conditions of Contract for Construction,通称"新红皮书"),是在1987年第四版红皮书的基础上,经过实质性修改编制而成的,推荐用于由业主提供设计方案的房屋建筑或工程项目。

1999年版《施工合同条件》在适用范围、计价方式、管理以及风险分担上都与原《土木工程施工合同条件》有着较大的区别。首先,在适用范围方面,1987版《土木工程施工合同条件》主要应用于土木工程领域(Civil Engineering Construction),1999年版《施工合同条件》的适用范围则更广,适用于房屋建筑或工程领域(Building or Engineering Works),包括土木、机械、电力、建造工程等。在计价方式方面,1999年版《施工合同条件》中合同总体上仍采用单价形式,但双方也可以针对某些具体工作项目约定总价。在管理模式方面,工程师受雇于业主对工程项目进行管理,但工程师不再是独立的第三方而是作为业主方人员。在风险分担方面,1999年版《施工合同条件》对承包商比较友好(pro-contractor),将大量风险分担给了业主。其规定业主负责大部分的设计工作,承包商也可能承担少量的设计深化工作。

此外,从词语的使用来说,1999年版《施工合同条件》的语言更为通俗易懂,便于国际用户使用。通用条款中的第一款"定义和解释"也有了较大的变动,由旧版的35个词语增加到62个,使得合同条款的定义更为清晰、明确。

2.《施工合同条件》(新红皮书)适用范围

该合同条件适用于建设项目规模大、复杂程度高、业主提供设计的项目。新红皮书基本继承了原红皮书的"风险分担"的原则,即业主愿意承担比较大的风险,因此,业主希望作全部设计(不包括施工图、结构补强等)。雇用工程师作为其代理人管理合同,管理施工以及签证支付,希望在工程施工的全过程中持续得到全部信息,并能作变更,希望支付根据工程量清单或通过的工作总价。而承包商仅根据业主提供的图纸资料进行施工。(当然,承包商有时要根据要求承担结构、机械和电气部分的设计工作。)那么,《施工合同条件》(新红皮书)正是此种类型业主所需的合同范本。

3.《施工合同条件》(新红皮书)特点

(1)框架:新红皮书放弃了原红皮书第四版的框架,而是继承了1995年橘皮书的格式,合同条件分为20个标题,与瓣黄皮书、银皮书合同条件的大部分条款一致,同时加入了一些新的定义,便于使用和理解。

(2)业主方面:新红皮书对业主的职责、权力、义务有了更严格的要求,如对业主资金安排、支付时间和补偿、业主违约等方面的内容进行了补充和细化。

(3)承包商方面:对承包商的工作提出了更严格的要求,如承包商应将质量保证体系和月进度报告的所有细节都提供给工程师、在何种条件下将没收履约保证金、工程检验维修的期限等。

(4)索赔、仲裁方面:增加了与索赔有关的条款并丰富了细节,加入了争端委员会的工作程序,由3个委员会负责处理那些工程师的裁决不被双方认可的争端。

2017年版《施工合同条件》与1999年版相比在篇幅上大幅增加,各项规定更加具体明确;合同条件总体结构基本保持不变,但作了局部调整,将"不可抗力"重新命名为"例外事件",将索赔与争端区分开并增加了争端预警机制。2017版并未改变1999年版原有的风险分配原则,但拓展和加强了工程师的作用,同时强调了工程师的中立性。2017版有关合同管理和项目管理方面的相应规定更加详细、清晰,更具可操作性,强调在各项处理程序上业主和承包商的对等关系。

(二)《生产设备与设计－施工合同条件》

1.《生产设备与设计－施工合同条件》简介

1999年版《生产设备与设计－施工合同条件》(Conditions of Contract for Plant and Design-Build,通称"新黄皮书"),适用于电气和(或)机械设备供货,以及房屋建筑或土木工程的设计和实施。1999年版新黄皮书在1987年《电气与机械工程标准合同条件格式》第三版的基础上修改编制而成,并更名为《生产设备与设计－施工合同条件》,应用范围更加广泛,适用于大型复杂机电设备工业项目以及其他基础设施项目。就计价方式而言,总体上采用可调价总价合同,但在个别情况下可以采用单价合同。就管理模式而言,与1999年版《施工合同条件》一致,由工程师代表业主对承包商进行管理,工程师不再是独立的第三方而作为业主方人员。就风险分担而言,1999年版《生产设备与设计－施工合同条件》对承包商较为友好,风险分担较为均衡。值得强调的是,在该合同范本中承包商的工作不仅包括施工,同时包括设计。

2.《生产设备与设计－施工合同条件》适用范围

该合同范本适用于建设项目规模大、复杂程度高、承包商提供设计、业主愿意将部分风险转移给承包商的情况。《设备和设计－建造合同条件》与《建造合同条件》相比,最大区别在于前者业主不再将合同的绝大部分风险由自己承担,而将一定风险转移至承包商。因此,如果业主希望:(1)如在一些传统的项目里,特别是电气和机械工作,由承包商作大部分的设计,比如业主提供设计要求,承包商提供详细设计;(2)采纳设计－建造履行程序,由业主提交一个工程目的、范围和设计方面技术标准说明的"业主要求",承包商来满足该要求;(3)工程师进行合同管理,督导设备的现场安装以及签证支付;(4)执行总价合同,分阶段支付。那么,《设备合同范本》(新黄皮书)将适合这一需要。

3.《生产设备与设计－施工合同条件》特点

(1)框架:借鉴1995年橘皮书的格式,合同结构类似新红皮书,并与新红皮书、银皮书相统一。

(2)业主方面:对设计管理的要求更加系统、严格,通用条件里就专门有一条共 7 款关于设计管理工作的规定。同时赋予了工程师较大权力对设计文件进行审批;限制了业主在更换工程师方面的随意性,如果承包商对业主提出的新工程师人选不满意,则业主无权更换;业主对承包商的支付,采用以总价为基础的合同方式,期中支付和费用变更的方式均有详细规定。

(3)承包商方面:承包商要根据合同建立一套质量保证体系,在设计和实施开始前,都要将其全部细节送工程师审查;增加可供选择的"竣工后检验"并严格了"竣工检验"环节以确保工程的最终质量;另外,新黄皮书的规定使承包商要承担更多的风险,如将"工程所在国之外发生的叛乱、革命、暴动政变、内战、离子辐射、放射性污染等"在原黄皮书中由业主承担的风险改由承包商来承担,当然因为设计工作是由承包商来提供的,设计方面的风险自然也由承包商承担。

(4)索赔、仲裁方面:与新红皮书一样,该合同范本采用 DAB 工作程序来解决争端。

(三)《设计采购施工(EPC)/交钥匙工程合同条件》简介

1.《设计采购施工(EPC)/交钥匙工程合同条件》简介

《设计采购施工(EPC)/交钥匙工程合同条件》(Conditions of Contract for EPC/Turnkey Projects,通称"银皮书"),是基于 1995 年版《设计－建造和交钥匙合同条件》,即"橘皮书"的基础上进行修订,它与《设计－建造和交钥匙合同条件》相似但不完全相同。

2017 年 FIDIC 发布了银皮书第二版,在维持原有风险分担原则基本不变的基础上,吸收借鉴了用户反馈以及国际工程的发展动向和最佳实践,强调双方权利与责任的对等以及沟通机制和质量管理的重要性。

2.《设计采购施工(EPC)/交钥匙工程合同条件》适用范围

该合同范本适用于建设项目规模大、复杂程度高、承包商提供设计、承包商承担绝大部分风险的情况。因此,当业主希望:(1)承包商承担全部设计责任,合同价格的高度确定性,以及时间不允许逾期;(2)不卷入每天的项目工作中去;(3)多支付承包商建造费用,但作为条件承包商须承担额外的工程总价及工期的风险;(4)项目的管理严格采纳双方当事人的方式,如无工程师的介入,那么,《EPC/交钥匙项目合同范本》(银皮书)正是所需。另外,使用 EPC 合同的项目的招标阶段给予承包商充分的时间和资料使其全面了解业主的要求并进行前期规划、风险评估的估价;业主也不得过度干预承包商的工作;业主的付款方式应按照合同支付,而毋须像新红皮书和新黄皮书里规定的工程师核查工程量并签认支付证书后才付款。

3.《设计采购施工(EPC)/交钥匙工程合同条件》特点

(1)风险:EPC 合同明确划分了业主和承包商的风险,特别是承包商要独自承担发生最为频繁的"外部自然力"这一风险。

(2)管理方式:由于业主承担的风险已大大减少,他就没有必要专门聘请工程师来代表他对工程进行全面细致的管理。EPC合同中规定,业主或委派业主代表直接对项目进行管理,人选的更迭不须经进承包商同意;业主或业主代表对设计的管理比黄皮书宽松;但是对工期和费用索赔管理是极为严格的,这也是EPC合同订立的初衷。

(四)《简明合同格式》

1.《简明合同格式》简介

《简明合同格式》(Short Form of Contract,通称"绿皮书")。在适用范围上,《简明合同格式》适用于资金额较小的工程或建筑项目,也可用于金额较大但是简单、重复性、工期短的工程项目。在计价方式上,根据工程项目的不同而自主选择单价合同和总价合同。在管理模式上,由于项目的简单性和直接性,"工程师"这一角色没有出现在合同条件里,业主任命业主代表对项目进行直接管理。在风险分担上,《简明合同格式》对承包商也较为友好,承担风险较少,承包商承担大部分设计工作,一般不雇用分包商,可能会雇用设计分包商。由于《简明合同格式》短小、简单、易于被掌握的特点,广泛地被非英语国家翻译,从而被大量应用。

2.《简明合同格式》适用范围

FIDIC编委会编写绿皮书的宗旨在于使该合同范本适用于投资规模相对较小的民用和土木工程,如:造价在50万美元以下以及工期在6个月以下工程相对简单,不须专业分包合同;重复性工作;施工周期短等项目。承包商根据业主或业主代表提供的图纸进行施工。当然,简明格式合同也适用于部分或全部由承包商设计的土木电气、机械和建筑设计的项目。

3.《简明合同格式》特点

(1)简单:正如绿皮书的名字一样,本合同格式的最大特点就是简单,合同条件中的一些定义被删除了而另一些被重新解释;专用条件部分只有题目没有内容,仅当业主认为有必要时才加入内容;没有提供履约保函的建议格式;同时,文件的协议书中提供了一种简单的"报价和接受"的方法以简化工作程序,即将投标书和协议书格式合并为一个文件,业主在招标时在协议书上写好适当的内容,由承包商报价并填写其他部分,如果业主决定接受,就在该承包商的标书签字,当返还的一份协议书到达承包商处的时候,合同即生效。

(2)业主方面:合同条件中关于"业主批准"的条款只有两款,从而在一定程度上避免了承包商将自己的风险转移给业主;通过简化合同条件,将承包商索赔的内容都合并在一个条款中;同时,提供了好几种变更估价和合同估价方式以供选择。

(3)承包商方面:在竣工时间、工程接收、修补缺陷等条款方面也和其他合同文本有一定的差异。

(五)《施工合同条件－多边开发银行和谐版》简介

2005年,FIDIC与世界银行等国际金融组织合作编制了专门用于国际多边金融组织出资的建设项目的合同范本,即《施工合同条件－多边开发银行和谐版》(Multilateral Development Banks Harmonized Edition,通称"粉皮书"),并分别于2006年和2010年进行调整修改。《施工合同条件－多边开发银行和谐版》主要以1999年版《施工合同条件》为基本框架编写而成。

在结构上,遵循FIDIC标准的合同格式和布局,包括通用条款、专用条款以及各种担保、保证、保函和争议裁决委员会(DAB)协议书的标准文本。在内容上,引入了多边开发银行专用的FIDIC施工合同条件,增加了银行的角色,更加强调HSE的管理。在适用范围上,《施工合同条件－多边开发银行和谐版》主要供多边开发银行贷款项目中业主负责设计的施工项目使用。在计价方式上,总体上采用单价合同的计价方式。在管理模式上,业主雇用监理工程师,由监理工程师为业主管理合同的实施。在风险分担上,仍然是承包商友好型,总体对承包商有利,可以被认为是"亲承包商(Pro-contractor)",业主负责设计工作。

(六)《疏浚与吹填工程合同条件》简介

FIDIC于2006年发布了第一版《疏浚与吹填工程合同条件》(Form of Contract for Dredging and Reclamation Works, First Edition, 2006,通称"蓝绿皮书")。

2016年,FIDIC发布第二版《疏浚与吹填工程合同条件》(Form of Contract for Dredging and Reclamation Works, Second Edition, 2016,通称"新蓝绿皮书",如图),由FIDIC和IADC(International Association of Drilling Contractors,国际钻井承包商协会)共同合作完成。

两版《疏浚与吹填工程合同条件》在结构上均遵循FIDIC标准合同条件格式,分为通用条款和专用条款两部分;在内容上,均在1999年版《施工合同条件》的基础上,结合疏浚与吹填项目的特点与发展趋势,如变更程序简化、疏浚工程无缺陷责任期等。从适用范围来看,两版《疏浚与吹填工程合同条件》均适用于各类疏浚与吹填工程以及附属工程。从计价方式来看,两版《疏浚与吹填工程合同条件》均采用单价合同的方式。从管理模式来看,两版《疏浚与吹填工程合同条件》规定业主雇用工程师对工程项目进行管理。从风险分担来看,两版《疏浚与吹填工程合同条件》规定除了业主可以负责设计外,部分或全部设计工作也可以由承包商负责,这在一定程度上加大了承包商的施工风险。然而,两版《疏浚与吹填工程合同条件》也存在差异。第二版合同条件在第一版合同条件的基础上增加了争议裁决的适应性规则。

(七)《生产设备、设计、建造及运营项目合同条件》简介

为适应国际承包形势的发展,FIDIC 于 2008 年出版了 DBO 合同条件,即《生产设备、设计、建造及运营项目合同条件》(Conditions of Contract for Plant and Design, Build and Operate,通称"金皮书")。

该合同条件是基于国际基础设施开发的需要,在 1999 年版《生产设备与设计—施工合同条件》的基础上,加入了有关运营和维护的要求和内容编制而成,主要区别是承包商在工程竣工后,按照约定的期间,运营一段时间,并收取相应的运营费。其最大的优势是对项目全寿命周期成本进行优化、简化项目程序、保证质量,具有广阔的应用前景。DBO 合同在实践上与 EPC+OM 类似,在某些国家也被认为属于 PPP 模式的一种具体形式。

在结构上,《生产设备、设计、建造及运营项目合同条件》主要包括通用条款、专用条款和各类协议书、信函等范本,后附争议谈判协议书的一般条款和争议评判委员会成员的程序性规则,基本遵循了 1999 版 FIDIC 系列合同条件的格式和布局。在内容上,其在 1999 年版《生产设备与设计—施工合同条件》和 1995 年版《设计—建造和交钥匙合同条件》的基础上进行大量修改,其中改进最多是处理及解决争议的条款,同时引入了新的条款来处理潜在争议,索赔及争议程序从严掌握,并包含了新条款推广"避免争议",着手解决当事人不履行 DAB 裁决时如何处理的难题。此外,《生产设备、设计、建造及运营项目合同条件》还对"争议"和"通知"下了定义,修改了"风险"和"保险"条款,并不再使用"不可抗力"这个术语。

(八)《施工分包合同条件》简介

2011 年出版与 1999 年版《施工分包合同条件》配套的《施工分包合同条件》(Conditions of Subcontract for Construction)。在适用范围上,《施工分包合同条件》和 1999 年版《施工合同条件》配套使用,也可以稍加修改用于任何分包项目。在计价方式上,采用单价合同,承包商按照计量的实际工程量向分包商进行支付。在管理模式上,分包商不直接接受工程师的指示,但享有对主合同的知情权,分包商受到工程师和承包商的监督和管理。在风险分担上,仍为承包商友好型,风险均摊。

二、FIDIC 咨询服务合同范本的发展

(一)《联营体协议书》简介

1992 年,FIDIC 正式出版第一版《联营体协议书》(Joint Venture Agreement)。

第二版《联营体协议书》(Model Joint Venture Consortium Agreement)于2017年正式出版。

联营体分为法人型联营体和合同型联营体,合同型联营体又分为投资入股型和协作型两种。就适用范围而言,《联营体协议书》适用于合同型联营体。就利润分配而言,规定联营体应按照其所缴纳的资本在注册资本中所占的直接比例分享联营体的利润。就管理模式而言,经营管理机构作为联营体的最高运作机构,负责联营体的日常管理,除对联营体董事会负责外,其为独立自主的机构。就风险分担方式而言,联营体成员之间根据出资比例,即根据其所缴纳的资本在注册资本中所占的直接比例,对风险和损失进行分担。

此外,联营体任何一方的全部或任何部分权益在未经他方当事人书面同意的情况下,不得以任何方式转让。《联营体协议书》不仅为联营体成员之间如何减轻风险和避免争议作出指导,而且为各方义务和行为的履行提供执行框架。

相比于1992年第一版《联营体协议书》,2017年版《联营体协议书》对沟通机制、支持产权等进行定义,将"工作绩效"改变为"服务绩效""可分割性"改变为"强制性",语言更加通俗,便于用户使用。

(二)《业主/咨询工程师标准服务协议书》简介

《业主/咨询工程师标准服务协议书》(Client/Consultant Model Services Agreement,通称"白皮书")最早问世于1990年,随后于1991年、1998年以及2006年,FIDIC对第一版白皮书进行修订和增补,分别出版了《业主/咨询工程师标准服务协议书》(第二版)、《客户/咨询工程师服务协议书范本》(第三版)、《客户/咨询工程师服务协议书范本》(第四版)。为适应市场发展需要,《客户/咨询工程师服务协议书范本》第五版于2017年正式推出。

2017年版《客户/咨询工程师服务协议书范本》在结构上由两个部分组成,第一部分是协议书标准条件,即通用条件。第二部分是专用条件,即由于具体环境及情况的不同需要作出必要的变更。在内容上,该协议书对客户和工程咨询单位的职责、义务、风险分担和保险等方面作出了明确的规定,增加了友好解决争议等条款,更好地适应了当前工程市场的需要。相比于前几版,2017年版《客户/咨询工程师服务协议书范本》(第五版)将"服务暂停和协议终止"从"开工、竣工、变更和终止"中独立,并将"义务"条款单独列出。

(三)《咨询分包协议书》简介

FIDIC最早于1992年出版第一版《咨询分包协议书》(Sub-consultancy Agreement)。2017年,FIDIC对《咨询分包协议书》进行修订,出版第二版《咨分包协议书》。

2017年版《咨询分包协议书》是在第五版白皮书的基础上,经过实质性修改编制而成的,适用于在《委托人/咨询工程师标准服务协议书条件》指导下的咨询分包服务。相比于1992年第一版《咨询分包协议书》,其在合同条款上作出了较大修改。一方面,条款从九条增加到十条,条款数量增加;另一方,条款的描述上存在较大差异,同时对咨询分包服务的变更作出了更加详细的规定。

(四)《代表协议书范本》简介

2004年,FIDIC出版《代表协议范本测试版本》(Model Representative Agreement Test ED)。2013年,FIDIC在该试用版的基础上进行修正,正式推出了供咨询工程师雇用项目所在国的当地代表时所使用的代表协议书范本,即《代表协议书范本》(第一版)(Model Representative Agreement,通称"紫皮书")。

在结构上,《代表协议书范本》遵循FIDIC标准合同范本格式,包括通用条款、专用条款、合同协议书及其附录以及指南四个部分。相比于测试版,2013年版《代表协议书范本》中提出"反腐败"一词,并用大量语句对代表的反腐败要求进行描述,这不仅是国际环境的发展趋势和发展要求,同时也是职业道德底线的体现。另外,《代表协议书范本》继承了FIDIC合同范本平等公平的原则,就代表协议支付方式作出规定,咨询工程师收到相关委托人的支付款项时,才向代表支付报酬,这种款到即付合同(Pay-When-Paid)的支付对咨询工程师的利益给予了很好的保护,体现了咨询公司对风险的分担。总体来说,《代表协议书范本》为工程咨询公司开展咨询业务提供了新的合作方式和资源配置方式。

第二篇

海外项目物资管理

第六章　世界航线与主要港口的认识

第一节　世界航线

一、海运航线基本概念

(一)定义

海运航线是指船舶根据海洋不同水域、潮流、港湾、风向、水深等自然和社会政治经济条件,为达到最大营运效益所选定的营运通道。海运航线是一个国家同外界联系的纽带,是一个沿海国家的海上生命线。

(二)分类

按照船舶营运方式,海运航线可以分为定期航线和不定期航线。定期航线又称班轮航线,是指使用固定的船舶,按照固定的船期在固定的港口间航行的航线。不定期航线是指使用不定船舶,按不定船期,行驶不定港口的航线。定期航线的运价相对固定,不定期航线运输的物资以大宗货物为主。

按照航程的远近,海运航线可以分为远洋航线、近洋航线和沿海航线。远洋航线的航程距离较远,船舶航行跨越大洋的运输航线。近洋航线至本国各港口至邻近国家港口间的海上运输航线。我国习惯上以亚丁港为界,把去往亚丁港以西,包括红海两岸和欧洲以及南北美洲广大地区的航线划为远洋航线,亚丁港以东地区的亚洲和大洋洲的航线成为近洋航线。沿海航线指本国沿海各港口之间的海上运输航线,如上海至广州。

按照航行的范围,海运航线可以分为大西洋航线、太平洋航线、印度洋航线和环球航线等。

以安哥拉某施工项目为例,解释海运航线概念。安哥拉某施工项目是建筑施工某局承建的大型房建项目,物资供应工作由建筑施工某局海外物流中心集中采购发运,由中国天津港通过海运运至安哥拉罗安达港。从航程的远近角度,属于远洋航线,因为安哥拉罗安达港在亚丁港以西。从航行的范围角度,属于印度洋航线,因为该航线跨越印度洋。从船舶运营方式,在物资供应前期,由于物资需求量大,建筑施工某局海外物流中心租用5万吨船,从天津港直接运输至安哥拉罗安达港,使用的是不定期航线。在供应后期,由于项目接近尾声,物资需求量锐减,采用班轮运输,使用定期航线,进行物资供应。

二、国际海运航线

本节主要以远东(如中国、韩国、日本等)为出发点,分析国际海运航线,将国际运输航线概括为五大类:

(一)远东至东南非、西非、南美东海岸航线

该航线主要经过东南亚,穿过马六甲海峡或过印度尼西亚巽他海峡,西南行至东南非各港,或再过好望角去西非国家各港,或横越南大西洋至南美东海岸国家各港。

(二)远东至北印度洋、地中海、西北欧航线

该航线主要穿过马六甲海峡往西,经龙目海峡与北印度洋国家间往来,经苏伊士运河至地中海。

(三)远东至北美西海岸各港航线

该航线横渡北太平洋至美国、加拿大西海岸各港。

(四)远东至加勒比海、北美东海岸各港航线

该航线横渡北太平洋,越过巴拿马运河,因此航线偏南,横渡大洋的距离较长,夏威夷群岛的火奴鲁鲁港是它们的航站。

(五)远东至南美西海岸各港航线

该航线与上航线相同的是都要横渡大洋,航线长,要经过太平洋中枢站,不用过巴拿马运河。该线也有先南行至南太平洋的枢纽港,最后到达南美西海岸。

相关链接

"远东"是相对于"中东"和"近东"的一个政治地理概念,是"欧洲中心论"的产物。16世纪,欧洲列强开始向东方进军,它们根据当时掌握的地理知识,按照离自己的远近,分别把东方不同的地区称为"远东""中东""近东"。后来这三个概念被国际社会广泛沿用。

由于各国理解和划分不尽一致,所以这几个概念没有明确的范围和界线。通常,"远东"指离西欧(法国)最远的亚洲东部地区,包括中国、朝鲜、韩

国、日本以及俄罗斯的太平洋沿岸地区。"中东"的定义被学术界分为狭义和广义两种,狭义的中东指亚、非、欧三洲接合部的西亚北非国家和地区(但阿富汗除外),广义中东则泛指东起阿富汗、西到非洲大西洋沿岸的摩洛哥和毛里塔尼亚,北边包括土耳其,南边涵盖阿拉伯半岛南端的广大地区。"近东"一词已比较少用,指距离西欧较近的国家和地区。

三、建筑施工某局海运航线

为了境外事业的"做大、做强、做优",建筑施工某局在全球进行布点,分别在中北亚、南亚、东南亚、中东、西南非、西北非、东非和美洲设置境外区域营销中心。本节主要根据建筑施工某局境外区域营销中心,以天津港为出发点,介绍航行线路(航速及航程时间均为理想状态),如下:

天津港至孟加拉吉大港航线:天津港—上海港—马六甲海峡—吉大港,航行时间约21天。

天津港至柬埔寨西哈努克港航线:天津港—上海港—西哈努克港,航行时间约9天。

天津港至安哥拉罗安达港航线:天津港—上海港—马六甲海峡—好望角—罗安达,航行时间约45天。

天津港至科特迪瓦阿比让港航线:天津港—上海港—马六甲海峡—好望角—阿比让,航行时间约45天。

至埃塞俄比亚船舶需将吉布提作为挂靠港。天津港至吉布提航线图:天津港—上海港—马六甲海峡—科伦坡港—吉布提港,航行时间约23天。运输至埃塞俄比亚的物资,通过海运先运至吉布提港,然后通过陆运运至埃塞俄比亚项目现场。运输时间7~10天。

天津港至迪拜杰贝阿里港航线:天津港—上海港—马六甲海峡—杰贝阿里港,航行时间约20天。

天津港至巴拿马城航线:天津港—朝鲜海峡—横滨港—巴拿马城,航行时间30~35天。

四、海上咽喉要道

海上咽喉要道,也被称为海上战略通道,是指在国家战略乃至全球战略中起决定性作用、具有重大战略意义和特殊价值的海上交通线的关键点。国际上,海上咽喉要道比较多,如巴拿马运河、英吉利海峡、霍尔木兹海峡等。本节主要从建筑施工某局项目的物资供应航线角度为例,介绍马六甲海峡、巴拿马运河和苏伊士运河。

(一)马六甲海峡

建筑施工某局为安哥拉某项目物资供应中,运输航线的一个必经之地便是马六甲海峡。

马六甲位于亚洲东南部马来半岛和苏门答腊岛之间,沟通太平洋和印度洋,是从远东到南亚、西亚、地中海乃至欧洲的重要通道。海峡呈东南—西北走向。它的西段属缅甸海,东南端连接南中国海。海峡全长约 1080 千米,西北部最宽达 370 千米,东南部的新加坡海峡里最窄处只有 37 千米,是连接沟通太平洋与印度洋的国际水道。

中国与马六甲海峡有悠久的通航历史。中国船只早在公元初年就已航行于马六甲海峡。7—13 世纪,马六甲海峡是中国与南亚、阿拉伯各国和非洲人民的海上交通要道。1405—1433 年中国的航海家郑和七下"西洋",每次航行都要经过马六甲海峡,然后分别到达波斯湾、红海和非洲大陆的东岸。

目前,马六甲海峡是中国海上贸易和能源运输的最重要的通道之一,每天通过马六甲海峡的船只近 60% 是中国的船只,它是中国通往东南亚、南亚、阿拉伯国家、非洲和欧洲的一个重要关口。此外,中国经过马六甲海峡进口的石油数量约占中国石油进口总量的 80% 以上,中国海军进入印度洋必须经过马六甲海峡。

(二)巴拿马运河

在委内瑞拉施工项目中,运输航线的一个必经之地是巴拿马运河。

巴拿马运河斜贯巴拿马共和国中部,沟通太平洋和大西洋,最大通过能力为 6.2 万吨。它是远东通往北美东和拉美东的重要通道。该运河属于水闸式运河,从一侧的海岸线到另一侧海岸线长度约为 65 千米(40 英里),由加勒比海的深水处至太平洋一侧的深水处约为 82 千米(50 英里),宽的地方达 304 米,最窄的地方达 152 米。

巴拿马运河由美国开凿。美国从该运河获取了巨大的经济利益。1999 年底,巴拿马政府收回运河主权,接管了美国 80 多年来苦心经营的所有不动产。目前,中国与巴拿马以及拉丁美洲国家的贸易发展提升了中国使用巴拿马运河的频率,目前巴拿马运河是中国与美国东海岸各港口以及中美洲及加勒比海地区进行贸易的重要通道,也是中国从委内瑞拉、巴西等南美国家进口石油、矿石所必须经过的海上运输通道。

目前,中国是仅次于美国的巴拿马运河的第二大用户,也是第二大货物来源国和第二大货物目的国。通过巴拿马运河完成的贸易活动中的 88% 是美国与亚洲地区间的贸易货物,其中与中国有关的贸易占 40%。

(三)苏伊士运河

如果建筑施工某局在欧洲中标工程项目,那么海运路线需要经过的一个重要通道是苏伊士运河。

苏伊士运河是世界上最长的海运河,它位于埃及东北部,北起塞得港南至苏伊士城,长190千米,在塞得港北面掘道入地中海至苏伊士的南面,沟通了地中海和红海,从而连接了大西洋和印度洋。最大通过能力为25万吨。它是远东通往欧洲的重要通道。

在未开通苏伊士运河前,中国船舶到欧洲和北非的船舶可利用经非洲好望角这一传统的航线,现在一些无法通过苏伊士运河的大型油轮和货船也是走好望角航线。苏伊士运河的航线与绕过好望角的航线相比,大大缩短了东西方航程,促进了国际贸易和航运事业的发展。

从北印度洋至欧洲地中海的船舶若选择苏伊士运河航线,比绕道经过非洲好望角航线缩短了10~15天的船期,由于航程缩短、航运时间减少以及航次周转加快,在一定程度上降低了船舶燃料成本、人工成本以及船舶本身折旧率等。

第二节 主要港口

运输服务是物流服务中最重要的环节,远洋运输则是运输服务中举足轻重的一部分,国际贸易货运量的80%以上经海运完成。港口是远洋运输的起点和终点,因而港口在整个运输链中,总是最大量货物的集结点。目前,港口地区大都建设了分拨中心、配送中心、流通加工中心等,提供仓储、装卸、包装、运输、加工、配送、拆装箱和信息处理等系列临港服务,进一步促进了国际物流的顺利周转,使港口成为连接陆向腹地和海向腹地的中枢。

一、世界主要基本港口

欧洲主要基本港口:鹿特丹港、汉堡港、安特卫普港、菲利克斯托港、勒阿佛港、不来梅港等。

地中海基本港口:巴塞罗那港、福斯港、热那亚港、马耳他港、那不勒斯港、瓦伦西亚港、马塞港等。

美国基本港口:西雅图港、洛杉矶港、长滩港、奥克兰港、旧金山港、纽约港、查尔斯顿港、巴尔的摩港等。

东南亚基本港:新加坡港、巴生港、槟城港、雅加达港、泗水港等。

日本基本港:横滨港、名古屋港、门司港、大阪港、东京港等。

中东基本港：吉达港、迪拜港等。

相关链接

基本港口(Base Port)：它是运价表规定班轮公司的船一般要定期挂靠的港口。大多数为规模较大的口岸，港口设备条件比较好，货载多而稳定。规定为基本港口就不在限制货量。运往基本港口的货物一般均为直达运输，无需中途转船。但有时也因货量太少，船方觉得需要中途转运，由船方自行安排，承担转船费用。按基本港口运费向货方收取运费，不得加收转船附加费或直航附加费，并应签发直达提单。

非基本港口(Non-Base Port)：凡基本港口以外的港口都称为非基本港口。非基本港口一般除按基本港口收费外，还需另外加收转船附加费。达到一定货量时则改为加收直航附加费。

二、国外港口简介

对外承包工程中，大量的工程物资出口都会在港口停留、中转和集散，下面主要以建筑施工某局对外承包工程的所在地为例，介绍主要港口情况。

(一)迪拜港(Dubai)

港口性质：海港、设有自由贸易区、基本港(C,M)。

航线：波斯湾。

迪拜港位于阿拉伯联合酋长国(The United Arab Emirates,以下简称阿联酋)，东北沿海，濒临波斯湾的南侧，又名拉希德港(Mina Rashid)，与1981年建的米纳杰贝勒阿里港(Mina Jebel Ali)同属迪拜港务局管辖。迪拜港是阿联酋最大的港口，也是集装箱大港之一。该港地处亚欧非三大洲的交汇点，是中东地区最大的自由贸易港，尤以转口贸易发达而著称。它是海湾地区的修船中心，拥有名列前茅的百万吨级的干船坞。主要工业有造船、塑料、炼铝、海水淡化、轧钢及车辆装配等，还有年产50万吨的水泥厂。

目前迪拜港务局所属的拉什德港和杰贝拉里港两座港口共有102个泊位，拥有15台巴拿马型桥式机、8台超巴拿马型桥式机、34台轮胎式集装箱龙门吊、27台跨载机、191台5吨以下的吊车、26台5吨以上的吊车、24台空集装箱装卸机、14台顶吊、274台拖车、152辆码头牵引车、2台移动式港口起重机和950个冷藏插座。两港都设有适应大量集装箱通过的集装箱修理设施，以提供更为有效的港口服务。此外，杰贝拉里港还拥有4.3万立方米的特大冷藏仓库。

为了把迪拜港建设成为类似于远东的香港和新加坡的全球型航运枢纽，迪拜港的功能定位已远远超过了原来的单一港口,因为它不仅是物资运往国内市场的中转中心,而且作为周边地区的物流基地,也发挥了重要的作用。这里的周边地区既包括海湾合作组织的各成员国(沙特阿拉伯、科威特、巴林、阿曼、阿联酋等),还包括印度次大陆、前独联体国家和南非、东非、北非的广大地区。而且迪拜港务局装卸货物的效率高,拥有多种适应各种需求的仓库设备,能独自进行可靠的陆上运输,并提供各种先进的货物控制系统和物流管理系统,这些都为货物的快速周转提供了保障。

迪拜海关当局规定,货到180天之后未提领,当地海关进行拍卖。迪拜港为简化海关手续,推出电子平台,方便清关公司及贸易商在网上办理各项进出口报关和清关手续。

(二)罗安达港(Luanda)

港口性质:海湾港。

航线:西非。

罗安达港位于安哥拉共和国(The Republic of Angola,以下简称安哥拉)西海岸北部的本戈(Bengo)湾的东南岸,濒临大西洋的东侧,是安哥拉最大海港,也是南西非的主要港口之一。始建于1575年,曾经是奴隶的贩运出口港。现为安哥拉的首都及全国政治、经济、文化的中心,也是全国的主要工业中心。安哥拉的钻石储量约1亿克拉,森林面积占全国面积的58%,水利资源丰富。该港主要工业有炼油、食品加工、机械制造、冶金、水泥、化学、建材、纺织、造纸和服装等,并拥有大型炼油厂及纺织厂。交通运输以公路为主,铁路可达马兰热(Malanje)。港口距机场约8.3千米,可起降大型飞机,有定期航班飞往欧、非及巴西等国。

安哥拉海关规定,进入安哥拉各大港口的货物,发货人必须在清关前取得CNCA船载证明,否则,货物到达目的港后将无法进行清关、卸货,并产生高额的海关罚金。

(三)吉布提港(Djibouti)

港口性质:湾颈港、自由港。

航线:红海。

吉布提港位于吉布提共和国(The Republic of Djibouti,以下简称吉布提)东南沿海塔朱拉(Tadjoura)湾的南岸入口处,濒临亚丁(Aden)湾的西南侧,是吉布提的最大海港,也是东非最大的现代化港口之一。

吉布提港是东非吉布提共和国自由港、埃塞俄比亚中转港。港口形似一向西伸的抓斗,斗门向南,其东南、东北、西北三侧为码头,码头上均有铁路通达。全港共计 12 个泊位,岸线长 2300 米,最大水深为 12 米。其东南壁的南侧是 2 个集装箱泊位总长 400 米,西北突堤长约 700 米,有 7 个泊位,内侧和南端水深较浅,仅 8 号泊位能停靠万吨级冷藏船;外侧 10～12 号泊位,水深为 11～12 米,分别用于重油、煤炭进口及远洋杂货装卸。港口距国际机场约 7 千米,可起降大型客机、货机,是欧洲与非洲内陆国家的重要航空站。

由于地理位置的特殊性,所有去埃塞俄比亚的货物都要从吉布提中转进入。进出吉布提的货物,选择船公司时一定要注意收货人。如果收货人是吉布提本地,可以自由选择航运公司。如果是埃塞俄比亚收货人,船公司的选择取决于贸易方式:若是一般贸易,必须向埃航订舱;若是援助物资或中国政府承包工程,可以自由选择航运公司。

(四)拉瓜伊拉港(La Guaira)

海口性质:海港、基本港(M)。

航线:南美。

拉瓜伊拉港位于委内瑞拉共和国(The Republic of Venezuela)北部沿海,濒临加勒比海(Caribbean Sea)的东南侧。它是首都加拉加斯(Caracas)的外港,有高速公路相通。该港始建于 1577 年,港口设施优良,全国有 1/2 的进出口货物经此中转。它还是重要的渔业中心,主要工业有木材加工、鱼产品加工及皮革等。港口附近的国际机场有定期航班飞往世界各地。港区主要码头泊位有 3 个,岸线长 881 米,最大水深为 10.9 米。装卸设备有各种岸吊、履带吊及驳船等。

(五)吉大港(Chittagong)

港口性质:海湾河口港、设有出口加工区、基本港(M)。

航线:印巴线。

吉大港位于孟加拉人民共和国(The People's Republic of Bangladesh,以下简称孟加拉国)东南沿海的卡纳富利(Karnaphuli)河下游,濒临孟加拉(Bengal)湾的东北侧,是孟加拉国的最大海港。吉大港始建于 16 世纪,工商业发达,主要工业有棉、麻纺织品、茶叶加工、炼油、玻璃及化肥等,是孟加拉国的进出口门户。铁路可直达首都达卡,港口距机场约 9 公里。港区主要码头泊位有 11 个,最大水深约 10 米。装卸设备有各种岸吊及拖船等,其中岸吊最大起重能力达 125 吨。铁路线可直达码头进行装卸作业。谷物仓筒容量达 17 万吨,水泥储存能力为 4 万吨,磷酸盐储存能力为 12.7 万吨,集装箱场地面积为 1.4 万平方米。另有 9 个河上泊位,可用于干货船过驳作业。大船锚地最大可靠 6 万吨载重的油船。

吉大港常因工人罢工和雨季造成洪水泛滥而导致港口拥塞。在办理清关手续前,需要将清关文件原件与业主批文递交给进出口管理局(CCIE)办理进口许可(IP)。

(六)苏丹港(Port Sudan)

港口性质:海港。

航线:红海。

苏丹港位于苏丹共和国(The Republic of The Sudan,以下简称苏丹)东北沿海的中部,濒临红海的西侧,是苏丹唯一的对外贸易港口,也是苏丹重要的产盐基地。

苏丹港港区主要码头泊位有 14 个,岸线长 2381 米,最大水深 12 米。装卸设备有各种岸吊、可移式吊、装煤机、叉车、拖船及滚装设施等,其中可移式吊、最大起重能力为 54 吨。港区有库场面积达 17 万平方米,筒式粮库容量达 5 万吨,码头最大可靠达 3.5 万载重吨的油船。装卸效率:原油每小时装 1000 吨,每小时卸 2800 吨,大船锚地水深达 25 米,年货物吞吐量约 800 万吨。

三、中国主要基本港口

(一)上海港

上海港位于长江三角洲前缘,居中国 18000 公里大陆海岸线的中部、扼长江入海口,地处长江东西运输通道与海上南北运输通道的交汇点,是中国沿海的主要枢纽港,中国新一轮对外开放、参与国际经济大循环的重要口岸。上海港依江临海,以上海市为依托、长江流域为后盾,经济腹地广阔,全国 31 个省市(包括台湾省)都有货物经过上海港装卸或换装转口。上海港的主要经济腹地除了上海市以外,还包括江苏、浙江、安徽、江西、湖北、湖南、四川等省和重庆市。其水陆交通便利,集疏运渠道畅通,通过高速公路和国道、铁路干线及沿海运输网可辐射到长江流域甚至全国,对外接近世界环球航线,处在世界海上航线边缘。

上海港分为三个主要港区:黄浦江沿岸、长江口南岸和洋山港。上海港海港港区拥有各类码头泊位 1140 个,其中万吨级以上生产泊位 171 个,码头线总长为 91.6 公里。按照码头使用性质分类:公用码头泊位 175 个,码头线长度为 24.6 千米,其中生产泊位 121 个,码头线长度为 22.2 千米,年货物吞吐能力 17051 万吨;货主专用码头泊位 965 个,码头线长度为 67 千米,其中生产泊位 495 个,码头线长度为 38.2 千米。海港内河港区有码头泊位 818 个,最大靠泊能力 3000 吨级。港口经营业务主要包括装卸、仓储、物流、船舶拖带、引航、外轮代理、外轮理货、海铁联运、中转服务以及水路客运服务等。

(二)天津港

天津港又称"天津新港",位于海河下游及其入海口处,处于京津冀城市群和环渤海经济圈的交汇点上,是首都北京的海上门户,也是亚欧大陆桥最短的东端起点,现在已经成为中国北方重要的综合性港口和对外贸易口岸。天津港是我国华北、西北和京津地区的重要水路交通枢纽,对外交通十分发达,已形成了颇具规模的立体交通集疏运体系。京哈、京沪、京津三条铁路干线在此交汇,并外接京广、京九、京包、京承、京通、京坨、石德、石太、陇海、包兰、兰新等干线与全国铁路联网。天津港是在淤泥质浅滩上挖海建港、吹填造陆建成的世界航道等级最高的人工深水港。目前,天津港主航道水深已达21米,可满足30万吨级原油船舶和国际上最先进的集装箱船进出港。

天津港港口分为北疆、南疆、东疆、海河四大港区,目前现有水陆域面积336平方千米,陆域面积131平方千米,岸线总长3.27万米,拥有各类泊位总数159个,其中万吨级以上泊位102个,公共泊位岸线总长21.5公里,25万吨级船舶可自由进出港,30万吨级船舶可乘潮进出港。主要具备运输组织、装卸仓储、中转换装、临港工业、现代物流、口岸商贸、保税加工及配送、航运及市场信息、综合服务等功能,2017年其货物吞吐量为50284万吨,在我国大陆所有港口中排名第六。

(三)青岛港

青岛港位于山东半岛南岸的胶州湾内,始建于1892年,具有117年历史。是我国重点国有企业,中国第二个外贸亿吨吞吐大港。是太平洋西海岸重要的国际贸易口岸和海上运输枢纽。港内水域宽深,四季通航,港湾口小腹大,是我国著名的优良港口。2015年全年实现港口货物总吞吐量4.85亿吨,集装箱完成1743.5万标准箱,均居世界第七位。青岛港由青岛老港区(大港)、黄岛油港区、前湾新港区和董家口港区等四大港区组成。各港码头均有铁路相连,环胶州湾高等级公路与济青高速公路相接,腹地除吸引山东外,还承担着华北对外运输任务。青岛港是晋中煤炭和胜利油田原油的主要输出港,也是我国仅次于上海、深圳、宁波—舟山的第四大集装箱运输港口。

青岛港共拥有码头15座,泊位72个。世界上有多大的船舶,青岛港就有多大的码头,包括可停靠19100TEU船舶的世界最大的集装箱码头、40万吨级矿石码头、30万吨级原油码头。其中,可停靠5万吨级船舶的泊位有6个,可停靠10万吨级船舶的泊位有6个,可停靠30万吨级船舶的泊位有2个。主要从事集装箱、煤炭、原油、铁矿、粮食等进出口货物的装卸服务和国际国内客运服务。与世界上130多个国家和地区的450多个港口有贸易往来,被国务院明确定位为现代化的综合性大港和东北亚国际航运枢纽港。

(四)广州港

广州港是我国的重要港口之一,吞吐量居世界前列,是中国古代"海上丝绸之路"的起点之一。改革开放以来,社会经济飞速发展使广州港发展成为国家综合运输体系的重要枢纽和华南地区对外贸易的重要口岸。广州港濒临南海,毗邻香港、澳门,位于珠江水系的东、西、北三江交汇点,铁路、公路、航空、水路运输发达,既是华南地区最大的国际贸易港,又是珠江三角洲水网运输中心和水陆运输枢纽。

广州港北距汕头276海里,南距香港70海里,西距湛江273海里。港区基本分为南沙港区、新沙港区、黄埔港区、和广州内港几大港区,经虎门出海可达沿海各港及世界100多个国家(地区)的600多个港口。至海口、厦门、上海、青岛、大连等港有定期客货班轮,内河可至珠江水系的东江、西江、北江各港。目前广州港拥有各类码头泊位807个,锚地88个,浮筒23个,万吨级以上泊位76个,最大靠泊能力30万吨。

(五)大连港

大连港位于辽东半岛南端的大连湾内,港阔水深,冬季不冻,万吨货轮畅通无阻。大连是哈大线的终点,以东北三省为经济腹地,是东北的门户,也是东北地区最重要的综合性外贸口岸。至2013年,大连港是次于宁波—舟山、上海、天津、广州、苏州、青岛、唐山的全国第八大海港,同时货物总吞吐量世界排名第十位。大连港集团已与世界上160多个国家和地区、300多个港口建立了海上经贸航运往来关系,开辟了集装箱国际航线75条,已成为中国主要集装箱海铁联运和海上中转港口之一,拥有中国最大、最先进的30万吨级原油码头和30万吨级矿石码头,大连港新港是国内自有储罐储量最大的港口,大连港矿石码头拥有中国效率最高的卸船机和装车系统,大窑湾港则是国家重点建设的四大国际深水中转港之一。

大连港是东北亚油品转运中心,主要从事原油、成品油和液体化工产品的装卸和储运,可停靠30万吨级油轮,装卸效率每小时达1.2万吨,港区储油罐容量达300余万立方米,年综合通过能力5600万吨以上。港口自由水域346平方公里,陆地面积10余平方公里;现有港内铁路专用线150余公里、仓库30余万平方米、货物堆场180万平方米、各类装卸机械千余台;拥有集装箱、原油、成品油、粮食、煤炭、散矿、化工产品,客货滚装等80来个现代化专业泊位,其中万吨级以上泊位40多个。

(六)宁波港

宁波港是中国大陆主要的集装箱、矿石、原油、液体化工中转储存基地,华东地区主要的煤炭、粮食等散杂货中转和储存基地。其自然条件得天独厚,内外辐射便捷。向外直接面向东亚及整个环太平洋地区,海上至香港、高雄、釜山、大阪、神户均在1000海里之内;向内不仅可连接沿海各港口,而且通过江海联运,可沟通长江、京杭大运河,直接覆盖整个华东地区及经济发达的长江流域,是中国沿海向美洲、大洋洲和南美洲等地区港口远洋运输辐射的理想集散地。

宁波港由北仑港区、镇海港区、大榭港区、穿山港区和宁波老港区组成,是一个集内河港、河口港和海港于一体,大、中、小泊位配套的多功能、综合性的现代化大港,共有生产性泊位311座,其中万吨级以上深水泊位64座,最大的有25万吨级原油码头,20万吨级的卸矿码头(可兼靠30万吨级船),第六代国际集装箱专用泊位及5万吨级液体化工专用泊位,目前已与世界上100多个国家和地区的600多个港口通航。

第七章　海外项目业务流程

第一节　海关

一、海关的含义

目前,世界大多数国家普遍接受《京都公约》中关于海关的定义,即"海关"系指负责海关法的实施、税费的征收并负责执行与货物的进口、出口、移动或储存有关的其他法律、法规和规章的政府机构。

我国《海关法》第二条规定:"中华人民共和国海关是国家的进出关境监督管理机关。海关依照本法和其他法律、行政法规,监管进出境的运输工具货物、行李物品、邮递物品和其他物品,征收进出口关税和其他税、费,查缉走私,并编制海关统计和其他海关业务。"

二、海关的性质

(一)海关是国家行政机关

海关是国家的监督机关,代表国家依法独立行使监督管理权,对外维护国家的主权和利益,对内体现国家、全社会的整体利益,而不是代表某个地方或者某个部门的局部利益。海关是国家的行政机关之一,是国务院直属机构,从属于国家行政管理体制。

(二)海关是进出境监督管理机关

海关履行国家行政制度的监督职能,是国家宏观管理的一个重要组成部分。海关依照有关法律、行政法规并通过法律赋予的权力,制定具体的行政规章和行政措施,对特定领域的活动开展监督管理,以保证其按国家的法律规范进行。海关实施监督管理的对象和范围是运输工具、货物、物品的进出关境及与之有关的活动。

> **相关链接**
>
> 关境与国境都是立体的概念,包括其领域内的领水、领陆和领空。关境是世界各国海关通用的概念,指适用于同一海关法或实行同一关税制度的领

域。国境是一国主权行使的区域。在一般情况下,关境的范围等于国境,但也存在特殊情况。

对于关税同盟,其成员国之间货物进出国境不征收关税,只对于来自和运往非同盟国的货物在进出共同关境时征收关税,因而对于每个成员国来说,其关境大于国境,如欧盟。若在国内设立自由港、自由贸易区等特定区域,因进出这些特定区域的货物都是免税的,因而该国的关境小于国境。关境同国境一样,包括其领域内的领水、领陆和领空,是一个立体的概念。

我国的关境范围是:除享有单独关境地位的地区以外的中华人民共和国的全部领域,包括领水、领陆和领空。目前我国享有单独关境地区有香港特别行政区、澳门特别行政区和台湾、澎湖、金门、马祖单独关税区。在单独关境内,各自实行单独的海关制度。因此,我国关境小于国境。(注:本教材所称的进出境均指进出关境。)

(三)海关的监督管理是国家行政执法活动

海关依据法律赋予的权力,对在特定范围内的社会经济活动进行监督管理,并对违法行为依法实施行政处罚,以保证这些社会经济活动按照国家的法律规范进行。因此,海关的监督管理是保证国家有关法律、法规实施的行政执法活动。

海关执法的依据是《海关法》和有关法律、行政法规。《海关法》是管理海关事务的基本法律规范,于1987年1月22日由第六届全国人民代表大会常务委员会第十九次会议通过,同年7月1日起实施。为了适应形势发展的需要,2000年7月8日第九届全国人民代表大会常务委员会第十六次会议审议通过了《关于修改〈中华人民共和国海关法〉的决定》,对《海关法》进行了较大的修改。修正后的《海关法》于2001年1月1日起实施。

其他有关法律是指由全国人民代表大会常务委员会制定的与海关监督管理相关的法律规范,主要包括《中华人民共和国宪法》,基本法律如《中华人民共和国刑法》《中华人民共和国刑事诉讼法》《中华人民共和国行政诉讼法》《中华人民共和国行政复议法》《中华人民共和国行政处罚法》《中华人民共和国行政许可法》等以及其他行政管理法律如《中华人民共和国对外贸易法》《中华人民共和国进出口商品检验法》《中华人民共和国固体废物污染环境防治法》等。行政法规是指由国务院制定的法律规范,包括专门用于海关执法的行政法规和其他与海关管理相关的行政法规。

三、海关的任务

依照《海关法》等有关法律、法规,中国海关主要承担监管、征税、查缉走私和海关统计这四项基本任务。

(一)监管

监管是海关最基本的任务,海关的其他任务都是在监管工作的基础上进行的。海关监管的对象包括运输工具、货物、行李物品、邮递物品和其他物品,可以概括为运输工具、货物和物品三大类,每一类都有一套规范的监督管理程序与方法。

(二)征税

海关征税工作的基本法律依据是《海关法》和《中华人民共和国进出口关税条例》(以下简称《关税条例》),征税工作包括征收关税和进口环节海关代征税。"关税"是指由海关代表国家,按照《海关法》和进出口税则,对准许进出口的货物、进出境物品征收的一种税;"进口环节海关代征税"指依法由海关在进口环节代为征收的税,如增值税、消费税、船舶吨税等。

(三)查缉走私

查缉走私是指海关依照法律赋予的权力在海关监管场所和海关附近的沿海沿边规定地区,为发现、制止、打击、综合治理走私活动而进行的一种调查和惩处活动。国家实行联合缉私、统一处理、综合治理的缉私体制。给予行政处罚的走私案件,均应移交海关依法处理。

(四)海关统计

我国海关的统计制度规定,对于凡能引起我国境内物质资源储备增加或减少的进出口货物,均列入海关统计。对于部分不列入海关统计的货物和物品,则根据我国对外贸易管理和海关管理的需要,实施单项统计。

1992年1月1日,海关总署以国际通用的《商品名称及编码协调制度》为基础,编制了《中华人民共和国海关统计商品目录》,把税则与统计目录的归类编码统一起来,规范了进出口商品的命名和归类,使海关统计进一步向国际惯例靠拢,适应了我国对外开放和建立社会主义市场经济体制的需要。

海关的四项基本任务是一个统一的、有机联系的整体。除了上述四项基本任务以外,近年来国家通过有关法律、行政法规赋予了海关一些新的职责,如知识产权海关保护、对反倾销反补贴的调查、环保、社会安全、缉毒、反偷渡、战略武器控制等。随着我国对外经贸关系的不断深化发展,海关新的职责和任务也会不断增加。

> **相关链接**

>   我国大约在公元前11世纪至公元前771年的西周时期就在边境设立关卡，进行防卫。春秋以后，各诸侯纷纷在自己的领地边界设立关卡，并对进出关卡的货物和在领地内集市上交易的货物征税。《周礼·地宫》中有"关市之征"的记载。在当时，关和市是相提并论的。边界关卡被指出也可能是商品的交换集市。"关市之征"是我国关税雏形，我国"关税"的名称也是由此演进而来的。鸦片战争后，英国人一直统治着我国海关，国境关税和内地关税逐渐有所区别。1931年后，我国的关税就只指进口税和出口税。对进出口国境的货物只在进出境时征收关税。

>   在国外，关税也是一种古老的税种。据《大英百科全书》对customs一词的来源解释，古时在商人进出市场交易时要向当地领主交纳一种例行的、常规的入市税Customary Tolls，后来就把Customs和Customs Duty作为海关和关税的英文名称。关税在英文中还有一个名称为Tariff。传说在地中海西口，距直布罗陀约33千米处，古时有一个海盗盘踞的港口名叫塔立法(Tariffa)。当时，进出地中海的商船为了避免被抢劫，被迫向塔利法港口的海盗缴纳一笔买路钱。以后Tariff就成为关税的另一通用名称。在近代国家中，英国资产阶级通过革命在1640年取得政权后，逐渐开始实行国境关税，废除了内地关税，至1791年初才完全实行国境关税。比利时、荷兰受法国影响相继使用统一的国境关税，其后世界各国开始普遍实施。

>   近代关税的特点是专对进出国境的货物在进出国境时征税，进口后不再重复征收。而且近代国家一般不再把财政收入作为征收关税的主要目的，而是把关税作为执行国家经济政策的一个重要手段。

四、海关的组织机构

海关机构是国务院根据国家改革开放的形势以及经济发展的需要，依据《海关法》的规定而设立的。近年随着对外经济贸易的不断发展和国际文化技术交流合作的不断深入，我国的海关机构也在不断扩大，充分贯彻了海关"依法行政，为国把关，服务经济，促进发展"的工作方针。

全国海关目前共有47个直属海关单位（广东分署，天津、上海特派办，42个直属海关，2所海关院校），742个隶属海关和办事处（含现场业务处）。中国海关现有关员（含海关缉私警察）近6万人。在欧盟、俄罗斯、美国、香港等派驻海关机构。

2018年3月，中国十三届全国人大一次会议审议通过《国务院机构改革方案》，将出入境检验检疫管理职责和队伍划入海关总署。由此，海关又担负起了国境卫生检疫、出入境动植物检疫、进出口商品检验、进出口食品安全监管工作。

2018年4月20日起，出入境检验检疫管理职责和队伍正式划入海关总署，中国新海关正式亮相，全国306个对外开放口岸一线执法人员统一以海关名义对外开展工作。

相关链接

海关关衔制度简介

关衔制度是我国继军衔、警衔后实行的第三种衔级制度。关衔是区分海关关员等级、表明海关关员身份的称号和标志，是国家给予海关关员的荣誉。

关衔的等级设置为五等十三级，即一等，海关总监、海关副总监；二等，关务监督（一级、二级、三级）；三等，关务督察（一级、二级、三级）；四等，关务督办（一级、二级、三级）；五等，关务员（一级、二级）。海关总监、海关副总监、一级关务监督、二级关务监督由国务院总理批准授予；三级关务监督至三级关务督察，由海关总署署长批准授予；海关总署机关及海关总署派出机构的一级关务督办及以下的关衔由海关总署政治部主任批准授予；各直属海关、隶属海关的一级关务督办及以下的关衔由各直属海关关长批准授予。

第二节　商检

一、出入境检验检疫的含义

（一）出入境检验检疫的含义

出入境检验检疫（Entry-exit Inspection and Quarantine），简称检验检疫，是由"进出口商品检验""进出境动植检疫"和"卫生检疫"合并而来的，"检验检疫"就是我们所说的"三检"，即进出境商品检验，进出境动植物检疫和卫生检疫。

出入境检验检疫，是指作为政府行政部门的检验检疫机构（2018年4月20日起并入海关）依照法律、行政法规和国际惯例等的要求，对出入境货物、交通运输工具、人员等进行检验检疫、认证及签发官方检验检疫证明等监督管理工作。出入境检验检疫的目的，是保护国家经济的顺利发展，保护人民的生命和生活环境的安全与健康。

(二)检验的含义

检验(Inspection)是指为确定某一物质的性质、特征、组成等,通过观察和判断,辅以测量、测试、度量,或根据一定的要求和标准来检查试验对象品质的优良程度。通常把对物理特性的检验称为物理检验;对化学性质或组成的检验称为化学检验或简称化验。检验一般有破坏性检验和非破坏性检验,前者只能从整体中取样进行抽查,然后用数理统计方法推定整体的情况;后者可对整体进行逐个检查。从被检对象的类别考虑,人们又常将它分为半成品检验、成品检验或商品检验等。

(三)检疫的含义

检疫(Quarantine)是指以法律为依据,由国家授权的特定机关对有关生物及其产品和其他相关商品实施科学检验、鉴定与处理,以防止有害生物在国内蔓延和国际间传播的一项强制性行政措施,或者说是为了防止人类疾病的传播所采取的防范管理措施。

二、出入境检验检疫的范围

根据国家法律、行政法规的规定和目前我国对外贸易的实际情况,出入境检验检疫的范围主要包括:一是法律、行政法规规定必须由检验检疫机构实施检验检疫的;二是输入国或地区规定必须凭检验检疫机构出具的证书方准入境的;三是有关国际条约或与我国有协议(协定),规定必须经检验检疫的;四是对外贸易合同约定须凭检验检疫机构签发的证书进行交接、结算的。

(一)法律、行政法规规定

根据《中华人民共和国商检法》及其实施条例、《中华人民共和国动植物检疫法》及其实施条例、《中华人民共和国卫生检疫法》及其实施细则、《中华人民共和国食品安全法》及其实施条例等有关法律、行政法规的规定,以下对象在出入境时必须向检验检疫机构报检,由检验检疫机构实施检验检疫或鉴定工作:

(1)列入《法检目录》内的货物;
(2)入境废物、进口旧机电产品;
(3)出口危险货物包装容器的性能检验和使用鉴定;
(4)进出境集装箱;
(5)进境、出境、过境的动植物,动植物产品及其他检疫物;
(6)装载动植物、动植物产品和其他检疫物的装载容器、包装物、铺垫材料,进境动植物性包装物、铺垫材料；

(7)来自动植物疫区的运输工具,装载进境、出境、过境的动植物、动植物产品及其他检疫物的运输工具；

(8)进境拆解的废旧船舶；

(9)出入境人员、交通工具、运输设备及可能传播检疫传染病的行李、货物和邮包等物品；

(10)旅客携带物(包括微生物、人体组织、生物制品、血液及其制品、骸骨、骨灰、废旧物品和可能传播传染病的物品及动植物、动植物产品和其他检疫物)和携带伴侣动物；

(11)国际邮寄物(包括动植物、动植物产品和其他检疫物、微生物、人体组织、生物制品、血液及其制品及其他需要实施检疫的国际邮寄物)；

(12)其他法律、行政法规规定需经检验检疫机构实施检验检疫的其他应检对象。

(二)输入国家或地区规定

有的国家发布法令或政府规定要求,对某些来自中国的入境货物须凭检验检疫机构签发的证书方可入境。如一些国家和地区规定,对来自中国的动植物、动植物产品,凭我国检验检疫机构签发的动植物检疫证书及有关证书方可入境。又如欧盟、美国、日本等一些国家或地区规定,从中国输入货物的木质包装,装运前要进行热处理或熏蒸等除害处理,并由我国检验检疫机构或经检验检疫机构认可的有资质单位加施 IPPC 标志或出具检验检疫证书,入境时凭 IPPC 标志或检验检疫证书验放货物。因此,凡出口货物输入国家或地区有此类要求的,报检人须报经检验检疫机构实施检验检疫或进行除害处理,取得相关证书或标志。

(三)有关国际条约或双(多)边协议/协定

随着加入世界贸易组织和其他一些区域性经济组织,我国已成为一些国际条约、公约和协定的成员,此外,我国还与世界几十个国家缔结了有关商品检验或动植物检疫的双边协定、协议,认真履行国际条约、公约、协定或协议中的检验检疫条款是我们的义务,如根据双边协定,输往塞拉利昂、埃塞俄比亚、埃及等国家的商品,都必须向检验检疫机构报检,并取得装运前检验证书后才允许出口。因此,凡是国际条约、公约或协定规定须经我国检验检疫机构实施检验检疫的出入境货物,报检人必须向检验检疫机构报检,由检验检疫机构实施检验检疫。

(四)对外贸易合同约定

对外贸易合同是买卖双方通过协商,确定双方权利和义务的书面协议,一经签署即产生法律效力,在国际贸易中,买卖双方相距遥远,难以做到当面点交货物,为了保证对外贸易的顺利进行,保障买卖双方的合法权益,通常需要委托第三方对货物进行检验检疫或鉴定并出具检验检疫鉴定证书,以证明卖方已经履行合同,买卖双方凭证书进行交接货物、结算。因此,凡对外贸易合同、协议中规定以我国检验检疫机构签发的检验检疫证书为交接、结算依据的进出境货物,报检人必须向检验检疫机构报检,由检验检疫机构按照合同、协议的要求实施检验检疫或鉴定并签发检验检疫证书。

三、法定检验检疫商品与非法定检验检疫商品的区别

法定检验检疫商品是指出入境检验检疫机构依照国家法律、行政法规对进出口商品实施检验检疫,海关凭出入境检验检疫机构签发的《入境货物通关单》或《出境货物通关单》办理验放手续。未经检验检疫或检验检疫不合格,海关将不予放行。

非法定检验检疫商品是指法定检验检疫以外的进出口商品。出入境检验检疫机构对非法定检验检疫商品,根据有关规定可实施抽查检验,检验检疫机构可以公布抽查检验结果或向有关部门通报抽查检验情况。

四、出入境货物检验检疫工作程序

检验检疫机构依照国家法律、法规的规定,对出入境货物、交通运输工具、集装箱、快件、邮寄物、人员及其携带物等进行检验检疫、鉴定和监督管理。检验检疫工作的具体内容很多,工作程序和工作流程也较复杂。因此,对报检员来讲,不仅需要掌握检验检疫相关法律、法规和有关规定,也要熟悉检验检疫工作程序及工作流程。

出入境检验检疫包括进出口商品检验、动植物检疫和卫生检疫,实行"一次报检、一次抽(采)样、一次检验检疫、一次卫生除害处理、一次计收费、一次发证放行"的工作模式。

(一)入境货物检验检疫

法定检验检疫的入境货物,在报关时必须提供报关地检验检疫机构签发的《入境货物通关单》,海关凭报关地检验检疫机构签发的《入境货物通关单》验放。

入境货物检验检疫的一般工作程序是报检—通关—检验检疫。

在法定检验检疫货物入境前或入境时,货主或其代理人(以下简称报检人)应首先向卸货口岸或到达口岸的检验检疫机构报检。检验检疫机构受理报检并计收费;对来自疫区的、可能传播检疫传染病、动植物疫情及可能夹带有害物质的入

境货物的交通工具或运输包装实施必要的检疫、消毒、卫生处理,然后签发《入境货物通关单》供报检人办理报关手续。货物通关后,报检人应及时与检验检疫机构联系检验检疫事宜,未经检验检疫的,不准销售、使用;检验检疫合格的,检验检疫机构签发《入境货物检验检疫证明》(进口食品还签发《卫生证书》),准予销售、使用;经检验检疫不合格的,检验检疫机构签发《检验检疫处理通知书》,货主或其代理人应在检验检疫机构的监督下进行处理。无法进行处理或处理后仍不合格的,做退运或销毁处理。需要对外索赔的,检验检疫机构签发检验检疫证书。

对于入境的废物和活动物等特殊货物,按有关规定,检验检疫机构在受理报检后先进行部分或全部项目的检验检疫,检验检疫合格方可签发《入境货物通关单》。对于最终使用地不在入境口岸检验检疫机构辖区内的货物,可以在通关后调往目的地检验检疫机构进行检验检疫(按规定应在入境口岸检验检疫机构实施检验检疫的货物除外),即在口岸只办理报检和通关手续,货物的检验检疫和出证等工作均在目的地检验检疫机构完成。

(二)出境货物检验检疫

法定检验检疫的出境货物,在报关时必须提供检验检疫机构签发的《出境货物通关单》,海关凭检验检疫机构签发的《出境货物通关单》验放。

出境货物的检验检疫工作程序是报检—检验检疫—通关。

法定检验检疫的出境货物的报检人应在规定的时限内持相关单证向检验检疫机构报检;检验检疫机构受理报检并计收费,然后转施检部门实施检验检疫。对产地和报关地相一致的货物,经检验检疫合格,检验检疫机构出具《出境货物通关单》供报检人办理海关报关手续;对产地和报关地不一致的货物,报检人应向产地检验检疫机构报检,产地检验检疫机构对货物检验检疫合格后,出具《出境货物换证凭单》或将电子信息发送到口岸检验检疫机构并出具"出境货物换证凭条",报检人凭产地检验检疫机构签发的《出境货物换证凭单》或"出境货物换证凭条"向口岸检验检疫机构报检,口岸检验检疫机构验证或核查货证合格后,出具《出境货物通关单》;对于经检验检疫不合格的货物,检验检疫机构签发《出境货物不合格通知单》,不准出口。

(三)出入境检验检疫业务流程

出入境检验检疫业务流程是指报检/申报、计费/收费、抽样/采样、检验检疫、卫生除害处理(检疫处理)、签证放行的全过程,具体见图2-1。

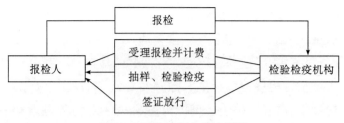

图 2-1 检验检疫业务流程图

1. 报检/申报

报检/申报是指申请人按照法律、法规或规章的规定向检验检疫机构申报检验检疫工作的手续。检验检疫机构工作人员审核报检人提交的报检单内容填写是否完整、规范,随附的单据资料是否齐全、有效、符合规定,索赔或出证是否超过有效期等,审核无误的,方可受理报检。对报检人提交的材料不齐全或不符合有关规定的,检验检疫机构不予受理报检。

2. 计费/收费

对已受理报检的,检验检疫机构工作人员按照《出入境检验检疫收费方法及标准》的规定计收检验检疫费。

3. 抽样/采样

对必须实施检验检疫并出具结果的出入境货物,检验检疫人员须到现场抽取(采取)样品。所抽取(采取)的样品有的并不能直接进行检验,因此,需要对样品进行一定的加工,这称为制样。根据样品管理的规定,样品及制备的小样经检验检疫后应重新封识,超过样品保存期后方可销毁。

4. 检验检疫

检验检疫机构对已报检的出入境货物,通过感官、物理、化学、微生物等方法进行检验检疫,以判定所检对象的各项指标是否符合有关强制性标准或合同及买方所在国官方机构的有关规定。目前,检验检疫的方式包括全数检验、抽样检验、型式试验、过程检验、登记备案、符合性验证、符合性评估、合格保证和免予检验等。

根据《出口工业产品企业分类管理办法》,对出口工业产品,检验检疫机构按照不同的企业类别和产品风险等级分别采用特别监管、严密监管、一般监管、验证监管、信用监管五种不同检验监管方式。

5. 卫生除害处理

按照《卫生检疫法》及其实施细则、《动植物检疫法》及其实施条例的有关规定,检验检疫机构对来自传染病疫区或动植物疫区的有关出入境货物、动植物、运输工具、交通工具以及废旧物品等实施卫生除害处理(检疫处理)。

6. 签证与放行

出境货物,经检验检疫合格的,检验检疫机构签发《出境货物通关单》及相关检验检疫证书,并按有关规定实施通关单联网核查,办理货物通关手续;经检验检疫或口岸核查货证不合格的,签发《出境货物不合格通知单》。

入境货物,检验检疫机构受理报检并进行必要的卫生除害处理或检验检疫后签发《入境货物通关单》,并按有关规定实施通关单联网核查。入境货物通关后经检验检疫合格、或经检验检疫不合格、但已进行有效处理合格的,签发《入境货物检验检疫证明》,进口食品签发《卫生证书》;不合格需做退货或销毁处理的,签发《检验检疫处理通知书》,不合格需办理对外索赔的,签发检验检疫证书,供有关方面办理对外索赔及相关手续。

> **小知识**
>
> **出口到非洲四国货物的装运前检验规定**
>
> 装运前检验协议是世界贸易组织(WTO)管辖的一项多边贸易协议。根据相关规定,该项协议适用于由成员方政府通过政府授权或政府合同的方式,指定专门检验机构对进口产品的数量、质量、价格、汇率与融资条件及货物的海关分类等,在出口方境内进行的所有装运前的检验活动。
>
> 随着欧美等市场技术性贸易壁垒的不断提高,开拓非洲、南美等新兴市场成为中国外贸优化市场结构的必然选择。近年来,原国家质检总局(自2018年4月20日起国家质检总局并入海关总署,统一以海关名义对外开展工作)先后与塞拉利昂、埃塞俄比亚、埃及和伊朗等国家签署了质检合作协议。从2004年起,我国陆续对输往塞拉利昂、埃塞俄比亚、埃及和伊朗4个国家的产品开展装运前检验。检验检疫机构所出具的检验检疫装运前检验证书作为在上述国家海关清关的单证之一,也是海关验放货物的重要依据。
>
> 任务1:出口到非洲哪些国家的货物需要办理装运前检验?
>
> 任务2:申请装运前检验的货物在检验后取得什么证书?
>
> **任务分析**
>
> 1. 出口至塞拉利昂、埃塞俄比亚、埃及和伊朗4个国家的货物需办理装运前检验。
>
> 2. 货物经检验检疫机构检验后出具装运前检验证书。

五、办理出口到非洲四国货物的装运前检验

(一)出口至塞拉利昂、埃塞俄比亚和埃及的货物的装运前检验

为保证出口商品质量、数量和价格的真实性,遏制欺诈行为,打击假冒伪劣产品出口,方便进出口贸易,促进中非贸易的顺利发展,国家质检总局分别与塞拉利

昂贸易工业和国有企业部,埃塞俄比亚贸易工业部签署了质检合作协议,决定于2004年2月和2006年10月1日起分别对中华人民共和国出口至塞拉利昂和埃塞俄比亚的出口产品实施装运前检验工作。根据《中埃质检谅解备忘录》,国家质检总局决定自2009年5月1日起对出口埃及工业产品实施装运前检验。

1. 报检范围

出口至埃塞俄比亚、塞拉利昂的报检范围是每批次价值在2 000美元以上的贸易性产品,不仅包括列入《法检目录》范围内的商品,也包括《法检目录》范围外的商品。

出口至埃及的报检范围是法检目录内及目录外的工业产品,不包括家具、动植物产品、毛皮制品、木制品、食品药品、制药化学品、医疗器械、通信设备和工具。

2. 报检义务人

报检义务人是指出口商或其代理人。

3. 报检时间和地点

买卖双方签订出口合同后,按《出入境检验检疫报检规定》,在规定的时间要求内,报检义务人到当地检验检疫机构报检。

4. 报检应提供的单据

报检人在报检时应提供合同、装箱单、发票、报检委托书、报检单、验收声明、对外承包资格证书。

5. 装运前检验的内容

出口货物备妥后,出口商应及时通知当地检验检疫机构的检验人员实施检验。装运前检验工作包括产品检验、价格核实和监督装载三项内容。其中,产品检验活动是对出口产品的品名、质量、数量、安全、卫生、环保等项目的检验;价格核实是对该批货物在进出口贸易活动中公平合理价值的确定,目的是为对方海关征收进口关税提供依据;监视装载或装箱是对出口货物装载过程的监督,以保证出口货物批次的相符性。

(二)出口至伊朗的工业产品的装运前检验

为保证出口伊朗工业产品的质量,防止欺诈行为,打击假冒伪劣产品出口,维护我国出口产品质量信誉,避免产品质量纠纷,影响中伊经贸关系,2011年7月9日,国家质检总局与伊朗标准与工业研究院签署了《关于落实伊朗标准与工业研究院与中国国家质量监督检验检疫总局谅解备忘录的行动计划》,自2011年12月1日起对中国出口至伊朗列入法检目录内的工业产品开始实施装运前检验。

1. 报检范围

报检范围为列入法检目录内的工业产品。法检目录内第25~29、31~97章,海关监管条件为 B，且检验检疫类别为 N 的所列产品。

2. 报检义务人

报检义务人是指出口商或其代理人。

3. 报检时间和地点

买卖双方签订出口合同后，按《出入境检验检疫报检规定》，在规定的时间要求内，报检义务人到当地检验检疫机构报检。

4. 报检应提供的单据

报检人在报检时应提供合同、箱单、发票、报检委托书、报检单、验收声明、对外承包资格证书。

5. 装运前检验的内容

装运前检验工作包括产品检验和监督装载两项内容，出口伊朗产品无须核价，检验活动主要包括对出口产品的品名、质量、数量、安全、卫生、环保等项目的检验和监视装载或装箱。

> **案例**
>
> 某施工单位出口一批工程车辆到苏丹，工作人员将商检资料递交检验检疫机构之后，被告知此批货物需要进行验收后才能出口，出口企业在规定时间安排检验检疫机构人员验货，结果发现货物没有按合同要求打上唛头及出口生产批号，车辆的发动机号、底盘号与实物铭牌上显示的不一致，检验检疫机构要求出口企业对货物进行整改。针对检验检疫机构提出的问题，出口企业采取措施如下：(1)在每台车辆上贴上唛头"ABCD"，并按要求将生产批号"ZT＊＊＊"粘贴在对应批次的车身上。(2)到检验检疫机构改单，重新上报，将报检单证上的车辆发动机号、底盘号修改为正确的，与车辆铭牌显示一致。
>
> 该案例中发生的事件提醒出口企业，货物出口报检前，应提前与供应商沟通在车辆交货前进行出厂自检并严格按照合同要求粘贴唛头，同时出口企业应加强验货环节，及早发现问题，避免商检机构验货发现问题后，又重新进行报检程序，造成不能按照原定时间进行集港，延误船期。

第三节 报关

一、报关基础知识

(一)报关的含义

从广义上讲,报关是指进出境运输工具负责人、进出口货物的收发货人、进出境物品的所有人或者他们的代理人向海关办理运输工具、货物、物品进出境手续及相关海关事务的全过程。报关是与运输工具、货物、物品的进出境密切相关的一个概念。我国《海关法》规定:进出境运输工具、货物、物品,必须通过设立海关的地点进境或者出境。因此在设立海关的地点进出境并办理相关的海关手续,是运输工具、货物、物品进出境的基本规则,也是进出境运输工具的负责人、进出口货物的收发货人、进出口物品所有人应履行的一项基本义务。

(二)报关的分类

1. 按报关对象划分

根据报关对象不同,报关可分为运输工具报关、进出境物品报关、进出境货物报关。

(1)运输工具报关。进出境运输工具作为货物、人员及其携带物品的进出境载体,其报关事项主要包括向海关直接交验随附的、符合国际商业运输惯例、能反映运输工具进出境合法性及其所承运货物、物品情况的合法证件、清单和其他运输单证,报关手续较为简单。

(2)进出境物品报关。进出境物品由于其非贸易性质,且遵循自用、合理数量,报关手续也比较简单。

(3)进出境货物报关。进出境货物的报关手续较为复杂。海关根据相关法律条文对进出境货物的监管要求,制定了一系列报关管理规范,并要求必须由具备一定专业知识和技能且经海关核准的专业人员代表报关单位办理进出境货物的报关手续。

进出境运输工具、物品、货物的报关是一项专业性较强的工作,特别是进出境货物的报关手续最为复杂。

2. 其他分类

(1)根据报关目的不同,报关可分为进境报关和出境报关。

(2)根据报关行为的性质不同,报关可分为自理报关和代理报关。一些进出境货物的收发货人由于经济、时间、地点等方面的原因,不能或者不愿意自行办理报关手续,而是委托代理人代为报关,从而形成了代理报关这种报关方式。《海关法》对接受进出境货物的收发货人的委托、代为办理货物进出境报关手续的代理人有明确规定。

(三)报关单位

报关单位是指依法在海关登记注册的进出口货物的收发货人和报关企业。

根据《海关法》的相关规定,进出口货物的收发货人、报关企业办理报关手续,必须依法经海关登记注册。未依法经海关登记注册的企业不得从事报关业务。因此,依法向海关登记注册是法人、其他组织或者个人成为报关单位的法定要求。

《海关法》将报关单位划分为两种类型,一类是进出口货物的收发货人,另一类是报关企业。进出口货物的收发货人是指依法直接进口或者出口货物的中国境内的法人、其他组织或者个人。报关企业是指按照规定,经海关准予注册登记,接受进出口货物的收发货人的委托,以进出口货物收发货人的名义或者以自己的名义向海关办理代理报关业务,从事报关服务的境内企业法人。

根据《海关法》规定,报关企业登记证书的有效期限为2年,进出口收发货人登记证书的有效期限为长期有效。

(四)电子报关

1. 电子报关概述

电子报关是一种新型、现代化的报关方式,是指进出口货物的收发货人或其代理人利用现代通信和网络技术,通过电脑、网络或终端向海关传递规定格式的电子数据报关单,并根据海关计算机系统反馈的审核及处理结果,办理海关手续的报关方式。在现阶段,法定报关方式是纸质报关单和电子数据报关单同时使用。但随着计算机技术和网络技术的发展,全面推行电子报关是大势所趋。

2. 电子通关系统

我国海关已经在进出境货物通关作业中全面使用计算机进行信息化管理,成功开发了多个电子通关系统。

(1)海关 H2010 通关系统。

H2010 通关系统又称"现代海关综合管理系统",是与构建大监管体系相适应、相同步的配套系统,是集指挥、执行、反馈、监督等功能于一体的新一代通关管理系统,也可以说是 H2000 系统的升级版。经过多年的研究和实践,H2010 通关系统和 H2000 通关系统两种新老系统并行运转,平滑过渡。2009 年 8 月 3 日,H2010 工程首个项目——"进出口日报系统"正式上线运行。现在 H2010 系统已经在全国大多数海关陆续推广使用。该系统加快了口岸通关效率,第一次对所有业务进行全面梳理分析,第一次对信息化项目、数据、系统、网络、安全等进行全方位的优化整合设计。

(2)中国电子口岸系统。

中国电子口岸系统又称"口岸电子执法系统",简称"电子口岸",是利用现代计算机信息技术,将与进出口贸易管理有关的、由政府机关分别管理的进出口业务信息电子底账数据集中存放在公共数据中心,为管理部门提供跨部门、跨行业联网数据核查,为企业提供网上办理各种进出口业务的国家信息系统。

电子口岸系统和海关 H2000 通关系统(H2010 通关系统)连接起来,构成了覆盖全国的进出口贸易服务和管理的信息网络系统。进出口企业在其办公室就可以上网向海关及其他有关国家管理机关办理与进出口贸易有关的各种手续,与进出口贸易有关的海关及其他有关国家管理机关也能在网上对进出口贸易进行有效管理。

二、进出口通关作业流程

(一)进出口申报

1. 申报的基本规定

申报是指进出口货物当事人按照《海关法》及有关法律、法规和规章的要求,在规定的期限、地点,采用电子报关单或纸质报关单形式,向海关报告进出口货物情况,申请按其申报的内容审核放行进出口货物。

海关依法对申报内容进行审核,并据以进行查验、征税、统计、放行作业,处理伪报、瞒报和申报不实等走私违法行为。

申报是当事人履行海关手续的必要环节之一,也是海关确认进出口货物合法性的先决条件。进出口货物的当事人应当向海关如实申报,交验进出口许可证件和有关单证,如实申报是指进出口货物当事人在向海关申请办理货物通关手续时,按规定的格式,真实、准确地填报与进出口货物有关的各项内容。当事人应当对申报内容的真实性、准确性、完整性和规范性承担相应的法律责任。

2. 申报主体

进出口货物收发货人可以自行向海关办理申报手续,也可以委托报关企业办理申报手续。向海关办理申报手续的当事人必须依法办理海关注册登记手续。国家机关、学校、科研院所等单位需要从事非贸易性进出口活动的,应办理临时注册登记手续。

3. 申报前的准备事项

(1)进出口申报单证准备。

申报单证可以分为报关单和随附单证两大类,其中随附单证包括基本单证和特殊单证。

报关单是指进出口货物报关单或者带有进出口货物报关单性质的单证,如特殊监管域进出境备案清单、进出口货物集中申报清单、ATA 单证册、过境货物报关单等。

基本单证是指进出口货物的货运单据和商业单据,主要有进口提货单据、出口装货单据、商业发票、装箱单等。

特殊单证是指对进出口货物涉及特殊管制规定的单证,主要有进出口许可证件、贸易电子化手册和电子账册、征免税证明、原产地证明书、贸易合同等。

(2)申报单证的合理性审查。

报关企业接受进出口货物收发货人的委托办理报关业务时,应当对委托人所提供情况的真实性、准确性、完整性进行合理审查。审查内容包括:证明进出口货物实际情况的有关资料,包括货物品名、规格、用途、产地、贸易方式;进出口货物的合同、发票、运输单据、装箱单等商业单据;进出口所需的许可证件及随附单证、特定减免税证明等;业务所需的加工贸易手册(账册)及其他进出口单证。报关单位还应当向其委托人了解买卖双方是否具有关联关系,对货物的处置、使用是否具有特殊的限制条件等情况。

报关企业对进出口货物收发货人提供情况的真实性、准确性、完整性未能履行合理审查义务,致使其申报的内容不真实、不合法的,应承担相应的法律责任。

(3)申报前查看货物或提取货样。

进口收发货人在向海关申报前,因确定货物品名、规格、型号、归类等原因,可以向海关提出查看货物或提取货样的书面申请。

进口货物收货人查看货物或提取货样时,由海关开具取样记录和取样清单。提取货样的货物涉及动植物及产品,以及其他须依法提供检疫证明的,应当按国家有关法律规定,在取得主管部门签发的书面批准证明后提取。

(4)申报形式。

报关单的载体包括电子数据报关单和纸质报关单两种形式,电子数据报关单是指报关单位按照《中华人民共和国海关进出口货物报关单填制规范》(以下简称《报关单填制规范》)的规定,通过中国电子口岸申报平台录入报关单电子数据,向海关通关管理系统发送报关单电子数据。纸质报关单是指当事人按照《报关单填制规范》的规定,通过中国电子口岸申报平台打印海关接受电子数据申报的纸质报关单。《海关法》规定,纸质报关单和电子数据报关单具有同等的法律效力。

一般情况下,采用"电子数据申报在先,递交单证在后"的申报方式。当事人按《报关单填制规范》的要求,通过中国电子口岸申报平台录入报关单电子数据向海关申报。当事人根据海关通关系统发布的审单作业信息,打印纸质报关单,备齐随附单证,到海关现场办理交单。

通关作业无纸化申报。经海关核准适用通关作业无纸化方式申报的企业,通过报预录入客户端向海关发送报关单数据,可不向海关提交随附单证(进口货物各类报关单的随附单证包括合同、装箱清单、载货清单或舱单等,出口货物各类报关单的随附单证包括合同、发票、装箱清单、载货清单或舱单等),海关审核时如需要再提交报关单电子数据和随附单证电子数据。海关直接对申报的电子数据进行无纸审核处置。

(5)申报期限。

进口货物应当自载运进口货物的运输工具申报进境之日起14日内向海关申报。出口货物应当在运抵海关监管场所后、装货的24小时以前向海关申报。申报日期是指进出口货物当事人申报的电子数据报关单或纸质报关单,被海关接受报数据的日期。进口货物超过规定期限向海关申报的,海关依法对收货人征收滞报金,进口货物及过境、转运、通运货物均不征收滞报金。

4. 进出口申报

(1)电子数据申报。进出口货物的收发货人或其代理人可以选择终端申报、或者是电子口岸 QP 系统等电子申报方式中的一种,将报关单内容录入海关电子计算机系统,生成电子数据报关单。

进出口货物的收发货人或其代理人在委托录入或自行录入报关单数据的计算机上接收到海关发送的"接受申报"电子报文后,就表示电子申报成功;接收到海关发送的不接受申报信息后,则应当根据信息提示修改报关单内容后重新申报。

目前在一般情况下,报关单位采用委托口岸录入单位向海关进行电子申报的情况较多。

(2)提交纸质报关单及随附单证。海关审结电子数据报关单后,进出口货物的收发货人或其代理人应当自接到海关"现场交单"或"放行交单"信息之日起10日内,持打印的纸质报关单,备齐规定的随附单证并签名盖章,到货物所在地海关提交书面单证,办理相关的海关手续。

根据《海关法》的规定,纸质报关单和电子数据报关单具有同等法律效力。

采用纸质报关单的形式或电子数据报关单的形式,是法定申报的两种基本方式。一般情况下,进出口收发货人或其代理人先向海关计算机系统发送电子数据报关单,在接收到海关计算机系统发送的"接受申报"的电子报文后,再打印纸质报关单,并随附有关单证,向海关进行现场申报。

(3)补充申报。补充申报是指进出口货物的收发货人、受委托的报关企业依照《海关法》《关税条例》《中华人民共和国进出口货物原产地条例》《中华人民共和国海关进出口货物申报管理规定》(以下简称《进出口货物申报管理规定》)及其他有关法律、行政法规及规章的规定,在报关单之外采用补充申报单的形式。

电子数据补充申报单经海关审核通过后,收发货人、报关企业应当打印纸质补充申报单(一式两份)签名盖章后递交现场海关。适用通关作业无纸化通关方式申报的补充申报单,无须递交纸质补充申报单。电子数据补充申报单的修改、撤销等比照报关单的有关管理规定办理。

海关对已放行货物的价格、商品编码、原产地等内容进行进一步核实时,要求收发货人、报关企业进行补充申报的,将以《补充申报通知书》的形式书面通知收发货人、报关企业。收发货人、报关企业采用纸质补充申报单进行申报。

收发货人、报关企业在规定时限内未能按要求进行补充申报的,海关可根据已掌握的信息,按照有关规定确定进口货物的完税价格、商品编码和原产地。

(二)配合查验

1. 海关查验

(1)定义。海关查验是指海关根据《海关法》确定进出境货物的性质、价格、数量、原产地、货物状况等是否与报关单上已申报的内容相符,对货物进行实际检查的行政执法行为。海关通过查验,核实申报企业有无伪报、瞒报、申报不实等违规行为;同时也为海关的征税、统计、后续管理提供可靠的资料。查验是国家赋予海关的一种依法行政的权力,也是通关过程中必不可少的重要环节。海关查验时,进出口货物的收发货人应当到场。

(2)查验方法。海关实施查验可采用彻底查验与抽查两种方法。彻底查验是指对一票货物逐件开拆包装,验核货物实际状况;抽查是指按照一定比例,有选择地对一票货物中的部分货物验核实际状况。

查验操作可以分为人工查验和设备查验两种。

①人工查验包括外形查验、开箱查验。

②设备查验是指以利用技术检查设备为主,对货物实际状况进行验核的查验方式。

(3)复验。海关认为必要时,可以对已查验货物进行复验。有下列情形之一的,海关可以复验。

①经初次查验未能查明货物的真实属性,需要对已查验货物的某些性状做进一步确认的。

②货物涉嫌走私违规,需要重新查验的。

③进出口货物收发货人对海关查验结论有异议,提出复验要求并经海关同

意的。

④其他海关认为有必要的情形。

(4)径行开验。径行开验是指海关在进出口货物收发人或其代理人不在场的情况下,对进出口货物进行开拆包装查验。有下列情形之一的,海关可以径行开验。

①进出口货物有违规嫌疑的。

②经海关通知查验,进出口货物收发货人或其代理人未到场的。

海关径行开验时,存放货物的海关监管场所经营人、运输工具负责人应当到场协助,并在查验记录上签名确认。

2. 接受查验通知

在接到海关的查验通知后,申报人持查验通知单、报关单备用联、提单场站收据、海运提单、发票、装箱单(复印件),到现场海关查验受理部门办理查验计划(一般当天安排第二天的查验计划),确定查验的具体地点和具体时间,同时,申报人员应做好查验准备。

(1)查验地点。查验应当在海关监管区内进行。对进出口大宗散货、危险品、鲜活商品、落驳运输的货物;因易受温度、静电、粉尘等自然因素影响,不宜在海关监管区内进行查验的货物,或因其他特殊原因需要在海关监管区外查验的,经货物收发货人或其代理人书面申请,海关也可同意在装卸作业的现场进行查验,或派员到海关监管区以外的地方查验。

海关在监管区内实施查验不收取费用。对集装箱、货柜车或者其他货物加施海关封志的,按照规定收取封志工本费。因查验而产生的进出口货物搬移、开拆或者重封包装等费用,由进出口货物的收发货人承担。

(2)查验时间。海关会以书面形式通知进出口货物收发货人或其代理人,约定查验的时间。查验时间一般约定在海关正常工作时间内。但是在一些进出口业务繁忙的口岸,海关也可应进出口货物收发货人的请求,在海关正常工作时间以外进行查验。

对于危险品或者鲜活、易腐、易烂、易失效、易变质等不宜长期保存的货物,以及因其他特殊情况需要紧急验放的货物,经进出口货物的收发货人或者其代理人申请,海关可以优先安排查验。

3. 配合查验

海关查验货时,进出口货物的收发货人或其代理人应到查验现场配合海关查验。配合海关查验时,进出口货物的收发货人或其代理人应当做好以下工作。

(1)负责按照海关要求搬移货物,开拆和重封货物的包装。

(2)了解和熟悉所申报货物的情况,如实回答查验人员的询问及提供海关查验货物时所需的单证或其他资料。

(3)协助海关提取需要作进一步检验、化验或鉴定的货样,收取海关出具的取样清单。

4. 查验结论

查验完毕后,认真阅读查验人员填写的"海关进出境货物查验记录单",特别注意以下情况的记录是否符合实际。

(1)开箱的具体情况。

(2)货物残损情况及造成残损的原因。

(3)提取货样的情况。

(4)查验结论。

查验记录准确清楚的,配合查验人员应即签名确认。至此,配合海关查验工作结束。配合查验人员如不签名,海关查验人员可在查验记录中予以注明,并由货物所在监管场所的经营人签名证明。

5. 货物损坏赔偿

为了保护进出口货物收发货人的合法权益,海关在查验进出口货物时造成被查验货物损坏的,由海关按照《海关法》《中华人民共和国海关行政赔偿办法》的规定承担赔偿责任。

海关关员在查验货物、物品时损坏被查验货物、物品,应如实填写《中华人民共和国海关查验货物、物品损坏报告书》(一式两份),并由查验关员和当事人双方签字之后,一份交当事人,一份留海关备查。

海关依法径行开验、复验或者提取货样时,应会同有关货物、物品保管人员共同进行。如造成货物、物品损坏,查验关员应请在场的保管人员作为见证人在《中华人民共和国海关查验货物、物品损坏报告书》上签字,并及时通知货主。

进出口货物的收发货人在收到《中华人民共和国海关查验货物、物品损坏报告书》后,与海关共同协商确定货物、物品的受损程度。货物、物品受损程度确定后,以海关审定的完税价格为基数,确定赔偿金额。赔偿金额确定后,由海关填发《中华人民共和国海关损坏货物、物品赔偿通知单》。进出口货物的收发货人自收到该通知单之日起3个月内凭单向海关领取赔偿款,或将银行账号通知海关划拨。赔偿款一律用人民币支付。逾期海关不再赔偿。

(三)缴纳税费

进出口税费是指在进出口环节由海关依法征收的关税、消费税、增值税等税费。依法征收税费是海关的任务之一,依法缴纳税费是有关纳税义务人的基本义务。进出口税费征收的法律依据主要是《海关法》《关税条例》以及其他有关法律、行政法规。

缴纳税费的具体流程如下：进出口货物的收发货人或其代理人将报关单及随附单证提交给货物进出境指定海关，海关对报关单进行审核，对需要查验的货物先由海关查验，然后核对计算机计算出的税费，开具税款缴款书和收费票据。收发货人或其代理人持缴款书或收费票据向指定银行办理税费交付手续；允许企业在中国电子口岸网上缴税和付费的海关，进出口货物的收发货人或其代理人可以通过电子口岸接收海关发出的税款缴款书和收费票据，在网上向指定银行进行电子支付税费。一旦收到银行缴款成功的信息，收发货人或其代理人就可报请海关办理货物放行手续。

(四)提取或装运货物

1. 海关进出境现场放行和货物结关

(1)海关进出境现场放行是指海关接受进出口货物的申报、审核电子数据报关单和纸质报关单及随附单证、查验货物、征免税费或接受担保之后，对进出口货物作出结束海关进出境现场监管决定、允许进出口货物离开海关监管现场的工作环节。该环节一般由海关在进口货物提货凭证或者出口货物装货凭证上加盖海关放行章。进出口货物的收发货人或其代理人签收进口提货凭证或者出口装货凭证，凭以提取进口货物或将出口货物装上运输工具离境。

在实行"无纸通关"申报方式的海关，海关作出现场放行决定时，通过计算机将海关放行的信息发送给进出口货物的收发货人或其代理人和海关监管货物保管人。进出口货物的收发货人或其代理人从计算机上自行打印海关通知放行的凭证，凭此提取进口货物或将出口货物装运到运输工具上离境。

(2)货物结关是进出境货物办结海关手续的简称。进出境货物由收发货人或其代理人向海关办理完所有的海关手续，履行了法律规定的与进出口货物、报关有关的一切义务，就办结了海关手续，海关不再对进出境货物进行监管。

(3)海关进出境现场放行有两种情况：一种是货物已经结关，对于一般进出口货物，放行时进出口货物的收发货人或其代理人已经办理完成了所有海关手续，因此海关进出境现场放行即等于结关；另一种是货物尚未结关，对于保税货物、特定减免税货物、暂准进出境货物、部分其他进出境货物，放行时进出境货物的收发货人或其代理人并未全部办完所有的海关手续，海关在一定期限内还需对货物进行监管，所以该类货物的海关进出境现场放行不等于结关。

2. 提取货物或装运货物

进口货物的收货人或其代理人签收海关加盖海关放行章戳记的进口提货凭证，凭此到货物进境地的港区、机场、车站、邮局等地的海关监管仓库办理提取进口货物的手续。出口货物发货人或其代理人签收海关加盖海关放行章戳记的出口装货凭证,凭此到货物出境地的港区、机场、车站、邮局等地的海关监管仓库,办理将货物装上运输工具离境的手续。

3. 申请签发报关单证明联和办理其他证明手续

进出口货物的收发货人或其代理人,办理完提取进口货物或装运出口货物的手续以后,如需要海关签发有关货物的进口、出口报关单证明联或办理其他证明手续的,均可向海关提出申请。

进出口货物的收发货人、受委托的报关企业应当依法如实向海关申报,对申报内容的真实性、准确性、完整性和规范性承担相应的法律责任。

三、进出口商品归类的基本操作程序

报关人员在对进出口货物进行商品归类时应运用具有法律效力的归类依据,按照法定归类程序办理。正确的操作程序是正确进行进出口货物商品归类的前提和保证。商品归类的基本操作程序是指以《进出口税则》提供的具有法律效力的商品归类为依据,对进出口货物进行商品归类的操作。

进出口货物商品归类(八位数级)的具体操作程序如下:

第一步,确定品目(四位数级编码):明确待归类商品的特征;查阅类、章标题;列出可能归入的章标题;查阅相应章中品目条文和注释,如查到该商品则确定品目;如没有查到则运用归类总规则二到五确定品目。

注意此处所称"待归类商品的特征"是指决定商品处于不同类、章的特征。

第二步,确定子目(五到八位数级编码):查阅所属品目的品目条文和适用的注释;如查到该商品则确定一级子目(第五位数级);如没有查到则运用稍加修改后的归类总规则二到五确定一级子目。依次重复前述程序,确定二、三、四级子目,即六、七、八位数级子目,最终完成归类。

商品归类的基本操作程序如下所示:

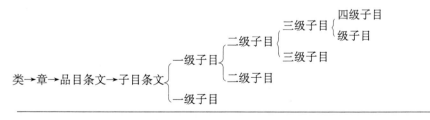

例如:钢筋混凝土用钢筋,非合金钢构成,直径16毫米,经过热轧后未经其他加工,带有轧制过程中产生的变形,直条状。

报检:72142000。

归类思路:本题关键是判断其属于条杆类,再根据钢材成分(非合金钢),加工

程度及方式(热轧后未经其他加工),报验状态(直条状)进行归类。

四、海关机构改革及发展方向

2018年3月13日,国务院机构改革方案提请十三届全国人大一次会议审议。根据该方案,国务院正部级机构减少8个,副部级机构减少7个,除国务院办公厅外,国务院设置组成部门26个。其中,关于组建国家市场监督管理总局的方案提出,将国家质量监督检验检疫总局的出入境检验检疫管理职责和队伍划入海关总署。

关检合一后,通关作业上就会实现"一次申报""一次查验""一次放行"的"三个一"的标准。对于广大进出口企业来说,企业通关费用将会减少,通关效率提升,贸易便利化程度进一步提高。

(一)"一次申报"

在海关现有通关作业信息化尚未进行整合的情况下,通过"单一窗口"可实现"一次申报",统一通过"单一窗口"实现报检,从而进一步加大"单一窗口"标准版的推进力度。我们相信,在关检机构合并的大背景下,假以时日,关检信息化系统可以实现完全融合。

(二)"一次查验"

海关、检验检疫的查验指令下达,保留3个环节即:查验指令下达、实施查验、查验结果异常处置3个环节。

(三)"一次放行"

收发货人凭海关放行指令提离货物。海关向监管场所发送放行指令,在放行环节核查,实现一次放行。

背景案例

某施工单位承建一国际工程项目,需出口一批生活物资供项目人员自用,该批生活物资种类繁多,在港口报关时,海关查验货物告知某品牌香皂已申请知识产权保护,无法出口,如果出口该货物,需厂家将出口单位列入海关备案系统的合法使用人名单内。出口单位第一时间打电话联系供货商,找到其代理人,代理人表示会向权利人反馈并最快时间回复,同时出口单位通过官网联系到总部人员,并将出口单位的营业执照扫描件发给权利人及代理人,经过长时间的协调和说明情况,厂家最终同意将出口单位列入合法使用人并报海关,后货物顺利出关。

该案例中发生的事件提醒出口企业:(1)若必须采购有知识产权保护的产品,则在货物出运前办好授权,以免在出口通关中被延误;若无法取得使用该知识产权的合法授权,海关有权利扣留该货物。(2)若不是指定品牌,出口企业可选择同价格、同质量的其他非知识产权品牌产品,避免长时间办理授权而节省出口时间。

第四节　目的港清关

一、清关的含义

清关(Customs Clearance)即结关,是指进出口或转运货物出入一国关境时,依照各项法律法规和规定应当履行的手续。

清关只有在履行各项义务,办理海关申报、查验、征税、放行等手续后,货物才能放行,货主或申报人才能提货。同样,载运进出口货物的各种运输工具进出境或转运,也均需向海关申报,办理海关手续,得到海关的许可。货物在结关期间,不论是进口、出口或转运,都是处在海关监管之下,不准自由流通。

二、清关流程

(一)准备清关单据

在船到达目的港前2周应将相关清关单据备齐。清关所需单据有:正本提单;正本箱单;正本发票;保险单正本;原产地证;根据国家不同所需的其他证明资料,如CIQ证书、免税文件(如项目免税);清关授权书(需收货人盖章)。

(二)清关文件提报海关

将所有清关文件收集整理齐全交由当地清关代理提交海关办理清关手续。

(三)海关验货

海关按照清关资料,进行货物查验。

(四)缴纳关税

海关审查清关单据并缴纳进口关税。

(五)出具正本清关单据

海关出具正本清关单据。

(六)缴纳港杂费、码头使用费

到港务局及码头缴纳港杂费及码头使用费。

(七)提货

清关完成并可到港口提货。

三、清关说明及注意事项

其一,清关工作应提早进行,尽可能缩短时间为原则。船舶到港前 2 周,需收齐全部单证,清关所有单证需要提前翻译,清关用商业发票要标以 CIF 价格,单据由清关代理协助收货人提前准备,船舶到港前提前预审单证,以保证单证的准确及完整。

其二,船舶到前 10 天需提前准备好相应的税费,并提前将所涉及的税费等汇入专用的账户,以便尽可能加快货物清关。

其三,船舶到港前 1 周,合理规划货物运输目的地及货物堆存场地,为顺利卸货进行准备。

其四,杂货船可在船舶抵港前约 1 周,向海关申请预清关,一般船舶抵港前可完成清关;集装箱班轮仅在船舶靠泊后才可办理清关手续,需 5~10 天。

其五,每批次货物的提单及单证可按照货物属性多划分出几票,避免由于某一票货物的单证问题而影响其他货物正常的清关、出港。

其六,由于部分目的国特殊的保险规定,如项目投保全程物流险,需要保险公司当地代理出具的属地保险证明。

其七,在清关过程中,如需收货人盖章的清关授权书,则对外承包工程企业应配合向业主索取。

【背景案例】

某施工单位出口一辆拖车到埃塞俄比亚,货物到吉布提港后,清关代理反馈需更改提单才能清关,经询问后得知由于拖车的供应商当时赠送了滤芯等十几个配件及车辆倒车镜等打包在一个木箱里,装在驾驶室随车一起出运,原提单显示品名为 Trailer(拖车),当地海关对于随车附带配件不认可,要求将提单上的品名修改为 Trailer and Maintainance Parts(拖车和维修零件),经协调无果后,国外清关代理将正本提单寄回国内进行单证更改,更改后的提单样本和提单更正通知单一起发给船公司,后将更改的正本提单邮寄至吉布提代理才顺利清关。

该案例提醒出口企业,目的国不同,清关要求也不同。出口企业需提前了解目的国清关要求,案例中厂家赠送的配件虽然很少,但是在清关单证中必须显示,否则收货人不仅不能顺利提货,还会面临高额的罚款。

第五节 出口退税

一、了解出口退税的相关知识

(一)出口退税的特点与原则

1. 出口退税的含义

出口退税是指在国际贸易中,对已报关离境的产品,由税务机关将其出口前在生产和流通环节中已征收的增值税和消费税返还给出口企业的一种制度。为鼓励出口,我国从1985年开始,就实行了出口退税政策,这是国际上的通行做法,它使出口商品以不含税价格进入国际市场,对扩大出口生产,增强国际竞争力具有积极作用,同时,出口退税政策也体现了自由竞争、公平税负,不将本国税收转嫁给他国消费者的课税原则。

1994年,国家相继出台了《出口货物退(免)税管理办法》等有关退税的政策法规。为加强出口退税的管理,我国政府实行出口退税与出口收汇核销挂钩的政策,规定出口企业申请出口退税时,应向国家税务机关提交出口货物报关单(出口退税专用联)、出口销售发票、购货发票以及出口收汇核销单(出口退税专用联)、税收缴款书等单据,经国家税务机关审核无误后才予以办理。

2. 出口退税的特点

(1)它是一种收入退付行为。出口货物退税目的与其他税收制度不同,它是国家将出口货物已在国内征收的流转税退还给企业的一种收入退付或减免税收的行为。

(2)它具有调节职能的单一性。出口货物退税,意在使企业的出口货物以不含税的价格参与国际市场竞争。

(3)它属间接税范畴内的一种国际惯例。世界上有很多国家实行间接税制度,虽然其具体的间接税政策各不相同,但就间接税制度中对出口货物实行"零税率"而言,各国都是一致的。

3. 出口退税的原则

(1)公平税负原则。对出口货物实行退税是保证出口货物公平参与国际贸易竞争的基本要求。

(2)属地管理原则。我国增值税和消费税暂行条例中的征免退税规定只适用于中国境内,而不适用于境外。

(3)宏观调控原则。国家通过对出口货物实行符合国际惯例的免税、退税和不予退税的政策,充分体现了国家以鼓励、限制、禁止等方式进行宏观调控的经济政策。

(二)出口退税的企业范围

凡发生出口业务的出口企业,均可申报办理出口退税,退税款应退还给承担出口产品盈亏的企业。享有出口退税的企业包括对外贸易经营者、没有出口经营资格委托出口的生产企业、特定退(免)税的企业和人员。

1. 对外贸易经营者

它是指依法办理工商登记或者其他执业手续,经商务部及其授权单位赋予出口经营资格的从事对外贸易经营活动的法人、其他组织或者个人。其中,个人(包括外国人)是指注册登记为个体工商户、个人独资企业或合伙企业。

2. 委托出口企业

一是无进出口经营权的工厂或企业委托有进出口经营权的企业代理出口业务。二是本身有进出口经营权但委托另一家有进出口权的企业代理出口业务。代理出口企业收取代理费,委托出口企业自负盈亏,并申报办理出口退税。

3. 特定退(免)税的企业和人员

它是指按国家有关规定可以申请出口货物退(免)税的企业和人员。它主要包括:将货物运出境外用于对外承包项目的对外承包工程公司,对外承接修理修配业务的企业,将货物销售给外轮及远洋国轮而收取外汇的外轮供应公司和远洋运输供应公司,在国内采购货物并运往境外作为国外投资的企业,利用外国政府贷款通过国际招标机电产品中标的企业,利用中国政府的援外贷款和合资合作项目基金方式下出口货物的企业,境外来料加工装配业务所使用出境设备和原材料及散件的企业,按国家规定计划向加工地区出口企业销售"以产顶进"钢材列名钢铁企业,国家旅游局所属中国免税品公司统一管理的出境口岸免税店,贵重货物指定退税企业,对外进行补偿贸易和易货贸易项目以及对港、澳、台贸易而享受退税的企业。

(三)出口退税的产品范围

准予退税的出口货物,除另有规定者外,必须同时具备以下四个条件:

1. 必须是增值税、消费税征收范围内的货物

未征收增值税、消费税的货物(包括国家规定免税的货物)不能退税,以充分体现"未征不退"的原则。

2. 必须是报关离境出口的货物

所谓出口,即是输出关口,它包括自营出口和委托代理出口两种形式。这是区分产品是否属于应退税出口产品的主要标准之一,以加盖海关验讫章的出口报关单和出口销售发票为准。凡在国内销售、不报关离境的货物,除另有规定者外,不论出口企业是以外汇还是以人民币结算,也不论出口企业在财务上如何处理,均不得视为出口货物予以退税。

3. 必须是在财务上作出口销售处理的货物

出口退税的规定只适用于贸易性的出口货物,而对非贸易性的出口货物,因其一般在财务上不作销售处理,故按照现行规定不能退税。

4. 必须是已收汇并经核销的货物

按照现行规定,出口企业申请办理退税的出口货物,必须是已收外汇并经外汇管理部门核销的货物。

(四)出口退税的方法

1. 先征后退

先征后退的方法是指出口货物时,先视同内销货物计算缴纳增值税(由生产企业先缴纳,外贸企业按含税价收购出口货物),待货物出口报关离境后,由税务机关将在生产、流通环节中所缴纳的税款退还给外贸出口企业。此方法主要适用外贸进出口企业。

2. 免、抵、退

免、抵、退的方法是指出口货物根据其生产经营情况的不同,分别采用免税、抵税和退税的方法。即免征生产销售环节增值税,用生产企业出口货物应予退还所耗原材料等已纳税款抵内销货物的纳税款,退一个季度内未抵完的税额部分税款。此方法主要适用于生产企业。

具体到增值税和消费税,两者的退税方法又各不相同。

现行出口货物增值税的退(免)税方法主要有四种:(1)"免、退"税,即对出口环节增值部分免税,进项税额退税。该方法适用于外贸、物资、供销等商业流通企业;(2)"免、抵、退"税,即对出口环节增值部分免税,进项税额准予抵扣的部分在内销货物的应纳税额中抵扣,不足抵扣的部分实行退税。该方法适用于生产型企业;(3)"免、抵"税,即对销售环节增值部分免税,进项税额准予抵扣的部分在内销货物的应纳税额中抵扣。该方法适用于国家列名的钢铁企业销售"加工出口专用钢材";(4)免税,即对出口货物免征增值税。该方法适用于来料加工等贸易形式和出口有单项特殊规定的指定货物,如卷烟等,以及国家统一规定免税的货物等。

对于出口货物消费税的退(免)税问题,现行政策规定,出口除不退税的应税消费品外,分别采取退税和免税两种办法。即一是对外贸、物资、供销等商业流通企业收购后出口的应税消费税货物实行退税;二是对生产企业(包括外商投资企业,下同)自营出口或委托外贸企业代理出口以及来料加工出口的消费税应税货物,一律免征消费税。

3. 规定出口货物退税率

"征多少,退多少,未征不退"是制定出口货物退税率的基本原则。我国自1997年7月17日起规定各出口货物的退税率,以后又作若干次调整。2019年为贯彻落实党中央、国务院决策部署,推进增值税实质性减税改革要求,财政部、税务总局、海关总署联合发布公告,自2019年4月1日起对出口退税率进行调整,原适用16%税率且出口退税率为16%的出口货物劳务,出口退税率调整为13%;原适用10%税率且出口退税率为10%的出口货物、跨境应税行为,出口退税率调整为9%。退税率档次由改革前的16%、13%、10%、6%、0%调整为13%、10%、9%、6%、0%。

4. 中央与地方两级退税分摊制度

以出口企业前三年的出口退税平均数作为基数,当年出口退税在基数内的,全部由中央财政承担。超基数部分,中央承担75%,地方政府承担25%。

二、出口退税的所需单证及要求

出口退税是一项政策性强、涉及部门多、程序较为复杂的工作,因此,在整个环节中会需要很多单据和凭证,一般情况下应准备下列材料:

1. "两单两票"

(1)出口货物报关单(出口退税专用联)。
(2)购进货物的增值税专用发票(抵扣联)。
(3)出口商业发票。
(4)出口货物装箱清单。

2. 出口货物退(免)税申报表

(1)出口货物退税申报明细表。
(2)出口退税汇总申报表。

3. 出口货物采购合同

三、出口货物退税单证使用时应注意的问题

1. 出口货物报关单（出口退税专用联）

（1）办理出口货物退税必须是报关单的出口退税专用联；

（2）报关单的"预录入编号"是指预录入单位对书面报关单或对报关单电子报关的编号；

（3）报关单的"经营单位"是指从事对外贸易经营活动的法人和其他组织，必须与申报退税的企业名称一致（委托代理出口的除外）；

（4）报关单的"许可证号"是指出口许可证的编号，若无，则不用填写；

（5）报关单的"批准文号"是指出口许可证外所需的其他批准文件及编号，应与相应的出口收汇核销单号码一致；

（6）报关单的"申报单位"应包括申报单位的名称及报关专用章，还有经海关核准的报关员章，并填写申报单位的地址、邮编、电话号码等；

（7）报关单的"结汇方式"按海关《结汇方式代码表》确定的方式填写，同时，应与合同中规定的结汇方式一致；

（8）报关单须有防伪印油的海关验讫章及经办人员签章。

2. 出口收汇核销单

（1）出口收汇核销单未经外汇局核销，各联不得自行撕开；

（2）各栏内容填写准确、齐全，不得擅自涂改，并与报关单对应的内容一致；

（3）印章齐全，包括出口企业公章、海关出口货物验讫章及外汇局监制章和核销章，前两者均为骑缝章；

（4）注意出口收汇核销单三联中各种日期的不同填写要求；

（5）出口收汇核销单存根中的"收汇方式"应根据合同约定和报关单结汇方式填写；

（6）在远期收汇情况下，出口企业应向外管局备案，否则视为即期收汇，应提供核销单。

3. 增值税专用发票

（1）票面字迹清楚，内容准确、齐全，不得涂改，序号应该各联一次填写；

（2）购货单位名称要用全称，不得使用简称，税务登记号必须是15位数字；

（3）商品或劳务的名称须与其他退税单证相关名称相符；

（4）数量、单价、金额、税额应计算准确，不得超额开具发票，应同报关单数据相同；

（5）发票联和抵扣联加盖财务专用章或发票专用章。

4. 出口商业发票

(1)商业发票中的货物描述、单价、总值要与报关单对应项目的内容一致；

(2)商业发票的右下角应该打上出口企业的名称或盖上出口企业名称章,如信用证要求签字,再盖上企业法人代表印章。

四、出口退税的基本程序

出口商应在规定期限内,收齐出口货物退税所需的有关单证,使用国家税务总局认可的出口货物退(免)税电子申报系统生成的电子申报数据,如实填写出口货物退(免)税申报表,向税务机关申报办理出口货物退(免)税手续。逾期申报的,除另有规定者外,税务机关不再受理该笔出口货物的退(免)税申报,该补税的应按有关规定补征税款。

(一)出口退税登记的一般程序

1. 有关证件的送验及登记表的领取

企业在取得有关部门批准其经营出口产品业务的文件(复印件)和工商行政管理部门核发的工商登记证明(副本)后,应于30日内到当地主管退税业务的税务机关办理退税登记,领取《出口企业退税登记表》。

2. 退税登记的申报和受理

企业领到"出口企业退税登记表"后,即按登记表及有关要求填写,加盖企业公章和有关人员印章后,连同出口产品经营权批准文件、工商登记证明等证明资料一起报送税务机关。

3. 填发出口退税登记证

税务机关接到企业的正式申请,经审核无误后,填写相关内容,如退税公式、退税方法、申报方式等。并按规定的程序批准后,核发给企业"出口退税登记证"。

4. 出口退税登记的变更或注销

当企业经营状况发生变化或某些退税政策发生变动时,应根据实际需要变更或注销退税登记。

(二)出口退税申报

1. 核对出口报关单电子信息

出口企业收到海关签退的出口货物报关单(出口退税专用)后,通过"电子口岸"核对海关报关单电子信息。如发现海关编号、出口日期、商品代码、出口数量及离岸价等与纸质报关单不一致,由出口企业提出申请,退税机关向海关发核实函并按有关规定处理。

2. 备齐出口退税所需单证

出口商应在规定期限内,收齐出口货物退(免)税所需的有关单证,并指定专人进行单证的审核,发现问题及时处理。

3. 出口货物退税申报

出口企业在出口货物报关单右下角海关签发的验讫放行日期90天内收齐退税单据,使用国家税务总局认可的出口货物退(免)税电子申报系统生成的电子申报数据,如实填写出口货物退(免)税申报表,向税务机关申报办理出口货物退(免)税手续。逾期申报的,除另有规定者外,税务机关不再受理该笔出口货物的退(免)税申报,该补税的应按有关规定补征税款。

(三)定期审核、审批出口退税

出口企业申报出口货物退税时,税务机关应及时予以接受并进行初审,出口企业报送的申报资料、电子申报数据及纸质凭证齐全的,税务机关受理该笔出口货物退税申报。出口商报送的申报资料或纸质凭证不齐全的,除另有规定者外,税务机关不予受理该笔出口货物的退税申报,并要当即向出口商提出改正、补充资料、凭证的要求。

税务机关应当使用国家税务总局认可的出口货物退(免)税电子化管理系统以及总局下发的出口退税率文库,按照有关规定进行出口货物退(免)税审核、审批,不得随意更改出口货物退(免)税电子化管理系统的审核配置、出口退税率文库以及接收的有关电子信息。

税务机关受理出口商出口货物退(免)税申报后,应在规定的时间内,对申报凭证、资料的合法性、准确性进行审查,并核实申报数据之间的逻辑对应关系。税务机关经审核符合有关规定的,应及时出具相关证明。税务机关经审核符合有关规定的,应及时出具相关证明,并安排退税资金,根据审核结果将出口退税资金划转出口企业。

五、单证备案管理

从2006年1月1日起,我国对出口企业出口货物退(免)税有关单证将实行备案管理制度,取消目前实行的出口货物退(免)税清算制度。此举对规范外贸出口经营秩序,加强出口货物退(免)税管理,防范骗取出口退税违法活动将起到促进作用。

根据要求,出口企业自营或委托出口属于退(免)增值税或消费税的货物,应在申报退(免)税后15天内,将相关出口货物单证在企业财务部门备案,以备税务机关核查。单证包括购货合同、出口货物明细单、货物装货单、货物运输单据等。

备案可采取两种方式：由出口企业按出口货物退（免）税申报顺序，将备案单证对应装订成册，统一编号，并填写《出口货物备案单证目录》，或由出口企业按出口货物退（免）税申报顺序填写《出口货物备案单证目录》，不必将备案单证对应装订成册，但必须在《出口货物备案单证目录》"备案单证存放处"栏内注明备案单证存放地点，如企业内部单证管理部门、财务部门等。不得将备案单证交给企业业务员（或其他人员）个人保存，必须存放在企业。

根据要求，纳税信用等级评定为 C 级或 D 级、未在规定期限内办理出口退（免）税登记的、财务会计制度不健全，日常申报出口货物退（免）税时多次出现错误或不准确情况的、办理出口退（免）税登记不满 1 年的、有偷税、逃避追缴欠税、骗取出口退税、抗税、虚开增值税专用发票等涉税违法行为记录的、有违反税收法律、法规及出口退（免）税管理规定其他行为的出口企业，自发生之日起 2 年内，申报出口货物退（免）税后，必须采取第一种方式备案单证。

此外，备案单证应是原件，如无法备案原件，可备案有经办人签字声明与原件相符，并加盖企业公章的复印件。备案单证由出口企业存放和保管，不得擅自损毁，保存期 5 年。

第八章 国际货运代理实务

第一节 国际货物运输概述

一、国际货物运输的定义

就其运送对象来说,运输分为货物运输和旅客运输,而货物运输又可按地域划分为国内货物运输和国际货物运输两大类。国际货物运输就是在国家与国家、国家与地区之间的运输,其又可分为国际贸易物资运输和非贸易物资(如展览品、个人行李、办公用品、援外物资等)运输两种。由于非贸易物资运输往往是贸易物资运输部门的附带业务,所以国际货物运输通常被称为国际贸易运输,对一国来说,就是对外贸易运输,简称外贸运输。

二、国际货物运输的特点

国际贸易作为国与国之间的商品交换,买卖双方远隔两地,需要进行国际货物运输。与国内货物运输相比,国际货物运输有其独特之处。国际货物运输的特殊性具体表现在以下几个方面。

(一)国际货物运输涉及国际关系问题,是一项政策性很强的涉外活动

国际货物运输是国际贸易的一个组成部分,在组织货物运输的过程中,需要经常同国外发生广泛的直接或间接的业务联系,这种联系不仅是经济上的,也常常会涉及国际间的政治问题,是一项政策性很强的涉外活动。因此,国际货物运输既是一项经济活动,也是一项重要的外事活动,这就要求国际货物运输从业人员不仅要用经济观点去办理各项业务,而且要有政策观念,按照我国的对外政策的要求从事国际运输业务。

(二)国际货物运输距离长,环节多

国际货物运输是国家与国家、国家与地区之间的跨越国界的运输,因此,运输距离、运输时间一般都比较长。在跨越国界的运输过程中,往往需要使用多种运输工具,变换不同的运输方式,经过不同的国家和地区,中间环节很多,交接手续繁杂。在整个运输过程中,任何一个环节发生问题,将会打乱全盘工作,影响整个

运输过程。例如,上海—伦敦的海洋运输航线长达 2 万千米,这段距离几乎等于从我国黑龙江主航道中心线到曾母暗沙的两个来回。

国际货物运输往往还要经历不同的气候带,更换不同的运输方式,使用不同运输工具。有的还需要经过多次装卸、搬运,环节多且复杂。在这些工作过程中,稍有不慎,就会打乱全程运送,最终影响货物安全、迅速、准确、节省、方便地运达目的地。

(三)国际货物运输涉及面广,情况复杂多变

国际货物运输涉及国内外许多部门,需要与不同国家和地区的货主、交通运输、商检机构、保险公司、银行或其他金融机构、海关、港口以及各种中间代理商等打交道。同时,由于各个国家和地区的法律、政策规定不一,贸易、运输习惯和经营方法不同,金融货币制度的差异,加之政治、经济和自然条件的变化,都会对国际货物运输产生较大的影响。

(四)国际货物运输的时间性强

按时将工程物资装运出港并及时将货物运至目的地,对履行工程承包合同、满足施工现场的需要、确保工程按期完工,提高市场竞争能力、及时办理验工计价和结汇等,都有着重大意义。特别是一些预埋物资、配套物资、影响下一道工序的物资、机械设备配件等,更要求迅速运输,不失时机地组织供应,才有利于确保施工现场的顺利实施。因此,国际货物运输必须加强时间观念,争时间、抢速度,以快取胜。

(五)国际货物运输的风险较大

由于在国际货物运输中环节多、运输距离长、涉及面广、情况复杂多变,加之时间性又很强,运输沿途国际形势的变化、社会的动乱、各种自然灾害和意外事故的发生,以及战乱、封锁、禁运或海盗活动等,都可能直接或间接地影响国际货物运输,甚至造成严重后果,因此,国际货物运输的风险较大。为了转嫁运输过程中发生的风险损失,进出口货物和运输工具都需要办理运输保险。

三、国际货物运输的要求

(一)选择最佳的运输路线和最优的运输方案,组织合理运输

所谓合理运输,就是按照货物的特点和合理流向以及运输条件,选择最恰当的运输工具,走最少的里程,经最少的环节,用最少的运力,花最少的费用,以最短的时间,把货物运到目的地,获得最佳效益。组织合理运输的措施主要有:

1. 合理选择运输方式和运输工具

同一运输方式,如铁路或公路运输,可根据不同商品选择不同类型的车辆,海

运可选择班轮或不定期散货船,并充分利用运输工具回空来运输货物。

2. 正确选择运输路线和装卸、中转港口

一般来说,应尽量安排直达运输,以减少运输装卸、转运环节,缩短运输时间,节省运输费用。必须中转的进出口货物,也应选择适当的中转港、中转站。进出口货物的装卸港,一般应尽量选择班轮航线经常停靠的自然条件和装卸设备较好、费用较低的港口。进口货物的卸货港,还可根据货物流向和大宗货物用货地来考虑;出口货物的装运港,还应考虑靠近出口货物产地或供货地点,以减少国内运输里程,节约运力。

3. 提高包装质量,改进包装方式

根据货物的特性不同,选择不同的包装方式,以利于提高货物的安全性,提高装卸的效率,减少货物的装载体积。

(二)树立系统观念,加强与有关部门配合协作,努力实现系统效益和社会效益

在国际货物运输的过程中,要切实加强货主、运输企业、商检、海关、金融、港口、船务代理和货运代理等部门之间的联系,相互配合、密切协作,充分调动各方面的积极性,形成全局系统观念,共同完成国际货物运输任务。特别是货运代理企业,还要综合运用各方面的运力,要以综合运输系统和国际贸易整体的系统利益出发,除了努力争取本企业的经济利益之外,还要考虑系统效益和社会效益,在完善企业自身的同时考虑企业的社会责任。

(三)树立为为施工现场服务的观点,实现"安全、迅速、准确、节省、方便"的要求

1. 安全

安全就是要求在运输过程中做到货物完好无损和各种运输工具的安全。如果在运输过程中不能维护货物的质量,甚至造成大量货物的残次、破损和丢失,就不能保质保量地完成货物的运输;如果在运输过程中发生重大事故,车毁船沉,不仅不能完成任务,而且会造成生命和财产的重大损失,所以国际货物运输要把安全放在首位。

2. 迅速

迅速就是要严格按照施工合同的要求,把进出口货物及时地运进来或运出去。尽量缩短货物在途时间,以满足现场施工的需要。

3. 准确

准确就是要把进出口货物准确无误地运到交货地点。具体包括准确地办理

各种货运单证手续,使单货相符;准确地计收、计付各项运杂费,避免错收、错付和漏收、漏付。只有准确才能做到又好又省,若发生任何事故,必然会造成损失,这是显而易见的。

4. 节省

节省就是要求通过加强经营管理,精打细算,降低运输成本,节省运杂费用和管理费用,减少外汇费用支出,用较少的钱办较多的事,为企业创造更大的效益。

5. 方便

方便就是要简化手续,减少层次,为施工现场着想,急现场所急,立足于为现场服务,竭尽全力为现场排忧解难。

第二节 国际货运代理概述

一、国际货运代理的含义

近年来,随着国际贸易和多种运输形式的发展,国际货运代理的服务范围不断扩大,其在国际贸易和国际运输中的地位也越来越重要。目前,各国对之称谓不尽相同,如"船货代理""通关代理行""清关代理人""报关代理人"等,而我国则称之为"国际货运代理"。虽然称谓不同,但实际含义是类同的。

《中华人民共和国国际货运输代理业管理办法》中所下的定义是:接受进出口货物收货人、发货人的委托,以委托人的名义或者以自己的名义,为委托人办理国际货物运输及相关业务并收取服务报酬的行业。

根据上述定义和解释,其中一个基本特点是,国际货运代理不是"运输当事人",即承运人。不管其使用何种称谓,只提供自己的服务,即不是承运人或公共承运人,仅作为接收客户货物从事转运的代理人,并依照这些条件处理货物。

尽管世界各国因货运代理业的历史发展、管理体制和法律文化等的不同,对于货运代理人的称谓、定义有所不同。但是,基本上都认为货运代理人是受运输关系人的委托,为了运输关系人的利益,安排货物的运输,提供货物的交运、拼装、接卸、交付服务及其他相关服务,并收取相应报酬的人。其本身不是运输关系的实际当事人,而是运输关系实际当事人的代理人。

二、国际货运代理的由来和发展

由于国际货物运输是国家与国家、国家与地区之间的长途运输,中间环节很多,涉及面很广,情况十分复杂,任何一个承运人或货主都不可能亲自处理每一项具体运输业务,许多工作需要委托他人代为办理,运输代理人就是为适应这种需要而产生的。他们接受委托人的委托,代办各种运输业务并收取一定的报酬。运输代理属于运输中间人性质,既不是货主也不是承运人,不拥有货物也不拥有运输工具。运输代理人的出现大大推动了国际货物运输的发展,运输代理已经成为现代运输业中不可缺少的重要组成部分。

国际货物运输代理从公元10世纪起就开始存在,随着公共仓库在港口和城市的建立海上贸易的扩大以及欧洲交易会的举办,货运代理业逐步发展起来。到了16世纪,已有相当数量的货运代理公司签发自己的提单、运单及仓储收据等。18世纪,货运代理开始越来越多地把几家托运人运往同一目的地的货物集中起来托运,同时,开始办理投保。以后,逐步地变成现在我们所熟悉的中间性质的、独立的行业。到了19世纪,货运代理建立了行业组织,并于1880年在莱比锡召开了第一次国际货运代理代表大会。进入20世纪20年代际合作有了更大的发展,终于在1926年5月,16个国家的货运代理协会在维也纳成立了国际货运代理联合会(International Federation of Freight Forwarders Association,FIATA)简称"菲亚塔"。中国外运公司于1985年加入FIATA,成为正式会员。目前,菲亚塔已联合了30个国家的3万多个货运代理。

我国国际货运代理行业概况。我国国际货运代理行业是从20世纪80年代中期起步的,但是,随着对外开放步子的加快,国际货运代理业发展迅速。1983年,中国只有一家国际货运代理企业,至2004年7月1日,全国经审批的货运代理企业有5012家,其中法人企业2555家,分支机构2457。还有一大批没有取得一级代理资格,但实际从事货运代理业务的公司和组织,据业内人士估计,全国有3万家左右,其中沿海地区占了70%,内陆地区占了30%。这些企业遍布全国各省、自治区、直辖市,分布在30多个部门和领域,国有、集体、私营、外商投资、股份制等多种经济成分并存,已经成为我国对外贸易运输事业的重要力量。目前,我国80%的进出口贸易货物运输和中转业务(其中,件杂货占70%,集装箱货占90%)、90%的国际航空货物运输业务都是通过国际货运代理企业来完成的。

尽管我国国际货运代理企业数量不少,但其整体实力和管理水平与世界先进水平还有很大的差距。从整体上来讲,货代行业的现状可以用"小、少、弱、差"四个字来概括。所谓"小"就是经营规模小,资产规模小;所谓"少"就是服务功能少,专业人才少,有效的营销手段少;所谓"弱"就是竞争力弱,融资能力弱;所谓"散"就是服务质量参差不齐,经营秩序不规范,缺乏有力的网络支持和网络分散。

三、国际货运代理的地位与作用

国际货运代理在促进本国和世界经济发展的过程中起着重要的作用。他们不仅可以简化国际贸易程序,降低运输成本,还通过给予承运人和保险人以支持,节省外汇,并帮助改善外汇收支平衡状况。

国际货运代理的工作性质决定了从事这项业务的人必须具有有关国际贸易运输方面的广博的专业知识、丰富的实践经验和卓越的办事能力。他们通晓国际贸易环节,精通各种运输业务,熟悉各种运输方式、运输工具、运输路线、运输手续和各种不同的社会经济制度、熟悉有关法律、法规,习惯做法,业务关系广泛,信息来源准确、及时,与承运人、仓储经营人、保险人、港口、机场、车站、堆场、银行以及海关、商检、卫检、动植检、进出口管制等存在着密切的业务关系,并在世界各地建有客户网和自己的分支机构。它在国际货运中起着重要的桥梁和纽带作用,不仅可以促进国际贸易和国际运输事业发展,而且可以为国家创造外汇来源,对于本国国民经济发展和世界经济全球化都有重要的推动作用。其不仅对客户,而且对海关和其他与进出口贸易运输有关的当事人,都是十分有益的。他们具有的这些优势使得他们在国际货物运输中起着任何其他人都取代不了的作用。这些作用大致可以归纳为以下几个主要方面:

(一)组织协调作用

国际货运代理使用最现代化的通信设备(包括资料处理),来推动国际贸易程序的简化。国际货运代理人历来被称为"运输的设计师","门到门"运输的组织者和协调者。凭借其拥有的运输知识及其他相关知识,组织运输活动,设计运输路线,选择运输方式和承运人(或货主),协调货主、承运人及其与仓储保管人、保险人、银行、港口、机场、车站、堆场经营人和海关、商检、卫检、动植检、进出口管制等有关当局的关系,可以为委托人节省时间,使其减少许多不必要的麻烦,专心致力于主营业务。

(二)专业服务作用

国际货运代理的各种服务都是专业化的。通常,其对复杂的进出口业务,海、陆、空运输,对结算、集运、仓储、集装箱运输、危险品运输、保险等,都具有专业的知识。特别是能够了解经常变化着的海关手续、运费与运费回扣、港口与机场的业务做法、海空集装箱运输的组织以及出口货物的包装和装卸等。有时,还负责申请检验和代向国外客户收取款项。国际货运代理人的本职工作是利用自身专业知识和经验,为委托人提供货物的承揽、交运、拼装、集运、接卸、交付服务,接受委托人的委托,办理货物的保险、海关、商检、卫检、动植检、进出口管制等手续,甚至有时要代理委托人支付、收取运费,垫付税金和政府规费。国际货运代理人通过向委托人提供各种专业服务,可以使委托人不必在自己不够熟悉的业务领域花费更多的心思和精力,使不便或难以依靠自己力量办理的事宜得到恰当、有效的处理,有助于提高委托人的工作效率。

(三)沟通、开拓、控制作用

国际货运代理不仅组织和协调运输,而且影响到新运输方式的创造、新运输路线的开发、新运输费率的制定以及新产品的市场开拓。多年来,我国国际货运代理已在世界贸易中心建立了客户网,有的还建立了分支机构,因此能够控制货物的全程运输。国际货运代理人拥有广泛的业务关系,发达的服务网络,先进的信息技术手段,可以随时保持货物运输关系人之间、货物运输关系人与其他有关企业、部门的有效沟通,对货物进行运输的全过程进行准确跟踪和控制,保证货物安全、及时运抵目的地,顺利办理相关手续,准确送达收货人,并应委托人的要求提供全过程的信息服务及其他相关服务。

(四)咨询顾问作用

国际货运代理是企业的顾问,可以为企业提供运费、包装,以及进出口业务所需的单证、金融、海关、领事要求等方面提供咨询,还能对国外市场销售的可能性提出建议。国际货运代理人通晓国际贸易环节,精通各种运输业务,熟悉有关法律、法规,了解世界各地有关情况,信息来源准确、及时,可以就货物的包装、储存、装卸和照管,货物的运输方式、运输路线和运输费用,货物的保险、进出口单证和价款的结算,领事、海关、商检、卫检、动植检、进出口管制等有关当局的要求等向委托人提出明确、具体的咨询意见,协助委托人设计、选择适当处理方案,避免、减少不必要风险、周折和浪费。

(五)资金融通作用

国际货运代理人与货物的运输关系人、仓储保管人、装卸作业人及银行、海关当局等相互了解,关系密切,长期合作,彼此信任,国际货运代理人可以代替收、发货人支付有关费用、税金,提前与承运人、仓储保管人、装卸作业人结算有关费用,凭借自己的实力和信誉向承运人、仓储保管人、装卸作业人及银行、海关当局提供费用、税金担保或风险担保,可以帮助委托人融通资金,减少资金占压,通过国际货运代理人的努力,资金融通作用增强,提高事主的资金利用效率。

(六)降低成本作用

国际货运代理人掌握货物的运输、仓储、装卸、保险市场行情,与货物的运输关系人、仓储保管人、港口、机场、车站、堆场经营人和保险人有着长期、密切的友好合作关系,拥有丰富的专业知识和业务经验,有利的谈判地位,娴熟的谈判技巧。通过国际货运代理的努力,可向客户建议采用最新最省的运输方式,可以选择货物的最佳运输路线、运输方式,最佳仓储保管人、装卸作业人和保险人,争取公平、合理的费率,从而协助客户控制运费在货物售价中的比例。国际货运代理可在几种运输方式和众多的承运人中间,就关键的运价问题进行选择,甚至可以通过集运效应使所有相关各方受益,从而降低货物运输关系人的业务成本,提高其主营业务效益。

四、国际货运代理企业的经营范围

国际货代企业具体可从事经营项目与工商行政管理机关颁发的《企业法人营业执照》列明的经营范围为准。一般来说,国际货代企业的经营范围包括揽货、订舱(含租船、包机、包舱)、托运、仓储、包装;货物监装、监卸、中转、集装箱拼装拆箱、分拨、中转及相关短途运输服务;报关、报检、报验、保险;制单、结算运杂费;展品、物品及过境货物运输代理;国际多式联运、集运;国际快递(不含私人信件);运输咨询服务及其他国际货代业务等。

(一)国际货运代理出口业务

国际货运代理出口业务包括很多方面的内容,具体有:选择运输路线、方式和适当的承运人;为货主和选定的承运人之间安排揽货、订舱、包装、计量和储存货物;办理保险;收取货物并签发有关单据;办理出口结关手续并将货物交付承运人;支付运费,收取正本提单并交给发货人;安排货物转运;通知收货人;记录货物灭失情况,协助收货人向有关责任方索赔。

(二)国际货运代理进口业务

国际货运代理进口业务包括很多方面的内容,具体有:报告货物动态;接收和审核货运单据,支付运费并提货;进口报关,支付有关捐税和费用;安排运输过程中的存仓;向收货人交付已结关的货物;协助收货人储存或分拨货物。

(三)作为无船承运人承办多式联运业务

国际货运代理公司也可作为无船承运人承办多式联运业务,即作为合同当事人签发多式联运单据,将各段运输委托实际承运人执行。

除非发货人(卖方)或收货人(买方)想亲自负责办理有关程序或单据方面的手续,通常货物在相关方面的移动是由货运代理人代表发货人进行的。货运代理人可以直接或通过分代理人或其他所雇佣的代理人进行此项工作。他也可以为此利用他的海外代理服务机构,简单地说,这些服务包括:

1. 代表发货人(出口商)

货运代理人依照发货人的装运指示,选择航线、运输及合适的承运人;向选定的承运人订舱;接受货物并签发相关的文件,如货物代理收货证书、货运代理运输证书等;审查信用证条款并研究进/出口国。过境国在货物运输方面所实行的政府规则,准备必要的单据。包装货物(除非发货人在移交前已完成),并应将航线、运输方式、货物性质以及进/出口国及过境国的有关法规考虑在内;如有必要,还要安排货物仓储称重;测量货物体积;提醒发货人进行保险。发货人有要求时,代办货物保险;货物运输到港时,安排清关以及办理相应的手续并将货物交付承运人;如有必要,负责外币兑换;支付包括运费在内的各项费用;从承运人处索要已签发的提单并交给发货人;必要时安排转船;通过与承运人以及国外代理人的联络,监管货物运输直到交给收货人;若发生货物损坏和灭失,应注明破损情况;如发生货物损坏和灭失,应协助发货人就货物的灭失和损坏向承运人提出索赔。

2. 代表收货人(进口商)

货物代理人依照收货人的航运指示,在收货人支付货物运费时,代表收货人监管货物的运输;收取并检查所有与货物运输相关的文件;从承运人处接收货物并在必要时支付运费;安排清关并向海关和其他公共当局支付关税和其他费用;必要时安排过境仓储;向收货人交付已清关货物;如发生货物灭失和损坏,应协助收货人就货物的灭失和损坏向承运人提出索赔;必要时协助收货人进行仓储和分配货物。

3. 其他服务

除了上述两项服务以外,货运代理人可应客户要求,提供运输过程所需的其他服务和各种特殊服务,还可根据顾客需要时向其提供消费需求,新市场竞争条件,出口战略及外贸合同中应包括的适当贸易条款等信息。简而言之,一切与其业务有关的事宜。

4. 特殊货物

通常货运代理人处理国际贸易中流传的一般货物,包括各种各样的加工的、未加工的和半成品及其他不同类型的商品。前面1、2项所列的服务通常对这些货物适用。但货运代理人依据客户的要求可提供与特殊货物有关的其他服务,并且,有些货运代理人甚至可以在条款中详细规定并专门从事这些服务。

运输工程货物是指将用于建设诸如公路、铁路、房建、机场、化工厂、水力发电厂、炼油厂等大型工程所用的重型机械设备从制造商处向建筑工地的运输。这些货物的运送需要计划以确保及时交货并可能使用重吊、大型卡车、特殊船舱等。对于货运代理人来说,这是一个重要的服务方面。

海外展览的货运代理人通常被展览组织者指定将展品运往展销地点。货运代理人必须遵守组织者规定的有关运输方式、目的国特定的海关站、展品何时交付、所需单据等的指示。

五、如何选择货代公司

国际货运代理的选择对整个项目的顺利实施起到至关重要的作用,我们在选择货运代理时通常应考虑如下因素:

(一)货运代理须熟知海运地理方面的常识

由于船舶进出于不同国家,故而应熟知世界航线,港口所处位置,转运地及其内陆集散地。货代还应了解国际贸易的方式及其发展趋势、货物的流向等,如西欧和美、加、日等工业化程度较高的国家,大量从发展中国家进口原材料,并向这些国家出口工业制成品。

(二)货运代理应熟知不同类型的运输方式对货物的适用性

如:班轮运输具有定时间、定航线、定港口顺序和定费率的特点,主要适合于集装箱运输,件杂货及机械设备采用散货船或滚装船的运输;而租船运输主要适合于大宗的散货。

(三)货运代理应适当了解有关船公司的经营状况

货代选择海运承运人时,主要要考虑船公司的以下几方面因素:

1. 运输服务的定期性

如货物须以一定的间隔时间出运的,就应考虑选择班轮的方式。

2. 运输速度

当托运人为了满足某种货物在规定日期内运到的需求时,就应更加注重考虑运送速度的问题。

3. 运输费用

当运输时间和速度不是货主考虑的主要因素时,运价就成为最重要的因素。

4. 运输的可靠性

选择货运所要托付的船公司常应考察其实力和信誉,以减少海事欺诈的发生。

5. 经营状况和责任

表面上某一船舶所有人对船舶享有所有权,而事实上该船舶可能已被抵押给了银行,并通过与银行的经营合同成为了经营人。这会给将来货物运输纠纷诉诸法院时的货主利益带来负面影响。

(四)货运代理应了解不同类型的船舶对货主货物的适应性

(五)一流的货运代理应熟知航运法规

货运代理除应了解《海牙规则》《海牙—维斯比规则》《汉堡规则》以外,还应适当了解货物出口地或目的港国家的海运法规,港口操作习惯等。

(六)一流的货运代理应能够熟练操作海上货物运输的单证,并确保制作正确、清晰和及时

货运代理人同时应懂得海关手续和港口作业流程,港口程序的运作能力是非常重要的。

(七)货运代理所能提供的较低运价也是考虑的重要因素

(八)选择信誉度较高的货运代理公司

招标前验证对方的营业执照,查询货运代理公司的无船承运人代号和相关外经贸部审批的国际货代证书号或者是国家一级无船承运人代理的相关证书以及注册时间和注册资金、业绩等。(这是最基本的也是必须的。)

(九)了解货运代理的优势在哪一条航线

应了解货运代理主要的优势船公司是哪一家,挂靠港口情况、截关的时间、航行的天数、运价等。

(十)了解货运代理提供相关的代理报关以及拖车和提供仓库储存的能力

货运代理最好能够有自己的报关部门和拖车部门,具备仓库储存能力,这样一来整个运输过程可以更恰当连接起来,中间任何一个环节出现问题,都由承运代理公司全权负责。

第三节 集装箱基础知识

一、集装箱的定义

集装箱在香港称为"货箱",在台湾称为"货柜"。它是在流通过程中合理化的必要媒体。集装箱的定义在各国的国家标准、各种国际公约和文件中都有具体的规定,其内容不尽一致。不同的定义在处理业务问题时就有不同的解释。这是一个十分复杂的问题。早在1968年,国际标准化组织ISO第104技术委员会起草

的集装箱标准（ISO/R830—1968）《集装箱术语》中，对集装箱已下了定义。该标准后来又作了多次修改。现以国际标准 ISO-830-1981《集装箱名词术语》中的定义作介绍："集装箱是一种运输设备，具有足够的强度，可反复使用，适于一种或多种运输方式运送，途中转运时，箱内货物不需换装，具有快速装卸和搬运装，特别便于一种运输方式转移到另一种运输方式，便于货物装满和卸空，具有 1m³ 及 1m³ 以上的容积集装箱这一术语，不包括车辆和一般包装。"

在我国国家标准 GB1992－85《集装箱名词术语》中，全面引用国际标准化组织的定义。

集装箱运输不仅具有安全、迅速、简便、价廉的特点，有利于减少运输环节，通过综合利用铁路、公路和航空等各种运输方式，实现"门到门"运输。

二、集装箱标准化

标准集装箱根据其使用范围，分为国际标准集装箱、国家标准集装箱和公司标准集装箱等几种，"标准集装箱"是国际标准集装箱的简称。

（一）国际标准集装箱

所谓国际标准集装箱，是指国际标准化组织 104 技术委员会制定的集装箱。

1. 20′GP 集装箱（20 英尺标准集装箱）

外部尺寸		
长	宽	高
20′	8′	8′6″
6.058m	2.438m	2.591m
内部尺寸		
长	宽	高
19′4 13/16′	7′8 19/32′	7′9 57/64′
5.898m	2.352m	2.385m

重量限制			柜门内径	
总重	空箱重	货物净重	宽	高
52910 lb	5140 lb	47770 lb	7′8 1/8″	7′5 3/4″
67200 lb	5290 lb	61910 lb	2.343m	2.380m
24000kg	2330kg	21670kg	内容积（立方米）	内容积（立方尺）
30480kg	2400kg	28080kg	33.1	1.169

2. 40′GP 集装箱(40 英尺标准集装箱)

外部尺寸		
长	宽	高
40′	8′	8′6″
12.192m	2.438m	2.591m
内部尺寸		
长	宽	高
39′5 45/64′	7′8 19/32′	7′9 57/64′
12.032m	2.352m	2.385m
重量限制		
总重	空箱重	货物净重
67200 lb	8820 lb	58380 lb
30480kg	4000kg	26480kg

柜门内径	
宽	高
7′8 1/8″	7′5 3/4″
2.343m	2.280m
内容积(立方米)	内容积(立方尺)
67.5	2385

3. 40′HQ 集装箱(40 英尺超高集装箱)

外部尺寸		
长	宽	高
40′	8′	9′6″
12.192m	2.438m	2.896m
内部尺寸		
长	宽	高
39′5 45/64′	7′8 19/32′	8′9 15/16′
12.032m	2.352m	2.69m
重量限制		
总重	空箱重	货物净重
67200 lb	9260 lb	57940 lb
30480kg	4200kg	26280kg

柜门内径	
宽	高
7′8 1/8″	8′5 49/64″
2.343m	2.585m
内容积(立方米)	内容积(立方尺)
76.2	2690

4. 45′HQ 集装箱(45 英尺超高集装箱)

外部尺寸		
长	宽	高
45′	8′	9′6″
13.716m	2.438m	2.896m
内部尺寸		
长	宽	高
44′5 7/10′	7′8 19/32′	8′10 17/64′
13.556m	2.352m	2.698m

重量限制			柜门内径	
总重	空箱重	货物净重	宽	高
67200 lb	10858 lb	56342 lb	7′8 1/8″	8′5 3/4″
			2.340m	2.585m
30480kg	4870kg	25610kg	内容积(立方米)	内容积(立方尺)
			86	3040

5. 20′OT 集装箱(20 英尺开顶集装箱)

此种集装箱适用于装载大型货物和重货,如钢铁、木材、机械,特别是像玻璃等易碎的重货。

外部尺寸		
长	宽	高
20′	8′	8′6″
6.058m	2.438m	2.591m
内部尺寸		
长	宽	高
19′4″	7′8 1/2′	7′8 1/8″
5.898m	2.352m	2.342m

重量限制			柜门内径	
总重	空箱重	货物净重	宽	高
44800 lb	4850 lb	39950 lb	7′8 1/8″	7′5 3/4″
20320kg	2200kg	18120kg		
内容积(立方尺)			内容积(立方尺)	
32.5			1148	

6. 40′OT 集装箱(40英尺开顶集装箱)

外部尺寸		
长	宽	高
40′	8′	8′6″
12.192m	2.438m	2.591m
内部尺寸		
长	宽	高
39′5″	7′8 1/2′	7′8 1/8′
12.034m	2.352m	2.330m
重量限制		
总重	空箱重	货物净重
67200 lb	9040 lb	58160 lb
30480kg	4100kg	26380kg
内容积(立方尺)		内容积(立方尺)
65.9		2327

7. 20′FR 集装箱(20英尺框架集装箱)

外部尺寸		
长	宽	高
20′	8′	8′6″
6.058m	2.438m	2.591m
内部尺寸		
长	宽	高
18′6 7/16″	6′7 59/64′	6′9 39/64′
5.650m	2.030m	2.073m
重量限制		
总重	空箱重	货物净重
66.140 lb	6.150 lb	59.990 lb
30.000kg	2.790kg	27.210kg

8. 40′FR 集装箱(40英尺框架集装箱)

该框架箱的主要运载对象是牲畜及钢材等可以免除外包装的裸装货,还可用于大型超宽、超高货物的吊装。

外部尺寸		
长	宽	高
20′	8′	8′6″
6.058m	2.438m	2.591m
内部尺寸		
长	宽	高
18′5 62/64″	7′3 46/64″	7′3 59/64″
5.638m	2.228m	2.233m
重量限制		
总重	空箱重	货物净重
74.950 lb	6.370 lb	68.580 lb
34.000kg	2.890kg	31.110kg

三、集装箱的分类

集装箱分类可以有多种方法，如以制造材料不同或以结构不同等进行分类，集装箱按照制造材料可以分为钢质集装箱，铝合金集装箱，玻璃集装箱，薄壳式集装箱等；按照结构可以分为内柱式集装箱，折叠式集装前和薄壳式集装箱等。这里主要介绍按照集装箱的用途进行分类、我们一般把集装箱分为：

(一)干货集装箱(Dry Cargo Container,DCC)

除冷冻货、活的动物、植物外，在尺寸，重量等方面适合集装箱运输的货物，几乎均可使用干货集装箱。这种集装箱样式较多，使用时应注意其内部容积和最大负荷。特别是在使用20英尺、40英尺集装箱时更应注意这一点。干货箱有时也称为"通用集装箱"。

(二)散装集装箱(Bulk Container,BC)

散装集装箱主要用于运输啤酒、砂石，树脂等货物。散装集装箱的使用有严格要求，如：每次掏箱后，要进行清扫，使箱底两侧保持光洁，为防止汗湿，箱内金属部分应尽可能少外露；箱子应具有气密性；在积载时，除了由箱底主要负重外，还应考虑到将货物重量向两侧分散；箱子的结构要易于洗涤，若要装运重量较大的货物，箱子自重应比较轻。

(三)冷藏集装箱(Reefer Container,RC)

冷藏集装箱是指"装载冷藏货并附设冷冻机的集装箱"。在运输过程中，应启动冷冻机使货物保持在所要求的指定温度。箱内顶部装有挂肉类、水果的钩子和轨道，适用于装载冷藏食品、新鲜水果或特种化工产品等。冷藏集装箱投资大，制造费用是普通箱的几倍;在来回程冷藏货源不平衡的航线上,常常需要回运空箱;船上用于装载冷藏集装箱的箱位有限;同普通箱比较,该种集装箱的营运费用较高,除因支付修理、洗涤费用外,每次装箱前应检验冷冻装置,并定期为这些装置大修而支付不少费用。

在实际营运过程中,冷藏集装箱的货运事故较多,这是因为箱子本身的问题或箱子在码头存放、装卸时易出事故。如果发货人在装箱时对箱内货物所需要的温度不清楚或对冷冻装置的操作缺乏足够谨慎,也易导致事故。尽管如此,世界冷藏货运量中,使用冷藏集装箱运输的比重不断上升,近年来已经超过使用冷藏船运输的比重。

(四)敞顶集装箱(Open-Top Container,OTC)

敞顶集装箱,实践中又称开顶集装箱,是集装箱种类中属于需求增长较少的一种,主要原因是货物装载量较少,在没有月台、叉车等设备的仓库无法进行装箱,在装载较重的货物时还需使用起重机。这种箱子的特点是吊机可从箱子上面进行装卸货物,然后用防水布覆盖。目前,开顶集装箱仅限于装运较高货物或用于代替尚未得到有关公约批准的集装箱种类。

(五)框架集装箱(Frat Rack Container,FRC)

这是以装载超重货物为主的集装箱,省去箱顶和两侧,其特点是可从箱子侧面进行装卸。在目前使用的集装箱种类中,框架集装箱稍有独到之处这是因为不仅干货集装箱,即使是散货集装箱、罐式集装箱等,其容积和重量均受到集装箱规格的限制;框架集装箱则可用于那些形状不一的货物,如废钢铁、卡车、叉车等。除此之外,相当部分的集装箱在装箱船边直接装运散装货,采用框架集装箱就较方便。框架集装箱的主要特点有:自身较重;普通集装箱是采用整体结构的,箱子所受应力可通过箱板扩散,而框架集装箱仅以箱底承受货物的重量,其强度很大;出于同样的原因,这种集装箱的底部较厚,所以相对来说,可供使用的高度较小,密封程度差。由于这些原因,该种集装箱通过海上运输时,必须在装载舱内运输,在堆场存放时也应用毡布覆盖。同时,货物本身的包装也要适应这种集装箱。

(六)牲畜集装箱(Pen Container,PC)

这是一种专门为装运动物而制造的特殊集装箱,箱子的构造采用美国农业部的意见,材料选用金属网使其通风良好,而且便于喂食,该种集装箱也能装载小汽车。

(七)罐式集装箱(Tank Container,TC)

这类集装箱专门装运各种液体货物,如食品、酒品、药品、化工品等。货物由液罐顶部的装货孔进入,卸货时,货物由排出孔靠重力作用自行流出,或者由顶部装货孔吸出。

(八)汽车集装箱(Car Container,CC)

这是专门供运输汽车而制造的集装箱;结构简单,通常只设有框架与箱底,根据汽车的高度,可装载一层或两层。

四、集装箱标识

为了方便集装箱运输管理,国际标准化组织(ISO)拟订了集装箱标志方案。根据 ISO790-73,集装箱应在规定的位置上标出以下内容:

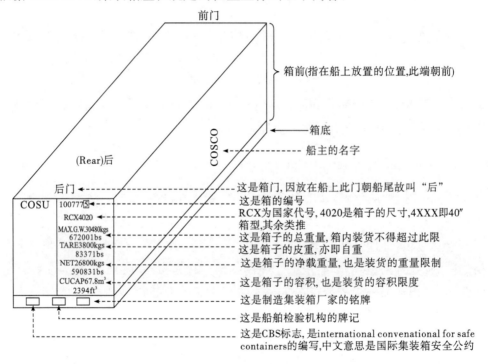

(一)第一组标记:箱主代码、顺序号和核对数

箱主代码:集装箱所有者的代码,它由 4 位拉丁字母表示,前 3 位由箱主自己规定,并向国际集装箱局登记,第 4 位字母为 U,表示海运集装箱代号。例如,中国远洋运输(集团)公司的箱主代码为:COSU。

顺序号:顺序号为集装箱编号,按照国家标准(GB1836-85)的规定,用 6 位阿拉伯数字表示,不足 6 位,则以 0 补之。如:COSU 100777。

5:核对数是计算机用来核对集装箱公司代码和顺序号记录是否正确的标记。一般用阿拉伯数字来表示并加方框。

(二)第二组标记:国籍代号、尺寸代号和类型代号

国籍代号:用3位拉丁字母表示,说明集装箱的登记国。

尺寸代号:由2位阿拉伯数字组成,用于表示集装箱的尺寸。

类型代号:由2位阿拉伯数字组成,说明集装箱的类型。

如:RCX4020表示集装箱登记国为澳大利亚,尺寸为40英尺长、8英尺高,类型为保温型集装箱。

(三)第三组标记:最大总重和自重

最大总重(Max Gross):最大总重又称"额定重量",是集装箱的自重和最大允许载货量之和。最大总重单位用公斤(kg)和磅(lb)同时标出。

自重(Tare):自重是集装箱的空箱重量。

五、集装箱的选择与注意事项

集装箱货物装箱前,首先应当选择合适的集装箱。结合货物性质、数量、经济性和运输条件等因素,集装箱的选择主要是对集装箱类型的选择和集装箱规格的选择。

(一)集装箱的选择

1. 集装箱类型的选择

目前使用的集装箱有通用集装箱、冷藏集装箱、罐式集装箱、干散货集装箱等多种类型,不同类型的集装箱是根据不同类型货物及运输的实际要求而设计制造的。对集装箱箱型种类的选择主要应根据货物的种类、性质、包装形式和运输要求来进行。如对运输没有什么特殊要求的普通干、散货物,可选择使用最普通的封闭式干散货箱;含水量较大的货物或不需要保温运输的鲜货等可选择使用通风式集装箱;在运输途中对温度有一定要求的货物可选择使用保温、冷藏、冷冻集装箱;超高、超长、超宽或必须用机械(吊车、叉车等)装箱的货物可选择使用开顶、板架、平台式集装箱;散装流体货物可选择罐式箱;牲畜、汽车等可选择相应的特种箱等。根据货物性质分类的集装箱货和相应采用的集装箱类型可参考表3-1。

表 3-1　集装箱货物和集装箱类型对照表

集装箱货物种类		适合的集装箱类型
普通货物	清洁货物	通用集装箱、通风集装箱、开顶集装箱、冷藏集装箱
	污染货物	通用集装箱、通风集装箱、开顶集装箱、侧开式集装箱、冷藏集装箱
特殊货物	冷藏货物、冷冻货物	冷藏集装箱
	易腐货物	冷藏集装箱、通风集装箱
	活动物、植物	动物集装箱、通风集装箱
	大件货物	开顶集装箱、平台集装箱、台架集装箱
	液体、气体货物	罐式集装箱、通用集装箱、其他集装箱
	干散货物	散货集装箱
	贵重货物	通用集装箱
	危险货物	通用集装箱、台架集装箱、冷藏集装箱

2. 集装箱规格的选择

集装箱的规格尺寸总体看有国际标准尺寸和地区(国家)标准尺寸,其中的包含的尺寸类型更是多种多样,对集装箱规格尺寸的选择需要综合考虑多种因素。

(1)从集装箱货物的数量、批量和密度等因素考虑。一般来说,在货物数量大时,尽量选用大规格箱;某航线上货运批量较小时,配用的集装箱规格不宜过大;货物密度较大时,选用规格不宜过大;轻泡货物应采用规格较大的集装箱。

(2)从经济上是否合理的角度考虑。由于集装箱运输中大多采用包箱费率,对各种规格集装箱总重的规定(单位尺度平均值)有较大差别,对于特定数量的货物选择集装箱规格和数量时,在保证能装下这些货物的前提下,对集装箱的选择存在通过规格数量的不同组合使全程总费用最小的经济合理性问题。此外,有些航线经常由于两港之间货源不平衡而造成大量集装箱回空运输,降低了集装箱运输的经济效果,为了解决空箱回运的问题,在货源不平衡的航线上采用折叠式集装箱,可大大降低空箱回运时的仓容损失。

(3)从集装箱多式联运的需要考虑。首先要顾及与国外货主和船公司的合作问题,进行集装箱国际多式联运时,很有可能与国外船公司进行箱子交换、互用,因此,最好选择国际上广泛使用的集装箱。其次,集装箱多式联运应以"门到门"运输为原则,在货物运输全程中,可能涉及多种运输方式,目前海上运输各环节(装卸、船舶)可以满足各种规格集装箱货物运输需要,但内陆运输中可能存在道路、桥涵承载能力不足,装卸设备不能适应大型集装箱装卸需要,集装箱内陆货运站不能办理大型箱业务,库场运输工具不符合运输要求等问题。在选用集装箱时,为了适应公路、铁路运输条件的限制,使运量少、运输条件差的国家和地区也能实现集装箱"门到门"运输,可采用"子母箱"运输方法。

(二)集装箱货物装载的基本要求

1. 一般货物装载的基本要求

集装箱在装卸、运送、仓储等各环节的操作过程中,经常会发生振动、碰撞现象,如果货物的装载不严密、重量分布不均匀,轻则造成货损,重则造成装卸机械、运输工具的损坏,甚至给人身安全带来威胁。所以做好集装箱货物的装载工作十分重要。

集装箱货物的装箱作业,通常采用的方法有三种:全部用人力装箱、用叉式装卸车(铲车)搬进箱内再用人力堆装和全部用机械装箱,如货板(托盘)货用叉式装卸车在箱内堆装。不论采用哪一种装箱方式,为了保证货物安全和运输质量,在装载时都要根据货物特性和包装状态,按照下列基本要求和注意事项进行装载。

(1)装箱货物总重不能超出集装箱标记载重量。在货物装箱时,任何情况下箱内所装货物的重量不能超过集装箱的最大装载量,集装箱的最大装货重量由集装箱的总重减去集装箱的自重求得;各种规格集装箱的总重和自重一般都标在集装箱的箱门上。

(2)货物重量在箱子内的分布要均匀。装载时要使箱底上的负荷平衡,箱内负荷不得偏于一端或一侧,特别是要严格禁止负荷重心偏在一端的情况。要避免产生集中载荷,如装载机械设备等重货时,箱底应铺上木板等衬垫材料,尽量分散其负荷。

(3)装货时要注意包装上有无"不可倒置""平放""竖放"等装卸指示标志。要正确使用装货工具,捆包货禁止使用手钩。箱内所装的货物要装载整齐、紧密堆装。容易散捆和包装不牢的货物,要使用衬垫或在货物间插入胶合板,防止货物在箱内移动。对靠近箱门附近的货物要采取系固措施,防止开箱和关厢时货物倒塌。

(4)货物多层堆码时,堆码层数应根据箱底承载能力规定和货物包装强度来确定,如 1A 型集装箱的底面安全负荷约为 $980 \times 9.8 \text{N/m}^2$,1C 型约为 $1330 \times 9.8 \text{N/m}^2$。为避免下层货物被压坏,需要在各层之间垫入缓冲器材。

(5)用装载货板(托盘)运货时要确切掌握集装箱的内部尺寸和货物包装的外部尺寸,以便计算装载件数,尽量减少空间浪费、多装货物。

(6)同一集装箱内货物混装时应注意如下几点:①物理、化学性质相冲突的货物不能混装;②轻货要放在重货上面;③包装强度弱的货物要放在包装强度强的货物上面;④不同形状、不同包装的货物尽可能不装在一起;⑤从包装中会渗漏出灰尘、液体、潮气、臭气等的货物,最好不要与其他货混装在一起;⑥带有尖角或其他突出物的货物,要把尖角或突出物包起来,避免损坏其他货物。

2. 特殊货物的装载要求

特殊货物主要包括大件货物、危险货物、鲜活货物等，由于它们性质比较特殊，有的货物需用特种集装箱运输，这些特殊货物和特种集装箱在装载时除需满足上述装载要求外，还有一些特殊的装载要求。

(1) 超尺度和超重货物装载要求。

所谓超尺度货物是指单件长、宽、高的尺寸超过了国际标准集装箱规定尺寸的货物；超重货物是指单件重量超过国际标准集装箱最大载货量的货物。国际标准集装箱都具有统一标准，特别是在尺度、总重量方面都有严格的限制，相应的集装箱装卸设备、运载工具等也都是根据这些标准设计制造的。如果货物的尺寸、重量超出这些标准规定值，对装载、装卸、运送各环节都会带来一些困难和问题。但随着集装箱运输的发展，货主对于超尺度和超重货物集装箱化运输的需求不断增多，所以相对于此类大件货物的集装箱装载也由实践中总结出一些方法，以满足货主的需要。

① 超高货的装载。

一般干货箱箱门有效高度是有一定范围的（$20'$ft 箱为 2135～2154 毫米；$40'$ft 箱为 2265～2284 毫米），如货物高度超过这一范围，则为超高货。

超高货物必须选择开顶箱或板架箱装载。集装箱装载超高货物时，要充分考虑运输全程中给内陆运输、装卸机械、船舶装载带来的问题。内陆运输线对通过高度、装载工具对装载高度都有一定的限制，运输工具的装载高度及总高度都要控制在限制范围内，超出规定高度范围的应向有关部门申请，得到允许后才能进行运输。集装箱船舶装载超高货箱时，只能堆装在舱内或甲板上的最高层。

② 超宽货物的装载。

超宽货物一般应采用板架箱或平台箱运输。集装箱运输下允许货物横向突出的尺度会受到集装箱船舶箱格、陆上运输线路（特别是铁路）允许宽度限制，受到使用装卸机械种类的限制（如跨运车对每边超宽量大于 10 厘米以上的集装箱无法作业），超宽货物装载时应给予充分考虑。

集装箱船舶装载超宽货箱时，如超宽量在 150 毫米以内，则可以与普通集装箱一样装在舱内或甲板上；如超宽量在 150 毫米以上，只能在舱面上装载，且相邻列位必须留出。

③ 超长货物的装载。

超长货物一般只能采用板架箱装载，装载时需将集装箱两端的插板取下，并铺在货物下部。超长货物的超长量有一定限制，最大不得超过 306 毫米（即 $1'$ft）。

集装箱船舶装载超长货箱时，一般装于甲板上（排与排之间间隔较大）；装在舱内时，相邻排位须留出。

④超重货物。

各类集装箱标准中都对各规格集装箱装载货物的重量与总重有明确限制。如 20'ft 箱限重为 20 吨,40'ft 箱限重为 30.48 吨。所有相关的运输工具和装卸机械也都是根据这一总重设计的。货物装入集装箱后,总重量不能超过上述规定值,超重是绝对不允许的。一旦装箱完毕发现超出了规定的最大重量,应取出一部分货物。

(2)干散货物装载要求。

用散货集装箱运输干散货可节约包装费和装卸费,主要用来运输谷物、树脂、饲料等。散货集装箱的箱顶上一般都设有 2~3 个装货口,装货时利用圆筒仓或仓库的漏斗或使用带有铲斗的起重机进行装载。散货集装箱一般采用将集装箱倾斜使散货产生自流的方法卸货。在装载时应注意以下问题:

①装货地点和卸货地点的装载和卸载的设备条件。

②根据待装货物的性质,对选用的集装箱进行清洁、干燥、除味等必要处理。

③在运输谷物、饲料等散货时,应注意防止因水湿而造成的货损。

(3)液体货物装载要求。

液体货物集装箱运输的方式有两种:一是直接装入罐式箱运输,二是液体货物装入其他容器(如桶)后再装入集装箱运输。采用第二种方式时,装载要求与一般货物类似(除危险品外),如果采用第一种方式,要注意下列事项:

①罐式集装箱本身的结构、性能和箱内面涂层能否满足货物运输要求。

②检查必备的管道、排空设备、安全阀是否完备有效。

③查明货物的比重与集装箱允许载重量与容量比值是否一致或接近,如果货物比重较大,则不能满罐装货,装货重量控制在允许的最大载重量范围内,并注意防止半罐液体货在装卸、运送过程中可能发生损罐的危险。

④有些液体货在运输和装卸过程中需要加温,需考虑装、卸货地点要有蒸汽源和电源。

(4)冷藏货物装载要求。

冷藏货物集装箱装载可分冷却货物和冷冻货物两种。冷却货物需维持货物呼吸和防止箱内出汗,要求不结冻或者货物表面轻微结冻,温度范围 11℃~−1℃。冷冻货物是将货物冰冻状态运输,温度范围为 −1℃~−20℃。冷藏货物装载时应注意以下问题:

①装载冷藏货物的集装箱应具有供箱人提供的该箱子的检验合格证书。

②货物装箱前,箱体应进行预冷,货物装箱时的温度应达到规定的装箱温度;冷冻集装箱内使用的垫木和其他衬垫材料也要预冷;要选用清洁卫生的衬垫材料,不污染货物。

③货物装载期间,冷冻装置必须停止运转。

④装货高度不能超过箱中的货物积载线,装货后箱顶与货物顶部一定要留出空隙,且货物不能堵塞冷气通道和泄水通道,使冷气能有效地流通。

⑤冷藏货物要比普通杂货更容易滑动,也容易破损,因此对货物要加以固定,固定货物时可以用网等作衬垫材料,这样不会影响冷气的循环和流通。

⑥温度要求不同或气味不同的冷藏货物绝不能配入同一箱内,装货完毕关门后,应立即使通风孔处于要求的位置,并按货主对温度的要求及操作要求控制好箱内温度。

第四节　国际货运代理合同

一、国际货运代理合同的概念

国际货运服务委托合同也称国际货运代理合同,是指国际货物运输代理企业接受进出口收发货人的委托,以委托人的名义办理货物运输及相关业务,并收取报酬的合同。

二、货运代理合同订立过程

国际货运服务委托代理合同的订立就是进出口货物的发货人或收货人与国际货运代理人之间就委托合同主要条款进行协商、达成协议的过程。在法律上,这一过程可分为要约和承诺两个基本阶段。具体协商过程要复杂得多,主要包括以下几个方面。

1. 提出委托、代理意向

国际货运服务委托合同的订立始于进出口发货人、收货人或国际货运服务代理人的一方向对方发出订立委托合同的意向,如果是进出口货物的发货人、收货人发出的,属于委托意向,如果是国际货运服务代理人发出的,则属于代理意向。一方提出订约意向是建立委托代理关系的起点。双方提出的意向内容有所差异,进出口货物的发货人、收货人一般提出拟委托办理的国际货物运输业务项目,同时向国际货运服务代理人询价;国际货运服务代理人向进出口货物的发货人、收货人提供自己的业务范围、资信状况、服务价格等内容。

委托或代理意向在合同法律上属于要约邀请。要约邀请是指希望他人向自己发出要约的意思表示。要约邀请只是引诱他人发出要约,它不能因相对人的承诺而成立合同。获得要约邀请信息的人可以向发出要约邀请的人发出要约,表明订立合同的意图。一般来说,寄送的价目表、拍卖公告、招标公告、招股说明书、商业广告等为要约邀请。

2. 调查、了解对方资信状况

当一方收到另一方发出的意图订立国际货运服务委托代理合同的意向时,一般不会马上开始与对方洽谈合同条款,需要首先通过调查、了解对方资信状况,然后作出决定。委托代理关系是建立在委托人与受托人相互了解、信任的基础上,在没有足够的互相了解之前,相互信任不存在的情况下,难以建立委托代理关系。调查、了解对方资信状况的具体内容可以很广,一般包括以下内容:

(1)对方是否具有相应的业务主体资格。对于国际货运服务代理人来说,是否具有从事货运服务代理业务的资格;对于进出口货物的发货人、收货人来说,是否具有从事进出口业务的资格,如果没有,是否委托有相应资格的进出口企业办理进出口业务。

(2)对方的商业信誉。通过对方以往的业务经营状况、资金状况、业内评价等判断商业信誉。

(3)业务能力。业务能力主要体现为是否具有适当履行合同的能力,包括以往的经验、企业管理水平、业务人员水平、必要的运输设备等。

3. 发出要约

进出口货物的发货人、收货人或国际货运服务代理人在了解对方资信状况,认为可以与对方建立委托代理关系的,则可以向对方发出订立委托合同的建议及合同条件,这一意思表示在法律上称为要约。

要约是希望和他人订立合同的意思表示。要约在商业活动和对外贸易中又称之为发盘,发出要约的人为要约人,接受要约的人为受要约人,简称受约人

要约为一种意思表示,但某种意思表示要构成要约,必须具备一定的条件。根据我国合同法的规定,要约的构成要件有:

(1)要约是由具有订约能力的特定人作出的意思表示。要约的提出旨在与他人订立合同,并希望对方承诺,所以要约人必须是订立合同的一方当事人要约人应当具有订约能力,无行为能力或依法不能独立实施某种行为的限制行为能力人发出订立合同的要约,并不能产生行为预期的效果。

(2)要约必须向要约人希望与之缔结合同的受约人发出。要约人向谁发出要约也就是希望与谁订立合同,选择向谁发出要约是要约人在合同领域中意思自治的一个重要体现,由于合同是特定的当事人之间的债权债务关系,合同具有相对性,所以,在一般情况下,要约也须向特定的人发出。但在某些特定情况下,对于不特定的人作出而又无碍要约所达目的时,要约也可成立。

(3)要约必须具有订立合同的意图。所谓具备订立合同的意图,是指要约人已经决定与受约人订立合同,并表明自己的要约一经对方承诺,合同即告成立,要

约人即受约束。只有具备订立合同的意图,一项意思表示才能构成要约。凡不具有订立合同意图的意思表示,均不构成要约,向对方寄送报价单、价目表及商品目录等,其内容可能包括价格、品质规格、数量等,但因为不具有订立合同的意图,不属于要约。

(4)要约的内容必须具体、确定。所谓"具体"是指要约的内容必须具有足以使合同成立的主要条款,如果没有包含合同的主要条款,受约人难以作出承诺。所谓"确定"是指要约的内容必须明确,不能含糊不清,使受约人不能理解要约的真实含义,否则无法承诺。

国际货运服务代理人散发的商业广告、价目表、进出口商发布的招标公告等都不是要约,主要是其内容不够具体、确定,不足以构成合同的基本条件。

4. 审核、评估要约中的合同条件

收到要约的一方应当对要约中包括的具体合同条件进行多角度的分析、评估。进出口货物的发货人或收货人对于国际货运服务代理人提出的要约,需要考虑其中的运输方式、运输路线、运输时间、操作方法、收费标准等。国际货运服务代理人对于进出口发货人或收货人提出的要约,需要考虑其中的运输方式、运输时间、价格条件、结算方式等要求。

5. 承诺

进出口发货人收货人或国际货运服务代理人认为,对方在要约中提出的合同条件在经济技术、法律等方面具有合理性,是可以接受的,则向对方发出接受要约的承诺。

承诺是指受约人同意要约的意思表示。承诺必须具备以下条件,才能产生法律效力。

(1)承诺必须由受约人向要约人作出。要约和承诺是订立合同的两个阶段,它们都是相对人的行为,要约是要约人向受约人发出的,只有受约人才有权作出承诺。第三人因不是受约人,无资格向要约人作出承诺。

(2)承诺的内容必须与要约的内容一致。承诺从形式上看是对要约人所发出要约的答复和同意,同意要约就意味着受约人愿意接受要约人在要约中提出的各项条件和内容,如果受约人对要约人的答复不是同意要约的内容,而是提出了新的内容或者对要约的内容作了实质性的修改变更,则该答复不构成承诺,而是一种新的要约。所谓实质性变更,是指合同重要条款的变更,通常来说,合同的标的、数量、质量、价款或者报酬、履行期限、履行地点和方式、违约责任和解决争议的方法属于实质内容范围。

(3)承诺须在要约的有效期限内作出。承诺作为对有效要约的同意,它应当约的有效期限内作出,否则,一旦要约失效,要约对要约人失去拘束力,受约人为之作出的承诺便失去了意义,不能产生合同成立的后果,只是构成一项新的要约。有效期限有两种形式,一是要约规定的期限,二是要约没有具体规定承诺期限,则应该理解为是合理期限。按照我国《合同法》,承诺到达要约人时,承诺生效

6. 签订委托合同

一般情况下,承诺生效时,合同成立。但是,当事人采用合同书形式订立合同的,自双方当事人签字或者盖章时合同成立。当事人采用信件、数据电文等形式订立合同的,可以在合同成立之前要求签订确认书,签订确认书时合同成立。承诺生效的地点为合同成立的地点。采用数据电文形式订立合同的,收件人的主营业地为合同成立的地点。当事人采用合同书形式订立合同的,双方当事人签字或者盖章的地点为合同成立的地点。

国际货运服务委托合同当事人在签订书面合同时,代表双方在合同上签字的人应是各自的法定代表人或其委托的代理人,并加盖各自单位公章或合同专用章。在实践中,进出口商与国际货运服务代理人相互比较了解,往往简化委托合同订立程序,由委托人出具委托书或托运单,在获得国际货运服务代理人确认或接受后,双方之间的委托关系成立。

在通常情况下,委托书应该是基于有效成立的委托合同,由委托人签发给受托后人,表明受托人有权以委托人的名义从事授权范围事务的书面凭证。因此,委托书不等于委托合同。货运服务代理委托书一般包括下列内容:进出口公司编号、委托日期、发货人名称、信用证号码、开证银行、合同号码、成交金额、装货港卸货港、收货人、转船运输条件、分批装运条件、信用证效期、装船期限、运费支付方式、成交条件、通知人、货物标记唛码、货物规格、包装件数、毛重净重、数量、单价和总价等。

实际上,托运单在形式上是托运人向承运人发出的要约,是托运人根据买卖合同、信用证的有关内容,向承运人办理货物运输的书面凭证。托运单的主要内容包括:托运人、收货人的名称,货物的名称、重量、尺码、件数、包装、运输标志等,目的港、装船期限、装运批次、对运输的要求及对签发提单的要求等。

三、国际货运服务委托合同的主要条款

1. 合同当事人

合同当事人条款应该全面反映当事人的有关情况,以利于业务的开展及可能产生纠纷时有关情况的处理,这也是双方互相信任的体现。该条款一般包括委托人和受托人的名称(法人或其他社会组织)和姓名(自然人)、住址、主营业场所,法定代表人、电话、传真、电子邮件地址、邮政编码。必要时载明委托人和受托人的地址、开户银行、银行账号、授权代理人名称或姓名、职务、联系方式等。

2. 委托事项

委托事项通常与委托合同授权范围直接相关。该条款包括委托人委托受托人办理的具体事项、委托权限范围、委托期限等内容。对国际货运服务委托合同来说应该明确委托运输的货物名称、规格、数量、重量、体积、包装、发运期限、运输方式、运输路线、起运地、目的地、转运地；发货人和收货人名称或姓名、地址、电话传真等内容。对于危险货物、鲜活、超限等特殊货物和容易发生自然损耗的货物还应当注明货物的性质、运输、保管条件、外形尺寸、重心、吊装位置、损耗要求等。

3. 当事人权利义务

当事人权利义务条款一般是从义务角度进行规定，一方履行义务，另一方相应享有权利，在权利义务不对称的情况下，有必要专门规定权利或义务。在合同没有约定的情况下，可以依照有关法律确定。我国《合同法》关于委托合同当事人权义务的主要规定是：

(1)受托人的义务。①依委托人的指示处理委托事务的义务；②亲自处理委托事务的义务；③报告义务，即受托人应当按照委托人的要求，报告委托事务的处理情况。委托合同终止时，受托人应当报告委托事务的结果；④财产转交义务受托人处理委托事务取得的财产，应当转交给委托人。

(2)委托人的义务。①承受受托人行为后果的义务；②支付费用的义务；③支付报酬的义务；④赔偿受托人损失的义务。

4. 费用和报酬

国际货运服务委托合同的委托人向受托人支付处理委托事物的费用和委托报酬是一项基本义务，关于这些费用和报酬的支付范围标准、方式、地点、时间等的规定是委托合同的基本条款。

在国际货运服务委托代理业务中，有关费用主要包括国际货运服务代理人为了完成货主委托的进出口货物运输事务及相关事务而支出、垫付的运费、杂费、仓储费、包装费、关税、保险费、报验费等，有时还包括通讯费、差旅费等费用。报酬是指委托人就委托人提供的代理服务而给付于的酬劳。国际货运服务委托代理报酬根据委托事项多少、难易程度、投入多少等由双方协商确定。

5. 合同履行期限、地点和方式

合同履行期限、地点和方式需要根据委托合同当事人各自承担的不同义务来确定，义务不同，其履行期限、地点和方式也相应有所区别。

6. 违约责任

违约责任，也称为违反合同的民事责任，是指当事人因违反合同义务所承担的责任。违约责任的产生是以合同的有效存在为前提的，合同一旦生效，在当事人之间即产生法律约束力，当事人人有义务全面地、严格地履行合同义务。任何一方当事人因违反有效合同规定的义务均应承担违约责任,所以违约责任是违反有效合同规定的义务的结果。合同关系具有相对性,即违约责任只能在特定的当事人之即合同关系的当事人之间发生,合同关系外的人不负违约责任,合同当事人也不对其承担违约责任。违约责任可由当事人约定,包括承担违约责任的形式和金额违约责任一般具有补偿性,补偿性是指违约责任旨在弥补或补偿因违约行为造成的损害后果。

根据履行期限是否到来,可将违约行为分为预期违约行为和实际违约行为两种类型。预期违约是指在合同履行期限到来之前,当事人一方明确表示或者以自己的行为表明不履行合同的行为。实际违约行为是指在履行期限到来以后,当事人不履行或不完全履行合同义务而构成的违约行为。实际违约行为有以下几种类型:拒绝履行、迟延履行、不适当履行。

违约责任形式包括继续履行、支付违约金、损害赔偿、按照定金规则承担责任等。

7. 合同变更、终止

合同变更是指在合同履行期间,通过当事人协商一致,改变原先约定的合同内容,包括删除部分内容、代之以新的内容或者增加补充协议等的行为。合同变更的基本条件是双方就变更事项协商一致,单方无权变更合同内容。

合同终止,是指合同失去法律上约束当事人的效力,在当事人间不再存在原有同关系。合同终止的原因主要包括:债务已经按照约定履行;合同解除;债务相互抵消;债务人依法将标的物提存;债权人免除债务;债权债务同归于一人;法律规定或者当事人约定终止的其他情形。

8. 法律适用

国际货运服务委托合同的当事人如果都是在中国注册成立的企业,一般适用中国法律。如果一方是外国当事人,这样的合同即具有涉外因素,有必要规定合同所适用的法律。对于涉外合同,当事人可以选择处理合同争议所适用的法律,法律另有规定的除外。涉外合同的当事人没有选择的,适用与合同有最密切联系的国家的法律。

9. 合同争议解决方式

当事人可以通过和解或者调解解决合同争议。当事人不愿和解、调解或者和解、调解不成的,可以根据仲裁协议向仲裁机构申请仲裁。涉外合同的当事人可以根据仲裁协议向中国仲裁机构或者其他仲裁机构申请仲裁。当事人没有订立仲裁协议或者仲裁协议无效的,可以向人民法院起诉。当事人应当履行发生法律效力的判决、仲裁裁决、调解书;拒不履行的,对方可以请求人民法院执行。

10. 合同解释

如果国际货运服务委托合同使用不同语言达成合同文本的,则在合同条款解释方面需要确定不同文本的效力问题。一般而言,不同语言文本的效力是相同的。另外,无论用什么语言,总是存在合同条款解释的问题。我国《合同法》规定,当事人对合同条款的理解有争议的,应当按照合同所使用的词句、合同的有关条款、合同的目的、交易习惯以及诚实信用原则,确定该条款的真实意思。合同文本采用两种以上文字订立并约定具有同等效力的,对各文本使用的词句推定具有相同含义各文本使用的词句不一致的,应当根据合同的目的予以解释。

11. 合同签订时间、地点及生效

合同签订时间与合同生效时间有关,合同以最后签字当事人签字后开始生效如果合同生效时间与签字时间不一致的,则可约定具体的生效时间。

合同签订地点一般在发生纠纷时可作为法院管辖地的依据之一。

12. 其他

在上述条款外,委托合同当事人可以根据实际情况约定其他条款,如合同通知、合同权利义务转让、合同条款的独立性、不可抗力定义及种类、合同正副本数量、合同附件及其效力等。

合同当事人为了简化合同订立,可以采用国际货运代理服务方面的标准交易条款,如"中国国际货运代理协会标准交易条件"、菲亚塔示范规则等,经当事人同意采用,这些标准交易条款自动被纳入合同,成为合同的组成部分。

第五节 国际海运规则及法规

一、《海牙规则》

《海牙规则》(Hague Rules)全称为《统一提单的若干法律规定的国际公约》(International Convention for the Unification of Certain Rules of Law Relating to Bills of Lading,1924),是关于提单法律规定的第一部国际公约。海牙规则 1924 年 8 月 25 日在比利时首都布鲁塞尔签订,1931 年 6 月 2 日起生效,是为统一世界各国关于提单的不同法律规定,并确定承运人与托运人在海上货物运输中的权利和义务而制定的国际协议。

《海牙规则》节选:

第一条

本公约所用下列各词,涵义如下:

承运人包括与托运人订有运输合同的船舶所有人或租船人。

第八章 国际货运代理实务

运输合同仅适用于以提单或任何类似的物权证件进行有关海上货物运输的合同;在租船合同下或根据租船合同所签发的提单或任何物权证件,在成为制约承运人与凭证持有人之间的关系准则时,也包括在内。

货物包括货物、制品、商品和任何种类的物品,但活牲畜以及在运输合同上载明装载于舱面上并且已经这样装运的货物除外。

船舶是指用于海上货物运输的任何船舶。

货物运输是指自货物装上船时起,至卸下船时止的一段期间。

第二条

除遵照第六条规定外,每个海上货物运输合同的承运人,对有关货物的装载、搬运、配载、运送、保管、照料和卸载,都应按照下列规定承担责任和义务,并享受权利和豁免。

第三条

1.承运人须在开航前和开航时恪尽职责:

使船舶适于航行;适当地配备船员、装备船舶和供应船舶;使货舱、冷藏舱和该船其他载货处所能适宜和安全地收受、运送和保管货物。

2.除遵照第四条规定外,承运人应适当和谨慎地装卸、搬运、配载、运送、保管、照料和卸载所运货物。

3.承运人或船长或承运人的代理人在收受货物归其照管后,经托运人的请求,应向托运人签发提单,其上载明下列各项:

(a)与开始装货前由托运人书面提供者相同的、为辨认货物所需的主要唛头,如果这项唛头是以印戳或其他方式标示在不带包装的货物上,或在其中装有货物的箱子或包装物上,该项唛头通常应在航程终了时仍能保持清晰可认。

(b)托运人用书面提供的包数或件数,或数量,或重量。

(c)货物的表面状况。

但是,承运人、船长或承运人的代理人,不一定必须将任何货物的唛头、号码、数量或重量表明或标示在提单上,如果他有合理根据怀疑提单不能正确代表实际收到的货物,或无适当方法进行核对的话。

4.依照第3款(a)(b)(c)项所载内容的这样一张提单,应作为承运人收到该提单中所载货物的初步证据。

5.托运人应被视为已在装船时向承运人保证,由他提供的唛头、号码、数量和重量均正确无误;并应赔偿给承运人由于这些项目不正确所引起或导致的一切灭失、损坏和费用。承运人的这种赔偿权利,并不减轻其根据运输合同对托运人以外的任何人所承担的责任和义务。

6.在将货物移交给根据运输合同有权收货的人之前或当时,除非在卸货港将货物的灭失和损害的一般情况,已用书面通知承运人或其代理人,则这种移交应作为承运人已按照提单规定交付货物的初步证据。

如果灭失或损坏不明显,则这种通知应于交付货物之日起的三天内提交。如果货物状况在收受时已经进行联合检验或检查,就无须再提交书面通知。

除非从货物交付之日或应交付之日起一年内提出诉讼,承运人和船舶在任何情况下都免除对灭失或损害所负的一切责任。遇有任何实际的或推定的灭失或损害,承运人与收货人必须为检验和清点货物相互给予一切合理便利。

7. 货物装船后,如果托运人要求,签发"已装船"提单,承运人、船长或承运人的代理人签发给托运人的提单,应为"已装船"提单,如果托运人事先已取得这种货物的物权单据,应交还这种单据,换取"已装船"提单。但是,也可以根据承运人的决定,在装货港由承运人、船长或其代理人在上述物权单据上注明装货船名和装船日期。经过这样注明的上述单据,如果载有第三条第 3 款所指项目,即应成为本条所指的"已装船"提单。

8. 运输合同中的任何条款、约定或协议,凡是解除承运人或船舶对由于疏忽、过失或未履行本条规定的责任和义务,因而引起货物或关于货物的灭失或损害的责任的,或以下同于本公约的规定减轻这种责任的,则一律无效。有利于承运人的保险利益或类似的条款,应视为属于免除承运人责任的条款。

第四条

1. 不论承运人或船舶,对于因不适航所引起的灭失或损坏,都不负责,除非造成的原因是由于承运人未按第三条第 1 款的规定,恪尽职责;使船舶适航;保证适当地配备船员、装备和供应该船,以及使货舱、冷藏舱和该船的其他装货处所能适宜并安全地收受、运送和保管货物。凡由于船舶不适航所引起的灭失和损害,对于已恪尽职责的举证责任,应由根据本条规定要求免责的承运人或其他人承担。

2. 不论承运人或船舶,对由于下列原因引起或造成的灭失或损坏,都不负责:

(a)船长、船员、引水员或承运人的雇佣人员,在航行或管理船舶中的行为、疏忽或不履行义务。(b)火灾,但由于承运人的实际过失或私谋所引起的除外。(c)海上或其他能航水域的灾难、危险和意外事故。(d)天灾。(e)战争行为。(f)公敌行为。(g)君主、当权者或人民的扣留或管制,或依法扣押。(h)检疫限制。(i)托运人或货主、其代理人或代表的行为或不行为。(j)不论由于任何原因所引起的局部或全面罢工、关厂停止或限制工作。(k)暴动和骚乱。(l)救助或企图救助海上人命或财产。(m)由于货物的固有缺点、性质或缺陷引起的体积或重量亏损,或任何其他灭失或损坏。(n)包装不善。(o)唛头不清或不当。(p)虽恪尽职责亦不能发现的潜在缺点。(q)非承运人的实际过失或私谋,或者承运人的代理人,或雇佣人员的过失或疏忽所引起的其他任何原因;但是要求引用这条免责利益的人应负责举证,证明有关的灭失或损坏既非由于承运人的实际过失或私谋,亦非承运人的代理人或雇佣人员的过失或疏忽所造成。

3. 对于任何非因托运人、托运人的代理人或其雇佣人员的行为、过失或疏忽所引起的使承运人或船舶遭受的灭失或损坏,托运人不负责任。

4. 为救助或企图救助海上人命或财产而发生的绕航,或任何合理绕航,都不能作为破坏或违反本公约或运输合同的行为;承运人对由此而引起的任何灭失或损害,都不负责。

5. 承运人或是船舶,在任何情况下对货物或与货物有关的灭失或损害,每件或每计费单位超过一百英镑或与其等值的其他货币的部分,都不负责;但托运人于装货前已就该项货物的性质和价值提出声明,并已在提单中注明的,不在此限。

该项声明如经载入提单,即作为初步证据,但它对承运人并不具有约束力或最终效力。

经承运人、船长或承运人的代理人与托运人双方协议,可规定不同于本款规定的另一最高限额,但该最高限额不得低于上述数额。

如托运人在提单中,故意谎报货物性质或价值,则在任何情况下,承运人或是船舶,对货物或与货物有关的灭失或损害,都不负责。

6. 承运人、船长或承运人的代理人对于事先不知性质而装载的具有易燃、爆炸或危险性的货物,可在卸货前的任何时候将其卸在任何地点,或将其销毁,或使之无害,而不予赔偿;该项货物的托运人,应对由于装载该项货物而直接或间接引起的一切损害或费用负责。如果承运人知道该项货物的性质,并已同意装载,则在该项货物对船舶或货载发生危险时,亦得同样将该项货物卸在任何地点,或将其销毁,或使之无害,而不负赔偿责任,但如发生共同海损不在此限。

第五条

承运人可以自由地全部或部分放弃本公约中所规定的他的权利和豁免,或增加他所应承担的任何一项责任和义务。但是这种放弃或增加,须在签发给托运人的提单上注明。

本公约的规定,不适用于租船合同,但如果提单是根据租船合同签发的,则上述提单应符合本公约的规定。本公约中的任何规定,都不得妨碍在提单中加注有关共同海损的任何合法条款。

第六条

虽有前述各条规定,只要不违反公共秩序,承运人、船长或承运人的代理人得与托运人就承运人对任何特定货物应负的责任和应尽的义务,及其所享受的权利与豁免,或船舶适航的责任等,以任何条件,自由地订立任何协议。或就承运人雇佣人员或代理人在海运货物的装载、搬运、配载、运送、保管、照料和卸载方面应注意及谨慎的事项，自由订立任何协议。但在这种情况下，必须是未曾签发或将不签发提单，而且应将上述协议的条款载入不得转让并注明这种字样的收据内。

这样订立的任何协议，都具有完全的法律效力。

但本条规定不适用于依照普通贸易程序成交的一般商业货运，而仅在拟装运的财物的性质和状况，或据以进行运输的环境、条款和条件，有订立特别协议的合理需要时，才能适用。

第七条

本条约中的任何规定，都不妨碍承运人或托运人就承运人或船舶对海运船舶所载货物于装船以前或卸船以后所受灭失或损害，或与货物的保管、照料和搬运有关的灭失或损害所应承担的责任与义务，订立任何协议、规定、条件、保留或免责条款。

第八条

本公约各条规定，都不影响有关海运船舶所有人责任限制的任何现行法令所规定的承运人的权利和义务。

第九条

本公约所提到的货币单位为金价。

凡缔约国中不以英镑作为货币单位的，得保留其将本公约所指的英镑数额以四舍五入的方式折合为本国货币的权利。

各国法律可以为债务人保留按船舶抵达卸货港之日通知的兑换率，以本国货币偿清其有关货物的债务的权利。

第十条

本公约和各项规定，适用于在任何缔约国所签发的一切提单。

第十一条

自本公约签字之日起不超过二年的期限内，比利时政府应与已声明拟批准本公约的缔约国保持联系，以便决定是否使本公约生效。批准书应于各缔约国协商确定的日期交存于布鲁塞尔。首次交存的批准书应载入由参加国代表及比利时外交部长签署的议定书内。

以后交存的批准书，应以书面通知送交比利时政府，并随附批准文件。

比利时政府应立即将有关记载首次交存批准书的议定书和上段所指的通知，随附批准书等的核证无误的副本，通过外交途径送交已签署本公约或已加入本公约的国家。在上段所指情况下，比利时政府应于收到通知的同时，知照各国。

第十二条

凡未签署本公约的国家，不论是否已出席在布鲁塞尔召开的国际会议，都可以加入本公约。

拟加入本公约的国家,应将其意图用书面通知比利时政府,并送交其加入的文件,该项文件应存放在比利时政府档案库。

比利时政府应立即将加入本公约通知书的核证无误的副本,分送已签署本公约或已加入本公约的国家,并注明它收到上述通知的日期。

第十三条

缔约国的签署、批准或加入本公约时,可以声明其接受本公约并不包括其任何或全部自治领或殖民地、海外属地、保护国或在其主权或权力管辖下的地域;并且可以在此后代表这些声明中未包括的任何自治领或殖民地、海外属地、保护国或地域将分别加入本公约。各缔约国还可以根据本公约的规定,代表其任何自治领或殖民地、海外属地、保护国或其主权或权力管辖下的地域将分别声明退出本公约。

第十四条

本公约在首批交存批准书的各国之间,于议定书记载此项交存之日起一年后开始生效。此后批准或加入本公约的各国或根据第十三条规定使公约生效的各国,于此比利时政府收到第十一条第2款及第十二条第2段所指的通知六个月后生效。

第十五条

如有缔约国欲退出本公约,应用书面通知比利时政府,比利时政府立即将核证无误的通知副本分送其他国家,并注明其收到上述通知的日期。

这种退出只对提出通知的国家有效,生效日期从上述通知送达比利时政府之日起一年以后开始。

第十六条

任何一个缔约国都有权就考虑修改本公约事项,请求召开新的会议。

欲行使此项权利的国家,应通过比利时政府将其意图通知其他国家,由比利时政府安排召开会议事宜。

1924年8月25日订于布鲁塞尔,计一份。

签字议定书

在签订《统一提单的若干法律规则的国际公约》时,下列签字的全权代表都已采用本议定书;本议定书犹如已将其条款列入它所依附的公约那样,具有同样的效力。

各缔约国得以给予本公约以法律效力,或将本公约所采用的规则以适于其本国立法的形式纳入该国的法律,使之生效。

各缔约国得保留以下权力:

1.规定如发生第四条第2款(c)至(p)项所述情况,提单持有人应有权就未在第(a)项提及的由于承运人本人或其雇佣人员的过失所引起的灭失或损坏,制定责任制度。

2. 在本国沿海贸易中,将第六条规定各点用于各种货物上,而不考虑该条最末一段所规定的限制。

二、《中华人民共和国海商法》

中华人民共和国主席令(七届第 64 号)

《中华人民共和国海商法》已由中华人民共和国第七届全国人民代表大会常务委员会第二十八次会议于 1992 年 11 月 7 日通过,现予公布,自 1993 年 7 月 1 日起施行。

《中华人民共和国海商法》节选如下:

第四章　海上货物运输合同

第一节　一般规定

第四十一条　海上货物运输合同是指承运人收取运费,负责将托运人托运的货物经海路由一港运至另一港的合同。

第四十二条　本章下列用语的含义:

"承运人"是指本人或者委托他人以本人名义与托运人订立海上货物运输合同的人。

"实际承运人"是指接受承运人委托,从事货物运输或者部分运输的人,包括接受转委托从事此项运输的其他人。

"托运人"是指:

1. 本人或者委托他人以本人名义或者委托他人为本人与承运人订立海上货物运输合同的人;

2. 本人或者委托他人以本人名义或者委托他人为本人将货物交给与海上货物运输合同有关的承运人的人。

"收货人"是指有权提取货物的人。

"货物"包括活动物和由托运人提供的用于集装货物的集装箱、货盘或者类似的装运器具。

第四十三条　承运人或者托运人可以要求书面确认海上货物运输合同的成立。但是,航次租船合同应当书面订立。电报、电传和传真具有书面效力。

第四十四条　海上货物运输合同和作为合同凭证的提单或者其他运输单证中的条款,违反本章规定的,无效。此类条款的无效,不影响该合同和提单或者其他运输单证中其他条款的效力。将货物的保险利益转让给承运人的条款或者类似条款,无效。

第四十五条 本法第四十四条的规定不影响承运人在本章规定的承运人责任和义务之外,增加其责任和义务。

第二节 承运人的责任

第四十六条 承运人对集装箱装运的货物的责任期间,是指从装货港接收货物时起至卸货港交付货物时止,货物处于承运人掌管之下的全部期间。承运人对非集装箱装运的货物的责任期间,是指从货物装上船时起至卸下船时止,货物处于承运人掌管之下的全部期间。在承运人的责任期间,货物发生灭失或者损坏,除本节另有规定外,承运人应当负赔偿责任。

前款规定,不影响承运人就非集装箱装运的货物,在装船前和卸船后所承担的责任,达成任何协议。

第四十七条 承运人在船舶开航前和开航当时,应当谨慎处理,使船舶处于适航状态,妥善配备船员、装备船舶和配备供应品,并使货舱、冷藏舱、冷气舱和其他载货处所适于并能安全收受、载运和保管货物。

第四十八条 承运人应当妥善地、谨慎地装载、搬移、积载、运输、保管、照料和卸载所运货物。

第四十九条 承运人应当按照约定的或者习惯的或者地理上的航线将货物运往卸货港。

船舶在海上为救助或者企图救助人命或者财产而发生的绕航或者其他合理绕航,不属于违反前款规定的行为。

第五十条 货物未能在明确约定的时间内,在约定的卸货港交付的,为迟延交付。

除依照本章规定承运人不负赔偿责任的情形外,由于承运人的过失,致使货物因迟延交付而灭失或者损坏的,承运人应当负赔偿责任。

除依照本章规定承运人不负赔偿责任的情形外,由于承运人的过失,致使货物因迟延交付而遭受经济损失的,即使货物没有灭失或者损坏,承运人仍然应当负赔偿责任。

承运人未能在本条第一款规定的时间届满六十日内交付货物,有权对货物灭失提出赔偿请求的人可以认为货物已经灭失。

第五十一条 在责任期间货物发生的灭失或者损坏是由于下列原因之一造成的,承运人不负赔偿责任:

(一)船长、船员、引航员或者承运人的其他受雇人在驾驶船舶或者管理船舶中的过失;

(二)火灾,但是由于承运人本人的过失所造成的除外;

(三)天灾,海上或者其他可航水域的危险或者意外事故;

(四)战争或者武装冲突；

(五)政府或者主管部门的行为、检疫限制或者司法扣押；

(六)罢工、停工或者劳动受到限制；

(七)在海上救助或者企图救助人命或者财产；

(八)托运人、货物所有人或者他们的代理人的行为；

(九)货物的自然特性或者固有缺陷；

(十)货物包装不良或者标志欠缺、不清；

(十一)经谨慎处理仍未发现的船舶潜在缺陷；

(十二)非承运人或者承运人的受雇人、代理人的过失造成。

承运人依照前款规定免除赔偿责任的，除第(二)项规定的原因外，应当负举证责任。

第五十二条 因运输活动物的固有的特殊风险造成活动物灭失或者损害的，承运人不负赔偿责任。但是，承运人应当证明业已履行托运人关于运输活动物的特别要求，并证明根据实际情况，灭失或者损害是由于此种固有的特殊风险造成的。

第五十三条 承运人在舱面上装载货物，应当同托运人达成协议，或者符合航运惯例，或者符合有关法律、行政法规的规定。

承运人依照前款规定将货物装载在舱面上，对由于此种装载的特殊风险造成的货物灭失或者损坏，不负赔偿责任。

承运人违反本条第一款规定将货物装载在舱面上，致使货物遭受灭失或者损坏的，应当负赔偿责任。

第五十四条 货物的灭失、损坏或者迟延交付是由于承运人或者承运人的受雇人、代理人的不能免除赔偿责任的原因和其他原因共同造成的，承运人仅在其不能免除赔偿责任的范围内负赔偿责任；但是，承运人对其他原因造成的灭失、损坏或者迟延交付应当负举证责任。

第五十五条 货物灭失的赔偿额，按照货物的实际价值计算；货物损坏的赔偿额，按照货物受损前后实际价值的差额或者货物的修复费用计算。货物的实际价值，按照货物装船时的价值加保险费加运费计算。

前款规定的货物实际价值，赔偿时应当减去因货物灭失或者损坏而少付或者免付的有关费用。

第五十六条 承运人对货物的灭失或者损坏的赔偿限额，按照货物件数或者其他货运单位数计算，每件或者每个其他货运单位为666.67计算单位，或者按照货物毛重计算，每公斤为2计算单位，以二者中赔偿限额较高的为准。但是，托运人在货物装运前已经申报其性质和价值，并在提单中载明的，或者承运人与托运人已经另行约定高于本条规定的赔偿限额的除外。

货物用集装箱、货盘或者类似装运器具集装的,提单中载明装在此类装运器具中的货物件数或者其他货运单位数,视为前款所指的货物件数或者其他货运单位数;未载明的,每一装运器具视为一件或者一个单位。

装运器具不属于承运人所有或者非由承运人提供的,装运器具本身应当视为一件或者一个单位。

第五十七条 承运人对货物因迟延交付造成经济损失的赔偿限额,为所迟延交付的货物的运费数额。货物的灭失或者损坏和迟延交付同时发生的,承运人的赔偿责任限额适用本法第五十六条第一款规定的限额。

第五十八条 就海上货物运输合同所涉及的货物灭失、损坏或者迟延交付对承运人提起的任何诉讼,不论海事请求人是否合同的一方,也不论是根据合同或者是根据侵权行为提起的,均适用本章关于承运人的抗辩理由和限制赔偿责任的规定。

前款诉讼是对承运人的受雇人或者代理人提起的,经承运人的受雇人或者代理人证明,其行为是在受雇或者受委托的范围之内的,适用前款规定。

第五十九条 经证明,货物的灭失、损坏或者迟延交付是由于承运人的故意或者明知可能造成损失而轻率地作为或者不作为造成的,承运人不得援用本法第五十六条或者第五十七条限制赔偿责任的规定。

经证明,货物的灭失、损坏或者迟延交付是由于承运人的受雇人、代理人的故意或者明知可能造成损失而轻率地作为或者不作为造成的,承运人的受雇人或者代理人不得援用本法第五十六条或者第五十七条限制赔偿责任的规定。

第六十条 承运人将货物运输或者部分运输委托给实际承运人履行的,承运人仍然应当依照本章规定对全部运输负责。对实际承运人承担的运输,承运人应当对实际承运人的行为或者实际承运人的受雇人、代理人在受雇或者受委托的范围内的行为负责。

虽有前款规定,在海上运输合同中明确约定合同所包括的特定的部分运输由承运人以外的指定的实际承运人履行的,合同可以同时约定,货物在指定的实际承运人掌管期间发生的灭失、损坏或者迟延交付,承运人不负赔偿责任。

第六十一条 本章对承运人责任的规定,适用于实际承运人。对实际承运人的受雇人、代理人提起诉讼的,适用本法第五十八条第二款和第五十九条第二款的规定。

第六十二条 承运人承担本章未规定的义务或者放弃本章赋予的权利的任何特别协议,经实际承运人书面明确同意的,对实际承运人发生效力;实际承运人是否同意,不影响此项特别协议对承运人的效力。

第六十三条　承运人与实际承运人都负有赔偿责任的,应当在此项责任范围内负连带责任。

第六十四条　就货物的灭失或者损坏分别向承运人、实际承运人以及他们的受雇人、代理人提出赔偿请求的,赔偿总额不超过本法第五十六条规定的限额。

第六十五条　本法第六十条至第六十四条的规定,不影响承运人和实际承运人之间相互追偿。

第三节　托运人的责任

第六十六条　托运人托运货物,应当妥善包装,并向承运人保证,货物装船时所提供的货物的品名、标志、包数或者件数、重量或者体积的正确性;由于包装不良或者上述资料不正确,对承运人造成损失的,托运人应当负赔偿责任。

承运人依照前款规定享有的受偿权利,不影响其根据货物运输合同对托运人以外的人所承担的责任。

第六十七条　托运人应当及时向港口、海关、检疫、检验和其他主管机关办理货物运输所需要的各项手续,并将已办理各项手续的单证送交承运人;因办理各项手续的有关单证送交不及时、不完备或者不正确,使承运人的利益受到损害的,托运人应当负赔偿责任。

第六十八条　托运人托运危险货物,应当依照有关海上危险货物运输的规定,妥善包装,作出危险品标志和标签,并将其正式名称和性质以及应当采取的预防危害措施书面通知承运人;托运人未通知或者通知有误的,承运人可以在任何时间、任何地点根据情况需要将货物卸下、销毁或者使之不能为害,而不负赔偿责任。托运人对承运人因运输此类货物所受到的损害,应当负赔偿责任。

承运人知道危险货物的性质并已同意装运的,仍然可以在该项货物对于船舶、人员或者其他货物构成实际危险时,将货物卸下、销毁或者使之不能为害,而不负赔偿责任。但是,本款规定不影响共同海损的分摊。

第六十九条　托运人应当按照约定向承运人支付运费。

托运人与承运人可以约定运费由收货人支付;但是,此项约定应当在运输单证中载明。

第七十条　托运人对承运人、实际承运人所遭受的损失或者船舶所遭受的损坏,不负赔偿责任;但是,此种损失或者损坏是由于托运人或者托运人的受雇人、代理人的过失造成的除外。

托运人的受雇人、代理人对承运人、实际承运人所遭受的损失或者船舶所遭受的损坏,不负赔偿责任;但是,这种损失或者损坏是由于托运人的受雇人、代理人的过失造成的除外。

第四节　运输单证

第七十一条　提单，是指用以证明海上货物运输合同和货物已经由承运人接收或者装船，以及承运人保证据以交付货物的单证。提单中载明的向记名人交付货物，或者按照指示人的指示交付货物，或者向提单持有人交付货物的条款，构成承运人据以交付货物的保证。

第七十二条　货物由承运人接收或者装船后，应托运人的要求，承运人应当签发提单。

提单可以由承运人授权的人签发。提单由载货船舶的船长签发的，视为代表承运人签发。

第七十三条　提单内容，包括下列各项：

（一）货物的品名、标志、包数或者件数、重量或者体积，以及运输危险货物时对危险性质的说明；

（二）承运人的名称和主营业所；

（三）船舶名称；

（四）托运人的名称；

（五）收货人的名称；

（六）装货港和在装货港接收货物的日期；

（七）卸货港；

（八）多式联运提单增列接收货物地点和交付货物地点；

（九）提单的签发日期、地点和份数；

（十）运费的支付；

（十一）承运人或者其代表的签字。

提单缺少前款规定的一项或者几项的，不影响提单的性质；但是，提单应当符合本法第七十一条的规定。

第七十四条　货物装船前，承运人已经应托运人的要求签发收货待运提单或者其他单证的，货物装船完毕，托运人可以将收货待运提单或者其他单证退还承运人，以换取已装船提单；承运人也可以在收货待运提单上加注承运船舶的船名和装船日期，加注后的收货待运提单视为已装船提单。

第七十五条　承运人或者代其签发提单的人，知道或者有合理的根据怀疑提单记载的货物的品名、标志、包数或者件数、重量或者体积与实际接收的货物不符，在签发已装船提单的情况下怀疑与已装船的货物不符，或者没有适当的方法核对提单记载的，可以在提单上批注，说明不符之处、怀疑的根据或者说明无法核对。

第七十六条　承运人或者代其签发提单的人未在提单上批注货物表面状况的，视为货物的表面状况良好。

第七十七条　除依照本法第七十五条的规定作出保留外,承运人或者代其签发提单的人签发的提单,是承运人已经按照提单所载状况收到货物或者货物已经装船的初步证据;承运人向善意受让提单的包括收货人在内的第三人提出的与提单所载状况不同的证据,不予承认。

第七十八条　承运人同收货人、提单持有人之间的权利、义务关系,依据提单的规定确定。

收货人、提单持有人不承担在装货港发生的滞期费、亏舱费和其他与装货有关的费用,但是提单中明确载明上述费用由收货人、提单持有人承担的除外。

第七十九条　提单的转让,依照下列规定执行:

(一)记名提单:不得转让;

(二)指示提单:经过记名背书或者空白背书转让;

(三)不记名提单:无需背书,即可转让。

第八十条　承运人签发提单以外的单证用以证明收到待运货物的,此项单证即为订立海上货物运输合同和承运人接收该单证中所列货物的初步证据。承运人签发的此类单证不得转让。

第五节　货物交付

第八十一条　承运人向收货人交付货物时,收货人未将货物灭失或者损坏的情况书面通知承运人的,此项交付视为承运人已经按照运输单证的记载交付以及货物状况良好的初步证据。

货物灭失或者损坏的情况非显而易见的,在货物交付的次日起连续七日内,集装箱货物交付的次日起连续十五日内,收货人未提交书面通知的,适用前款规定。

货物交付时,收货人已经会同承运人对货物进行联合检查或者检验的,无需就所查明的灭失或者损坏的情况提交书面通知。

第八十二条　承运人自向收货人交付货物的次日起连续六十日内,未收到收货人就货物因迟延交付造成经济损失而提交的书面通知的,不负赔偿责任。

第八十三条　收货人在目的港提取货物前或者承运人在目的港交付货物前,可以要求检验机构对货物状况进行检验;要求检验的一方应当支付检验费用,但是有权向造成货物损失的责任方追偿。

第八十四条　承运人和收货人对本法第八十一条和第八十三条规定的检验,应当相互提供合理的便利条件。

第八十五条　货物由实际承运人交付的,收货人依照本法第八十一条的规定向实际承运人提交的书面通知,与向承运人提交书面通知具有同等效力;向承运人提交的书面通知,与向实际承运人提交书面通知具有同等效力。

第八十六条　在卸货港无人提取货物或者收货人迟延、拒绝提取货物的,船长可以将货物卸在仓库或者其他适当场所,由此产生的费用和风险由收货人承担。

第八十七条　应当向承运人支付的运费、共同海损分摊、滞期费和承运人为货物垫付的必要费用以及应当向承运人支付的其他费用没有付清,又没有提供适当担保的,承运人可以在合理的限度内留置其货物。

第八十八条　承运人根据本法第八十七条规定留置的货物,自船舶抵达卸货港的次日起满六十日无人提取的,承运人可以申请法院裁定拍卖;货物易腐烂变质或者货物的保管费用可能超过其价值的,可以申请提前拍卖。

拍卖所得价款,用于清偿保管、拍卖货物的费用和运费以及应当向承运人支付的其他有关费用;不足的金额,承运人有权向托运人追偿;剩余的金额,退还托运人;无法退还、自拍卖之日起满一年又无人领取的,上缴国库。

第六节　合同的解除

第八十九条　船舶在装货港开航前,托运人可以要求解除合同。但是,除合同另有约定外,托运人应当向承运人支付约定运费的一半;货物已经装船的,并应当负担装货、卸货和其他与此有关的费用。

第九十条　船舶在装货港开航前,因不可抗力或者其他不能归责于承运人和托运人的原因致使合同不能履行的,双方均可以解除合同,并互相不负赔偿责任。除合同另有约定外,运费已经支付的,承运人应当将运费退还给托运人;货物已经装船的,托运人应当承担装卸费用;已经签发提单的,托运人应当将提单退还承运人。

第九十一条　因不可抗力或者其他不能归责于承运人和托运人的原因致使船舶不能在合同约定的目的港卸货的,除合同另有约定外,船长有权将货物在目的港邻近的安全港口或者地点卸载,视为已经履行合同。

船长决定将货物卸载的,应当及时通知托运人或者收货人,并考虑托运人或者收货人的利益。

第七节　航次租船合同的特别规定

第九十二条　航次租船合同,是指船舶出租人向承租人提供船舶或者船舶的部分舱位,装运约定的货物,从一港运至另一港,由承租人支付约定运费的合同。

第九十三条　航次租船合同的内容,主要包括出租人和承租人的名称、船名、船籍、载货重量、容积、货名、装货港和目的港、受载期限、装卸期限、运费、滞期费、速遣费以及其他有关事项。

第九十四条　本法第四十七条和第四十九条的规定,适用于航次租船合同的出租人。

本章其他有关合同当事人之间的权利、义务的规定,仅在航次租船合同没有约定或者没有不同约定时,适用于航次租船合同的出租人和承租人。

第九十五条　对按照航次租船合同运输的货物签发的提单,提单持有人不是承租人的,承运人与该提单持有人之间的权利、义务关系适用提单的约定。但是,提单中载明适用航次租船合同条款的,适用该航次租船合同的条款。

第九十六条　出租人应当提供约定的船舶;经承租人同意,可以更换船舶。但是,提供的船舶或者更换的船舶不符合合同约定的,承租人有权拒绝或者解除合同。因出租人过失未提供约定的船舶致使承租人遭受损失的,出租人应当负赔偿责任。

第九十七条　出租人在约定的受载期限内未能提供船舶的,承租人有权解除合同。但是,出租人将船舶延误情况和船舶预期抵达装货港的日期通知承租人的,承租人应当自收到通知时起四十八小时内,将是否解除合同的决定通知出租人。

因出租人过失延误提供船舶致使承租人遭受损失的,出租人应当负赔偿责任。

第九十八条　航次租船合同的装货、卸货期限及其计算办法,超过装货、卸货期限后的滞期费和提前完成装货、卸货的速遣费,由双方约定。

第九十九条　承租人可以将其租用的船舶转租;转租后,原合同约定的权利和义务不受影响。

第一百条　承租人应当提供约定的货物;经出租人同意,可以更换货物。但是,更换的货物对出租人不利的,出租人有权拒绝或者解除合同。

因未提供约定的货物致使出租人遭受损失的,承租人应当负赔偿责任。

第一百零一条　出租人应当在合同约定的卸货港卸货。合同订有承租人选择卸货港条款的,在承租人未按照合同约定及时通知确定的卸货港时,船长可以从约定的选卸港中自行选定一港卸货。承租人未按照合同约定及时通知确定的卸货港,致使出租人遭受损失的,应当负赔偿责任。出租人未按照合同约定,擅自选定港口卸货致使承租人遭受损失的,应当负赔偿责任。

第八节　多式联运合同的特别规定

第一百零二条　本法所称多式联运合同,是指多式联运经营人以两种以上的不同运输方式,其中一种是海上运输方式,负责将货物从接收地运至目的地交付收货人,并收取全程运费的合同。前款所称多式联运经营人,是指本人或者委托他人以本人名义与托运人订立多式联运合同的人。

第一百零三条　多式联运经营人对多式联运货物的责任期间,自接收货物时起至交付货物时止。

第一百零四条 多式联运经营人负责履行或者组织履行多式联运合同,并对全程运输负责。

多式联运经营人与参加多式联运的各区段承运人,可以就多式联运合同的各区段运输,另以合同约定相互之间的责任。但是,此项合同不得影响多式联运经营人对全程运输所承担的责任。

第一百零五条 货物的灭失或者损坏发生于多式联运的某一运输区段的,多式联运经营人的赔偿责任和责任限额,适用调整该区段运输方式的有关法律规定。

第一百零六条 货物的灭失或者损坏发生的运输区段不能确定的,多式联运经营人应当依照本章关于承运人赔偿责任和责任限额的规定负赔偿责任。

第五章 海上旅客运输合同

第一百零七条 海上旅客运输合同,是指承运人以适合运送旅客的船舶经海路将旅客及其行李从一港运送至另一港,由旅客支付票款的合同。

第一百零八条 本章下列用语的含义:

(一)"承运人"是指本人或者委托他人以本人名义与旅客订立海上旅客运输合同的人。

(二)"实际承运人"是指接受承运人委托,从事旅客运送或者部分运送的人,包括接受转委托从事此项运送的其他人。

(三)"旅客"是指根据海上旅客运输合同运送的人。经承运人同意,根据海上货物运输合同,随船护送货物的人,视为旅客。

(四)"行李"是指根据海上旅客运输合同由承运人载运的任何物品和车辆,但是活动物除外。

(五)"自带行李"是指旅客自行携带、保管或者放置在客舱中的行李。

第一百零九条 本章关于承运人责任的规定,适用于实际承运人。本章关于承运人的受雇人、代理人责任的规定,适用于实际承运人的受雇人、代理人。

第一百一十条 旅客客票是海上旅客运输合同成立的凭证。

第一百一十一条 海上旅客运输的运送期间,自旅客登船时起至旅客离船时止。客票票价含接送费用的,运送期间并包括承运人经水路将旅客从岸上接到船上和从船上送到岸上的时间,但是不包括旅客在港站内、码头上或者在港口其他设施内的时间。

旅客的自带行李,运送期间同前款规定。旅客自带行李以外的其他行李,运送期间自旅客将行李交付承运人或者承运人的受雇人、代理人时起至承运人或者承运人的受雇人、代理人交还旅客时止。

第一百一十二条 旅客无票乘船、越级乘船或者超程乘船,应当按照规定补足票款,承运人可以按照规定加收票款;拒不交付的,船长有权在适当地点令其离船,承运人有权向其追偿。

第一百一十三条　旅客不得随身携带或者在行李中夹带违禁品或者易燃、易爆、有毒、有腐蚀性、有放射性以及有可能危及船上人身和财产安全的其他危险品。

承运人可以在任何时间、任何地点将旅客违反前款规定随身携带或者在行李中夹带的违禁品、危险品卸下、销毁或者使之不能为害,或者送交有关部门,而不负赔偿责任。旅客违反本条第一款规定,造成损害的,应当负赔偿责任。

第一百一十四条　在本法第一百一十一条规定的旅客及其行李的运送期间,因承运人或者承运人的受雇人、代理人在受雇或者受委托的范围内的过失引起事故,造成旅客人身伤亡或者行李灭失、损坏的,承运人应当负赔偿责任。

请求人对承运人或者承运人的受雇人、代理人的过失,应当负举证责任;但是,本条第三款和第四款规定的情形除外。

旅客的人身伤亡或者自带行李的灭失、损坏,是由于船舶的沉没、碰撞、搁浅、爆炸、火灾所引起或者是由于船舶的缺陷所引起的,承运人或者承运人的受雇人、代理人除非提出反证,应当视为其有过失。

旅客自带行李以外的其他行李的灭失或者损坏,不论由于何种事故所引起,承运人或者承运人的受雇人、代理人除非提出反证,应当视为其有过失。

第一百一十五条　经承运人证明,旅客的人身伤亡或者行李的灭失、损坏,是由于旅客本人的过失或者旅客和承运人的共同过失造成的,可以免除或者相应减轻承运人的赔偿责任。

经承运人证明,旅客的人身伤亡或者行李的灭失、损坏,是由于旅客本人的故意造成的,或者旅客的人身伤亡是由于旅客本人健康状况造成的,承运人不负赔偿责任。

第一百一十六条　承运人对旅客的货币、金银、珠宝、有价证券或者其他贵重物品所发生的灭失、损坏,不负赔偿责任。

旅客与承运人约定将前款规定的物品交由承运人保管的,承运人应当依照本法第一百一十七条的规定负赔偿责任;双方以书面约定的赔偿限额高于本法第一百一十七条的规定的,承运人应当按照约定的数额负赔偿责任。

第一百一十七条　除本条第四款规定的情形外,承运人在每次海上旅客运输中的赔偿责任限额,依照下列规定执行:

(一)旅客人身伤亡的,每名旅客不超过 46666 计算单位;

(二)旅客自带行李灭失或者损坏的,每名旅客不超过 833 计算单位;

(三)旅客车辆包括该车辆所载行李灭失或者损坏的,每一车辆不超过 3333

计算单位;

(四)本款第(二)、(三)项以外的旅客其他行李灭失或者损坏的,每名旅客不超过 1200 计算单位。

承运人和旅客可以约定,承运人对旅客车辆和旅客车辆以外的其他行李损失的免赔额。但是,对每一车辆损失的免赔额不得超过 117 计算单位,对每名旅客的车辆以外的其他行李损失的免赔额不得超过 13 计算单位。在计算每一车辆或者每名旅客的车辆以外的其他行李的损失赔偿数额时,应当扣除约定的承运人免赔额。承运人和旅客可以书面约定高于本条第一款规定的赔偿责任限额。

中华人民共和国港口之间的海上旅客运输,承运人的赔偿责任限额,由国务院交通主管部门制定,报国务院批准后施行。

第一百一十八条 经证明,旅客的人身伤亡或者行李的灭失、损坏,是由于承运人的故意或者明知可能造成损害而轻率地作为或者不作为造成的,承运人不得援用本法第一百一十六条和第一百一十七条限制赔偿责任的规定。经证明,旅客的人身伤亡或者行李的灭失、损坏,是由于承运人的受雇人、代理人的故意或者明知可能造成损害而轻率地作为或者不作为造成的,承运人的受雇人、代理人不得援用本法第一百一十六条和第一百一十七条限制赔偿责任的规定。

第一百一十九条 行李发生明显损坏的,旅客应当依照下列规定向承运人或者承运人的受雇人、代理人提交书面通知:

(一)自带行李,应当在旅客离船前或者离船时提交;

(二)其他行李,应当在行李交还前或者交还时提交。

行李的损坏不明显,旅客在离船时或者行李交还时难以发现的,以及行李发生灭失的,旅客应当在离船或者行李交还或者应当交还之日起十五日内,向承运人或者承运人的受雇人、代理人提交书面通知。

旅客未依照本条第一、二款规定及时提交书面通知的,除非提出反证,视为已经完整无损地收到行李。

行李交还时,旅客已经会同承运人对行李进行联合检查或者检验的,无需提交书面通知。

第一百二十条 向承运人的受雇人、代理人提出的赔偿请求,受雇人或者代理人证明其行为是在受雇或者受委托的范围内的,有权援用本法第一百一十五条、第一百一十六条和第一百一十七条的抗辩理由和赔偿责任限制的规定。

第一百二十一条 承运人将旅客运送或者部分运送委托给实际承运人履行的,仍然应当依照本章规定,对全程运送负责。实际承运人履行运送的,承运人应当对实际承运人的行为或者实际承运人的受雇人、代理人在受雇或者受委托的范围内的行为负责。

第一百二十二条　承运人承担本章未规定的义务或者放弃本章赋予的权利的任何特别协议,经实际承运人书面明确同意的,对实际承运人发生效力;实际承运人是否同意,不影响此项特别协议对承运人的效力。

第一百二十三条　承运人与实际承运人均负有赔偿责任的,应当在此项责任限度内负连带责任。

第一百二十四条　就旅客的人身伤亡或者行李的灭失、损坏,分别向承运人、实际承运人以及他们的受雇人、代理人提出赔偿请求的,赔偿总额不得超过本法第一百一十七条规定的限额。

第一百二十五条　本法第一百二十一条至第一百二十四条的规定,不影响承运人和实际承运人之间相互追偿。

第一百二十六条　海上旅客运输合同中含有下列内容之一的条款无效:

(一)免除承运人对旅客应当承担的法定责任;

(二)降低本章规定的承运人责任限额;

(三)对本章规定的举证责任作出相反的约定;

(四)限制旅客提出赔偿请求的权利。

前款规定的合同条款的无效,不影响合同其他条款的效力。

第六章　船舶租用合同

第一节　一般规定

第一百二十七条　本章关于出租人和承租人之间权利、义务的规定,仅在船舶租用合同没有约定或者没有不同约定时适用。

第一百二十八条　船舶租用合同,包括定期租船合同和光船租赁合同,均应当书面订立。

第二节　定期租船合同

第一百二十九条　定期租船合同,是指船舶出租人向承租人提供约定的由出租人配备船员的船舶,由承租人在约定的期间内按照约定的用途使用,并支付租金的合同。

第一百三十条　定期租船合同的内容,主要包括出租人和承租人的名称、船名、船籍、船级、吨位、容积、船速、燃料消耗、航区、用途、租船期间、交船和还船的时间和地点以及条件、租金及其支付,以及其他有关事项。

第一百三十一条　出租人应当按照合同约定的时间交付船舶。

出租人违反前款规定的,承租人有权解除合同。出租人将船舶延误情况和船舶预期抵达交船港的日期通知承租人的,承租人应当自接到通知时起四十八小时内,将解除合同或者继续租用船舶的决定通知出租人。

因出租人过失延误提供船舶致使承租人遭受损失的,出租人应当负赔偿责任。

第一百三十二条　出租人交付船舶时,应当做到谨慎处理,使船舶适航。交付的船舶应当适于约定的用途。

出租人违反前款规定的,承租人有权解除合同,并有权要求赔偿因此遭受的损失。

第一百三十三条　船舶在租期内不符合约定的适航状态或者其他状态,出租人应当采取可能采取的合理措施,使之尽快恢复。

船舶不符合约定的适航状态或者其他状态而不能正常营运连续满二十四小时的,对因此而损失的营运时间,承租人不付租金,但是上述状态是由承租人造成的除外。

第一百三十四条　承租人应当保证船舶在约定航区内的安全港口或者地点之间从事约定的海上运输。

承租人违反前款规定的,出租人有权解除合同,并有权要求赔偿因此遭受的损失。

第一百三十五条　承租人应当保证船舶用于运输约定的合法的货物。承租人将船舶用于运输活动物或者危险货物的,应当事先征得出租人的同意。承租人违反本条第一款或者第二款的规定致使出租人遭受损失的,应当负赔偿责任。

第一百三十六条　承租人有权就船舶的营运向船长发出指示,但是不得违反定期租船合同的约定。

第一百三十七条　承租人可以将租用的船舶转租,但是应当将转租的情况及时通知出租人。租用的船舶转租后,原租船合同约定的权利和义务不受影响。

第一百三十八条　船舶所有人转让已经租出的船舶的所有权,定期租船合同约定的当事人的权利和义务不受影响,但是应当及时通知承租人。船舶所有权转让后,原租船合同由受让人和承租人继续履行。

第一百三十九条　在合同期间,船舶进行海难救助的,承租人有权获得扣除救助费用、损失赔偿、船员应得部分以及其他费用后的救助款项的一半。

第一百四十条　承租人应当按照合同约定支付租金。承租人未按照合同约定支付租金的,出租人有权解除合同,并有权要求赔偿因此遭受的损失。

第一百四十一条　承租人未向出租人支付租金或者合同约定的其他款项的,出租人对船上属于承租人的货物和财产以及转租船舶的收入有留置权。

第一百四十二条　承租人向出租人交还船舶时,该船舶应当具有与出租人交船时相同的良好状态,但是船舶本身的自然磨损除外。

船舶未能保持与交船时相同的良好状态的,承租人应当负责修复或者给予赔偿。

第一百四十三条　经合理计算,完成最后航次的日期约为合同约定的还船日期,但可能超过合同约定的还船日期的,承租人有权超期用船以完成该航次。超期期间,承租人应当按照合同约定的租金率支付租金;市场的租金率高于合同约定的租金率的,承租人应当按照市场租金率支付租金。

第三节 光船租赁合同

第一百四十四条 光船租赁合同,是指船舶出租人向承租人提供不配备船员的船舶,在约定的期间内由承租人占有、使用和营运,并向出租人支付租金的合同。

第一百四十五条 光船租赁合同的内容,主要包括出租人和承租人的名称、船名、船籍、船级、吨位、容积、航区、用途、租船期间、交船和还船的时间和地点以及条件、船舶检验、船舶的保养维修、租金及其支付、船舶保险、合同解除的时间和条件,以及其他有关事项。

第一百四十六条 出租人应当在合同约定的港口或者地点,按照合同约定的时间,向承租人交付船舶以及船舶证书。交船时,出租人应当做到谨慎处理,使船舶适航。交付的船舶应当适于合同约定的用途。

出租人违反前款规定的,承租人有权解除合同,并有权要求赔偿因此遭受的损失。

第一百四十七条 在光船租赁期间,承租人负责船舶的保养、维修。

第一百四十八条 在光船租赁期间,承租人应当按照合同约定的船舶价值,以出租人同意的保险方式为船舶进行保险,并负担保险费用。

第一百四十九条 在光船租赁期间,因承租人对船舶占有、使用和营运的原因使出租人的利益受到影响或者遭受损失的,承租人应当负责消除影响或者赔偿损失。

因船舶所有权争议或者出租人所负的债务致使船舶被扣押的,出租人应当保证承租人的利益不受影响;致使承租人遭受损失的,出租人应当负赔偿责任。

第一百五十条 在光船租赁期间,未经出租人书面同意,承租人不得转让合同的权利和义务或者以光船租赁的方式将船舶进行转租。

第一百五十一条 未经承租人事先书面同意,出租人不得在光船租赁期间对船舶设定抵押权。

出租人违反前款规定,致使承租人遭受损失的,应当负赔偿责任。

第一百五十二条 承租人应当按照合同约定支付租金。承租人未按照合同约定的时间支付租金连续超过七日的,出租人有权解除合同,并有权要求赔偿因此遭受的损失。

船舶发生灭失或者失踪的,租金应当自船舶灭失或者得知其最后消息之日起停止支付,预付租金应当按照比例退还。

第一百五十三条 本法第一百三十四条、第一百三十五条第一款、第一百四十二条和第一百四十三条的规定,适用于光船租赁合同。

第一百五十四条 订有租购条款的光船租赁合同,承租人按照合同约定向出租人付清租购费时,船舶所有权即归于承租人。

第七章 海上拖航合同

第一百五十五条 海上拖航合同,是指承拖方用拖轮将被拖物经海路从一地拖至另一地,而由被拖方支付拖航费的合同。

本章规定不适用于在港区内对船舶提供的拖轮服务。

第一百五十六条 海上拖航合同应当书面订立。海上拖航合同的内容,主要包括承拖方和被拖方的名称和住所、拖轮和被拖物的名称和主要尺度、拖轮马力、起拖地和目的地、起拖日期、拖航费及其支付方式,以及其他有关事项。

第一百五十七条 承拖方在起拖前和起拖当时,应当谨慎处理,使拖轮处于适航、适拖状态,妥善配备船员,配置拖航索具和配备供应品以及该航次必备的其他装置、设备。

被拖方在起拖前和起拖当时,应当做好被拖物的拖航准备,谨慎处理,使被拖物处于适拖状态,并向承拖方如实说明被拖物的情况,提供有关检验机构签发的被拖物适合拖航的证书和有关文件。

第一百五十八条 起拖前,因不可抗力或者其他不能归责于双方的原因致使合同不能履行的,双方均可以解除合同,并互相不负赔偿责任。除合同另有约定外,拖航费已经支付的,承拖方应当退还给被拖方。

第一百五十九条 起拖后,因不可抗力或者其他不能归责于双方的原因致使合同不能继续履行的,双方均可以解除合同,并互相不负赔偿责任。

第一百六十条 因不可抗力或者其他不能归责于双方的原因致使被拖物不能拖至目的地的,除合同另有约定外,承拖方可以在目的地的邻近地点或者拖轮船长选定的安全的港口或者锚泊地,将被拖物移交给被拖方或者其代理人,视为已经履行合同。

第一百六十一条 被拖方未按照约定支付拖航费和其他合理费用的,承拖方对被拖物有留置权。

第一百六十二条 在海上拖航过程中,承拖方或者被拖方遭受的损失,由一方的过失造成的,有过失的一方应当负赔偿责任;由双方过失造成的,各方按照过失程度的比例负赔偿责任。

虽有前款规定,经承拖方证明,被拖方的损失是由于下列原因之一造成的,承拖方不负赔偿责任;

(一)拖轮船长、船员、引航员或者承拖方的其他受雇人、代理人在驾驶拖轮或者管理拖轮中的过失；

（二）拖轮在海上救助或者企图救助人命或者财产时的过失。

本条规定仅在海上拖航合同没有约定或者没有不同约定时适用。

第一百六十三条　在海上拖航过程中，由于承拖方或者被拖方的过失，造成第三人人身伤亡或者财产损失的，承拖方和被拖方对第三人负连带赔偿责任。除合同另有约定外，一方连带支付的赔偿超过其应当承担的比例的，对另一方有追偿权。

第一百六十四条　拖轮所有人拖带其所有的或者经营的驳船载运货物，经海路由一港运至另一港的，视为海上货物运输。

第八章　船舶碰撞

第一百六十五条　船舶碰撞，是指船舶在海上或者与海相通的可航水域发生接触造成损害的事故。

前款所称船舶，包括与本法第三条所指船舶碰撞的任何其他非用于军事的或者政府公务的船艇。

第一百六十六条　船舶发生碰撞，当事船舶的船长在不严重危及本船和船上人员安全的情况下，对于相碰的船舶和船上人员必须尽力施救。

碰撞船舶的船长应当尽可能将其船舶名称、船籍港、出发港和目的港通知对方。

第一百六十七条　船舶发生碰撞，是由于不可抗力或者其他不能归责于任何一方的原因或者无法查明的原因造成的，碰撞各方互相不负赔偿责任。

第一百六十八条　船舶发生碰撞，是由于一船的过失造成的，由有过失的船舶负赔偿责任。

第一百六十九条　船舶发生碰撞，碰撞的船舶互有过失的，各船按照过失程度的比例负赔偿责任；过失程度相当或者过失程度的比例无法判定的，平均负赔偿责任。

互有过失的船舶，对碰撞造成的船舶以及船上货物和其他财产的损失，依照前款规定的比例负赔偿责任。碰撞造成第三人财产损失的，各船的赔偿责任均不超过其应当承担的比例。

互有过失的船舶，对造成的第三人的人身伤亡，负连带赔偿责任。一船连带支付的赔偿超过本条第一款规定的比例的，有权向其他有过失的船舶追偿。

第一百七十条　船舶因操纵不当或者不遵守航行规章，虽然实际上没有同其他船舶发生碰撞，但是使其他船舶以及船上的人员、货物或者其他财产遭受损失的，适用本章的规定。

第九章　出口物资单证

第一节　报检委托书、报检单

一、出口商品报检的程序

我国对进出口商品的检验有法定检验和鉴定业务两类。若需要检验的商品，均需在出口报关前到商检机构申请商检。

首先，报验人填写"出口商品检验申请单"，如出口人委托厂商办理检验，则出口公司需要填写样单1-1出口检验委托书，委托厂商在当地商检机构进行检验，检验机构将商检的数据传递至口岸商检机构和出口单位。

其次，提供合同、信用证及有关单证、资料。

再次，商检机构对已报验的出口商品实施检验，并出具检验结果。

最后，报验人领取商检单证。

样单1-1

代理报检委托书

本委托人（企业备案号/统一社会信用代码＿＿＿＿＿＿＿）保证遵守国家有关检验检疫法律、法规的规定，保证所提供的委托报检事项真实、单货相符。否则，愿承担相关法律责任。具体委托情况如下：

本委托人将于＿＿＿＿＿年＿＿＿＿＿月间进口/出口如下货物：

品名		HS编码	
数(重)量		包装情况	
信用证/合同号		许可文件号	
进口货物收货单位及地址		进口货物提运单号	
其他特殊要求			

特委托＿＿＿＿＿＿＿＿＿＿（企业备案号＿＿＿＿＿＿＿＿＿＿），代表本委托人办理上述货物的下列出入境检验检疫事宜：

☐1. 办理报检手续；

☐2. 代缴纳检验检疫费；

☐3. 联系和配合检验检疫机关实施检验检疫；

☐4. 领取检验检疫证单。
☐5. 其他与报检有关的事宜：_____
联系人：_____
联系电话：_____
本委托书有效期至_____年_____月_____日

委托人（加盖公章）
年　月　日

受托人确认声明

本企业完全接受本委托书。保证履行以下职责：
1. 对委托人提供的货物情况和单证的真实性、完整性进行核实；
2. 根据检验检疫有关法律法规规定办理上述货物的检验检疫事宜；
3. 及时将办结检验检疫手续的有关委托内容的单证、文件移交委托人或其指定的人员；
4. 如实告知委托人检验检疫机关对货物的后续检验检疫及监管要求。

如在委托事项中发生违法或违规行为，愿承担相关法律和行政责任。

联系人：_____
联系电话：_____

受托人（加盖公章）
年　月　日

二、出入境检验检疫报检范围与出境货物报检单填制

（一）出入境检验检疫报检范围

国家法律法规规定必须由出入境检验检疫机构检验检疫的。具体包括：列入《出入境检验检疫机构实施检验检疫的进出境商品目录》内的货物；入境废物、进口旧机电产品；出口危险货物包装容器的性能检验和使用鉴定；进出境集装箱等；输入国家或地区规定必须凭检验检疫机构出具的证书方准入境的；有关国际条约规定须经检验检疫的；对外贸易合同约定须凭检验检疫机构签发的证书进行交接、结算的；申请签发一般原产地证明书、普惠制原产地证明书等原产地证明书的。

（二）出境货物报检单的内容和填制

出境货物报检单（样单1-2）所列各栏必须填写完整、准确、清晰，栏目内容确实无法填写的以"＊＊＊"表示，不得留空。

样单 1-2

 中华人民共和国出入境检验检疫
出境货物报检单

报检单位(加盖公章):　　　　　　　　　　　　　　　*编　号 341100216000490
报检单位登记号:　　　联系人:　　　电话:　　　报检日期:2016年 01 月 18 日

发货人	(中文)	
	(外文)	***
收货人	(中文)	***
	(外文)	***

货物名称(中/外文)	H.S.编码	产地	数/重量	货物总值	包装种类及数量
详见附页					

运输工具名称号码	船舶	贸易方式	对外承包工程进出口货物	货物存放地点	***
合同号	***	信用证号	***	用途	其他
发货日期	0000-00-00	输往国家（地区）	埃塞俄比亚	许可证/审批号	***
启运地	南京口岸	到达口岸	吉布提	生产单位注册号	

集装箱规格、数量及号码　***

合同、信用证订立的检验检疫条款或特殊要求	标记及号码	随附单据（划√或补填）	
	N/M	☑合同　　　□包装性能结果单 □信用证　　□许可/审批文件 ☑发票　　　□报检委托书 □换证凭单　□其他 ☑装箱单　　□ □厂检单　　□	

需要证单名称				*检验检疫费	
□品质证书　__正__副	□植物检疫证书　__正__副	总金额（人民币元）	
□重量证书　__正__副	□熏蒸/消毒证书　__正__副		
□数量证书　__正__副	□出境货物换证凭单　__正__副	计费人	
□兽医卫生证书　__正__副	□通关单　__正__副		
□健康证书　__正__副	☑其他证书　1正 2副	收费人	
□卫生证书　__正__副	□		
□动物卫生证书　__正__副	□		

报检人郑重声明:
1. 本人被授权报检。
2. 上列填写内容正确属实，货物无伪造或冒用他人的厂名、标志、认证标志，并承担货物质量责任。
　　　　　　　　　　签名:_____

领取证单
日期
签名

注: 有"*"号栏由出入境检验检疫机关填写　　　　　◆国家出入境检验检疫局制

1. 报检单位

报检单位指向检验检疫机构申报检验、检疫、鉴定业务的单位,报检单应加盖公章。

2. 报检单位登记号

报检单位登记号指在检验检疫机构的报检注册登记号。

3. 联系人、电话

填写申请报检人的姓名和联系电话。

4. 编号

编号指检验机构登记编号。

5. 报检日期

填写实际报检的日期。

6. 发货人

发货人指国际工程项目的总承包方,发货人应与提单上的托运人一致,如需要出具英文证书的,填写中英文,并要注意中英文一致。

7. 收货人

填写国际工程项目的业主方。

8. 商品名称及规格

此栏用中英文对照填写商品名称。根据需要可填写型号、规格或牌号。货物名称不得填写笼统的商品类,如"陶瓷""玩具"等必须填写具体的类别名称,如"日用陶瓷""塑料玩具"。位置不够填写的,可用附页的形式填报。

9. H.S.编码

H.S.编码指货物对应的海关《商品分类及编码协调制度》中的代码,填写8位数或10位数。

10. 产地

填写货物的生产/加工的省(自治区、直辖市)以及地区(市)名称。

11. 数/重量

填写报检货物的数量和重量,重量一般以净重填写,如果填写毛重,或以毛作净需注明。有多个H.S编码的,要根据每个H.S编码填写对应数量/重量。

12. 货物总值

按本批货物合同或发票上所列的总值填写(以美元计),有多个H.S编码的,要根据每个H.S编码对应填写金额、币种。

13. 包装种类及数量

填写货物的外包装种类(如纸箱、木箱等)和具体的件数;有多个H.S编码的,要根据每个 H.S 编码对应填写包装种类及数量。

14. 运输工具名称号码

填写货物实际装载的运输工具类别名称(如飞机、火车、轮船、货柜车、邮包等)和运输工具编号。报检时,未能确定运输工具编号的,可只填写运输工具类别。

15. 贸易方式

填写成交条件,主要有对外工程承包、无偿援助、其他贸易等几种。

16. 货物存放的地点

指本批货物存放的地点,该地点应该详细具体。

17. 合同号

填写国际工程承包合同编号。

18. 信用证号

填写本批货物所对应的信用证编号,没有的可留空。

19. 用途

填写本批货物出境用途,如食用、种用、实验、观赏或演艺、药用、饲用、加工等。

20. 发货日期

按本批货物信用证或合由所列的出境日期填写实际装运日期或大约装运日期。因为商品检验必须在发货前办理,所以此栏一般都是预计的日期。

21. 输往国家(地区)

输往国家(地区)指国际工程所在国家或地区。

22. 许可证/审批号

如果该批货物出口需要提供出口许可证或出口审批文件,应填写其号码,不需质量许可证或卫生注册证或出口审批的货物可留空。

23. 启运地

填写装运本批货物的交通工具进境时首次停靠的口岸名称。

24. 到达口岸

填写本批货物预定最后抵达的交货港(地)。

25. 生产单位注册号

填写生产该批货物的单位在检验检疫机构的注册登记编号。

26. 集装箱规格、数量及号码。

填写装载本批货物的集装箱规格(如 40 英尺、20 英尺等)以及对应的数量和集装箱号码。如果集装箱太多,可用附页形式填报。不用集装箱运输的,此栏可留空。

27. 合同、信用证订立的检验检疫条款或特殊要求

填写合同或信用证中双方对本批货物特别约定的质量、卫生等条款和报检单位对本批货物的检验检疫的其他特别要求，例如：环保测试等。没有要求的可留空。

28. 标记及号码

按出境货物实际运输包装标填写，如没有标记及号码，填写 N/M 或 NO MARKS，并注明裸装或散装。

29. 随附单据

按实际向检验检疫机构提供的单据，在对应的"□"打"√"。对报检单上未标出的，自行填写提供的单据名称。

30. 需要证单名称

按需要检验检疫机构出具的证单，在对应的窗口打"√"，并在相应栏目注明所需证单的正副本的数量，对报检单上未标出的证单，则须将所需提供的单据名称及正副本份数补填在空白处。

31. 检验检疫费

此栏留空，由检验检疫局填写。

32. 报检人郑重声明

此栏必须有报检人的亲笔签名。本说明未尽事宜按国家出入境检验检疫局发布的有关规定办理。

33. 领取证单日期、签名

由出口企业报检员填写领取证单的日期并签名。

(三)检验证书的内容和填制

检验证书(样单 1-3)因其本身所需证明的内容不同以及各国标准不一而有所区别。然而各种检验证书一般都有以下内容：

样单 1-3

中华人民共和国出入境检验检疫
ENTRY-EXIT INSPECTION AND QUARANTINE
OF THE PEOPLE'S REPUBLIC OF CHINA

正本 ORIGINAL

共 2 页第 1 页 page 1 of 2
2170000003998640001

检验证书——装运前检验 编号 No.:
Inspection Certificate For Pre-Shipment Inspection

申报价值: **736070.43 美元
Declared value: **736070.43USD

出口商名称和地址:
Name and address of the exporter:
ADDRESS:

进口商名称和地址:
Name and address of the importer:

检验地点: 中国上海
Site of inspection: SHANGHAI, CHINA

产品标准: 检验方法标准:
Product standard: GB/T2820 5-2009   Inspection method standard: GB/T2820 5-2009

检验结果: 估价结果:
Results of Inspection: SATISFACTORY   Results of price verification: USD 736070.43

数量和包装检验结果: **7 种/10 其他
Findings on quantity and package inspection: **7KINDS/10PACKAGES

品质检验结果:
Findings on quality inspection: QUALIFIED

所附文件:
Documents Attached: ***

集装箱号码与封识号码: ***
Container No.& Seal No.: ***

检验机构盖章 The Seal of Inspection Body	检验员签名 The Signature of Inspector

附件 Attachment

序列号 Serial Number	商品名称 Description	HS 编码 HS Code	原产地 Place of Origin	数量 Quantity	单位 Unit	包装方式和件数 Number and Type of Packages	单价 Unit Price (USD)	估价结果 Result of Price Verification (USD)
-1-	自卸车及配件 dump truck and accessory	8704230090	中国 CHINA	2	辆 SET	**2 nudes**		
-2-	洒水车 water truck	8705909990	中国 CHINA	1	辆 SET	**1 nude**		
-3-	装载机 wheel loader	8429510000	中国 CHINA	1	台 SET	**1 nude**		

[ce-1(2000.1.1)]

AA1758735

1. 证书的名称、出证机关、地点

检验证书的名称则应与合同相符。如果合同并未规定出具的机关，则由出口商决定，应根据具体情况由有关的商检机构出具。检验证书的出证地点应为货物装船口岸。一般这些内容事先都已在证书上印制好。

2. 发货人名称及地址

此栏一般填写出口商名称和地址。该栏内容应符合合同规定，并与其他单据保持一致。

3. 收货人名称及地址

此栏一般为进口商的名称和地址，收货人应与合同及其他单据保持一致。

4. 品名、数量/重量、包装种类

数量、唛头、起运地（港）、目的地（港）、运输工具等应与商业发票及提单上所描述的内容完全一致。

5. 检验结果

在此栏中记载报验货物经检验的现状，货物现状是判断货物是否符合合同，也是交接货物或索赔、理赔的证明文件。此栏是检验证中最重要的一栏。

6. 签证日期

检验证明书的出具日期应不迟于提单日期，但也不得过早于提单日期，最好在提单日之前一两天或至少与提单日期相同。

7. 签字盖章

一般而言，盖章与签字一样有效。但是有的国家则要求出具的检验证明书一定要手签，在这种情况下，只有盖章而无签字的检验证明书视作无效。

第二节　报关单的填制

一、进出口货物报关单的概念

进出口货物报关单是进出口货物的收发货人或其代理人，按照海关规定的格式对进出口货物的实际情况作出书面申明，以此要求海关对其货物按适用的海关制度办理通关手续的法律文书。

二、进出口货物报关单的分类

进出口货物报关单的分类按进出口状态划分为进口货物报关单和出口货物报关单。

进出口货物报关单的分类按表现形式划分为纸制报关单和电子报关单。

进出口货物报关单的分类按海关监管方式划分为:进料加工进(出)口货物报关单、来料加工及补偿贸易进(出)口货物报关单、一般贸易和其他贸易进(出)口货物报关单。

进出口货物报关单的分类按用途划分为分:报关录入凭单、预录入报关单、报关单证明联(出口货物报关单出口退税证明联;进口货物报关单付汇证明联;出口货物报关单收汇证明联)。所谓的证明联,实际就是另外打印的一份报关单,出口退税证明联就是报关单右上方印有"出口退税专用"。而进口付汇证明联在报关单的右上方印有"付汇证明联"。出口收汇证明联是在报关单右上方印有"收汇核销联",所以"出口货物报关单收汇证明联"也就是实际工作中的"出口货物报关单收汇核销联"。报关单的证明联在海关签发时都要加盖海关验讫章。

三、进出口货物报关单填制的一般要求与填制内容

(一)一般要求

进出口货物报关单(样单 2-1)由海关统一印制,共有 47 个栏目,除"税费征收情况"和"海关审单批注及放行日期签字"栏,其他栏由收发货人或其代理人填写。

申报人必须按照《海关法》《进出口货物申报管理规定》和《报关单填制规范》的有关规定,如实向海关申报,不得伪报、瞒报及虚报。

报关单的填报必须真实、准确、齐全、字迹工整,若有更改,必须在更改项目上加盖校对章。要做到两个相符:一是单证相符,即报关单与合同、批文、发票、装箱单等相符;二是单货相符,即报关单中所报内容与实际进出口货物情况相符。

不同合同、不同运输工具名称、不同贸易方式、不同征免性质、不同许可证号的货物,不能填在同一份报关单上。一份原产地证明书只能对应一份报关单。

一份电子报关单最多可填报 50 项商品。超过 50 项商品时,也必须分单填报。一张纸制报关单上最多打印 8 项商品,一份纸制报关但最多允许联单 7 张。

向海关递交的报关单,事后发现差错,须立即填写报关单更正单,向海关办理更正手续。

对于海关放行后的出口货物,由于运输工具配载等原因,全部或部分未能装载上原申报的运输工具的,出口货物发货人应向海关递交《出口货物报关单更改申请》。

样单 2-1

中华人民共和国海关出口货物报关单

企业留存联

预录入编号：		海关编号：		
收发货人		出口口岸 (5304) 蛇口海关	出口日期	申报日期 20180404
生产销售单位		运输方式 (2) 水路运输	运输工具名称 UN9786748/0003W	提运单号 EE31804040503
申报单位		监管方式 (3422) 对外承包出口	征免性质 (101) 一般征税	备案号
贸易国（地区）(217) 埃塞俄比亚	运抵国（地区）(217) 埃塞俄比亚	指运港 (214) 吉布提		境内货源地 (44069) 佛山其他
许可证号	成交方式 (3) FOB	运费	保费	杂费
合同协议号	件数 147	包装种类 (7) 其他	毛重（千克） 14700	净重（千克） 14641
集装箱号 EMCU9797649 * 1(2)	随附单证			
标记唛码及备注 备注：				

项号	商品编号	商品名称、规格型号	数量及单位	最终目的国（地区）	单价	总价	币制	征免
1	39172300.00	PVC-U管 1|2|聚氯乙烯72%+碳酸钙20%+助剂8%|联塑牌|无型号|暗埋于地下	11741千克 埃塞俄比亚 (217) 91条	原产国:中国			(502) 美元	照章征税 (1)
2	39174000.00	管配件 0|2|聚氯乙烯制	2900千克 埃塞俄比亚 (217) 62只	原产国:中国			(502) 美元	照章征税 (1)

特殊关系确认：否	价格影响确认：否	与货物有关的特许权使用费支付确认：否
录入员　　录入单位 8930000071977	兹申明对以上内容承担如实申报、依法纳税之法律责任	海关批注及签章
报关人员	申报单位（签章）	

1/1

(二)进出口货物报关单的填制

1. 预录入编号

本栏目填报预录入报关单的编号,预录入编号规则由接受申报的海关规定。

2. 海关编号

本栏目填报海关接受申报时给予报关单的编号,一份报关单对应一个编号,海关编号为18位。

3. 收发货人

本栏目填报在海关注册的对外签订并执行进出口贸易合同的中国境内法人、其他组织或个人的名称及编码,编码可选填18位法人和其他组织统一社会信用代码或10位海关注册编码任一项。

4. 进口口岸/出口口岸

指货物实际进(出)我国关境口岸海关的名称。

本栏目应根据货物实际进(出)我国关境的口岸海关选择填报"关区代码表"中相应的口岸海关名称及代码。"关区代码表"中只有直属海关关别名称及代码的,填报直属海关名称及代码;如果有隶属关别及代码时,则应填报隶属海关名称及代码。

5. 进口日期/出口日期

进口日期指运载所申报货物的运输工具申报进境的日期。本栏目填报的日期必须与相应的运输工具申报进境的实际日期一致。

出口日期指运载所申报货物的运输工具办结出境手续的日期。本栏目供海关打印报关单证明联用。预录入报关单及EDI报关单均免于填报。

无实际进出境的报关单填报办理申报手续的日期,该日期以海关接受申报的日期为准。

本栏目为8位数,顺序为年(4位)、月(2位)、日(2位),如2006.03.16。

6. 申报日期

指海关接受进(出)口货物的收、发货人或其代理人申请办理货物进(出)口手续的日期。以电子数据报关单方式申报的,申报日期为海关计算机系统接受申报数据时记录的日期。以纸质报关单方式申报的,申报日期为海关接受纸质报关单并对报关单进行登记处理的日期。本栏目在申报时免于填报。

7. 消费使用单位/生产销售单位

(1)消费使用单位填报已知的进口货物在境内的最终消费、使用单位的名称,包括:

①自行进口货物的单位。

②委托进出口企业进口货物的单位。

(2)生产销售单位填报出口货物在境内的生产或销售单位的名称,包括:

①自行出口货物的单位。

②委托进出口企业出口货物的单位。

填报要求如下:

已在海关注册登记的,应填报中文名称和18位法人和其他组织统一社会信用代码(或10位海关注册编码、加工生产企业登记编码)。

未在海关注册登记的,应填报中文名称、18位法人和其他组织统一社会信用代码或9位组织机构代码。没有18位法人和其他组织统一社会信用代码的可不填,没有9位组织机构代码的应填报"NO"。

8. 运输方式

运输方式指载运货物进出关境所使用的运输工具的分类。

本栏目应根据实际运输方式按海关规定的《运输方式代码表》选择填报相应的运输方式名称或代码。

表4-1 运输方式代码表

运输方式代码	运输方式名称	运输方式代码	运输方式名称
0	非保税区	6	邮件运输
1	监管仓库	7	保税区
2	水路运输	8	保税仓库
3	铁路运输	9	其他运输
4	公路运输	Z	出口加工
5	航空运输		

9. 运输工具名称

本栏目填报载运货物进出境的运输工具名称或编号。填报内容应与运输部门向海关申报的舱单(载货清单)所列相应内容一致。具体填报要求如下:

(1)水路运输:填报船舶编号(来往港澳小型船舶为监管簿编号)或者船舶英文名称。

(2)公路运输:启用公路舱单前,填报该跨境运输车辆的国内行驶车牌号,深圳提前报关模式的报关单填报国内行驶车牌号+"/"+"提前报关"。启用公路舱单后,免予填报。

(3)铁路运输:填报车厢编号或交接单号。

(4)航空运输:填报航班号。

(5)邮件运输:填报邮政包裹单号。

(6)其他运输:填报具体运输方式名称,例如:管道、驮畜等。

10. 提运单号

指进出口货物提单或运单的编号。一份报关单只允许填报一个提运单号,一票货物对应多个提运单时,应分单填报。实际进出境的,水路运输填报提运单号;铁路运输填报运单号;公路运输在启用公路舱单前,免予填报;启用公路舱单后,填报进出口总运单号;航空运输填报总运单号＋"－"(下划线)＋分运单号,无分运单的填报总运单号;邮政运输填报邮运包裹单号;无实际进出境的,本栏目免于填报。

11. 申报单位

自理报关的,本栏目填报进出口企业的名称及编码;委托代理报关的,本栏目填报报关企业名称及编码。

本栏目可选填18位法人和其他组织统一社会信用代码或10位海关注册编码任一项。

本栏目还包括报关单左下方用于填报申报单位有关情况的相关栏目,包括报关人员、申报单位签章。

12. 贸易方式(海关监管方式)

本栏目应根据实际情况,并按海关规定的《贸易方式代码表》选择填报相应的贸易方式简称或代码,一份报关单只允许填报一种贸易方式。

13. 征免性质

本栏目应根据实际情况按海关规定的《征免性质代码表》选择填报相应的征免性质简称及代码,持有海关核发的《征免税证明》的,应按照《征免税证明》中批注的征免性质填报。一份报关单只允许填报一种征免性质。

14. 备案号

本栏目填报进出口货物收发货人、消费使用单位、生产销售单位在海关办理加工贸易合同备案或征、减、免税备案审批等手续时,海关核发的《加工贸易手册》《征免税证明》或其他备案审批文件的编号。一份报关单只允许填报一个备案号。

15. 贸易国(地区)

发生商业性交易的进口填报购自国(地区),出口填报售予国(地区)。未发生商业性交易的填报货物所有权拥有者所属的国家(地区)。

本栏目应按海关规定的《国别(地区)代码表》选择填报相应的贸易国(地区)中文名称及代码。

16. 起运国(地区)/运抵国(地区)

起运国(地区)是指未与任何中间国发生任何商业性交易或其他改变货物法律地位的活动的情况下,把货物发出并运往进口国(地区)的国家或地区。如果货物在运抵进口国(地区)之前在第三国发生中转,并且发生某种商业性交易活动,则应把第三国作为起运国(地区)。

运抵国(地区)也称为目的国(地区),指在未发生任何商业性交易或其他改变货物法律地位的活动的情况下,货物被出口国(地区)所发往的或最后交付的国家或地区。

本栏目应按海关规定的《国别(地区)代码表》选择填报相应的起运国(地区)或运抵国(地区)中文名称或代码。

表 4-2 主要国别(地区)代码表

国别代码	中文名(简称)	国别代码	中文名(简称)
110	中国香港	307	意大利
116	日本	331	瑞士
121	中国澳门	344	俄罗斯联邦
132	新加坡	501	加拿大
133	韩国	502	美国
142	中国	601	澳大利亚
143	台澎金马关税区	609	新西兰
303	英国	701	国(地)别不详的
304	德国	702	联合国及机构和国际组织
305	法国	999	中性包装原产国别

17. 装货港/指运港

装货港指进口货物在运抵我国关境前的最后一个装运港。

指运港指出口货物运往境外的最终目的港。

本栏目应根据实际情况按海关规定的《港口航线代码表》选择填报相应的港口中文名称或代码。最终目的港不可预知的,可按尽可能预知的目的港填报。

无实际进出境的,本栏目填报"中国境内"(代码"0142")。

18. 境内目的地/境内货源地

境内目的地指已知的进口货物在境内的消费、使用地区或最终运抵地点。

境内货源地指出口货物在境内的生产地或原始发货地(包括供货地点)。

本栏目应根据《国内地区代码表》选择填报相应的国内地区名称或代码。

19. 许可证号

根据国家进出口管制法令需要申领进(出)口许可证的货物,必须在此栏目填报商务部及其授权发证机关签发的进(出)口货物许可证的编号,长度为10位字符,不得为空;一份报关单只允许填报一个许可证号。对于非许可证管理商品本栏目留空不填。

20. 成交方式

本栏目应根据实际成交价格条款,按海关规定的《成交方式代码表》选择填报相应的成交方式名称或代码。

无实际进出境的,进口填报 CIF 价,出口填报 FOB 价。

表 4-3　成交方式代码表

成交方式代码	成交方式名称	成交方式代码	成交方式名称
1	CIF	4	C&I
2	C&F	5	市场价
3	FOB	6	垫仓

21. 运费

本栏目用于填报该份报关单所含全部货物的国际运输费用,包括成交价格中不包含运费的进口货物和成交价格中含有运费的出口货物的运费,即进口成交方式为 FOB 或出口成交方式为 CIF、CFR 的,应在本栏填报运费。

可根据具体选择运费单价、总价或运费率三种方式之一填报,同时注明运费标记,并按海关规定的《货币代码表》选择填报相应的币种代码。

运保费合并计算的,运保费填报在本栏目。

运费标记"1"表示运费率,"2"表示每吨货物的运费单价,"3"表示运费总价。例如:5% 的运费率填报为 5;35 美元的运费单价填报为 502/35/2;6000 美元的运费总价填报为 502/6000/3。但在实际填制的时候,一般情况下用美元直接表示即可。

22. 保费

本栏目用于填报该份报关单所含货物国际运输的全部保险费用,包括成交价格中不包含保险费的进口货物和成交价格中含有保险费的出口货物的保险费,即进口成交方式为 FOB、CFR 或出口成交方式为 CIF 的,应在本栏填报保险费。可根据具体情况选择保险费总价或保险费率两种方式之一填报,同时注明保险费标记,并按海关规定的《货币代码表》选择填报相应的币种代码。

运保费合并计算的,运保费填报在运费栏目中。

保险费标记"1"表示保险费率,"3"表示保险费总价。例如:5‰ 的保险费率填报为 0.5;20000 港元保险费总价填报为 110/20000/3。但在实际填制的时候,一般情况下用美元直接表示即可。

23. 杂费

杂费指成交价格以外的、应计入完税价格或应从完税价格中扣除的费用,如手续费、佣金、折扣等,可按杂费总价或杂费率两种方式之一填报;同时注明杂费标记,杂费标记"1"表示杂费率,"3"表示杂费总价;并按海关规定的《货币代码表》选择填报相应的币种代码。应计入完税价格的杂费填报为正值或正率,应从完税价格中扣除的杂费填报为负值或负率。例如:

应计入完税价格的 1.5% 的杂费率填报为 1.5;应从完税价格中扣除的 1% 的回扣率填报为 -1;应计入完税价格的 500 英镑杂费总价填报为 303/500/3。"THC"费,即"港口操作费用"应当计入进出口货物的价格中。无杂费时,本栏留空不填。如果是用班轮运输,本栏目一般不用填制。

24. 合同协议号

本栏目填报进出口货物合同（包括协议或订单）编号。未发生商业性交易的免予填报。

25. 件数

本栏目填报有外包装的进出口货物的实际件数。特殊情况填报要求如下：舱单件数为集装箱的，填报集装箱个数；舱单件数为托盘的，填报托盘数。本栏目不得填报为零，裸装货物填报为"1"。

26. 包装种类

本栏目应根据进出口货物的实际外包装种类，按海关规定的《包装种类代码表》选择填报相应的包装种类代码。

27. 毛重（公斤）

毛重是货物及其包装材料的重量之和。本栏目填报进（出）口货物实际毛重，计量单位为千克（公斤），不足一千克的填报为1。

28. 净重（公斤）

指货物的毛重减去直接接触商品的包装物料（如销售包装）后的重量，即商品本身的实际重量。

本栏目填报进（出）口货物的实际净重，计量单位为公斤，不足一公斤的填报为1。

填报货物毛重和净重时，如货物重量在1千克以上，其小数点后保留4位，第五位及以后略去。

29. 集装箱号

集装箱号是在每个集装箱箱体两侧标示的全球唯一的编号。常见的集装箱分为20英尺集装箱（标准箱）、40英尺集装箱（折合成2个标准箱）和其他集装箱。

在填报纸质报关单时，集装箱号以"集装箱号"+"/"+"规格"+"/"+"自重"的方式填报。多个集装箱的，第一个集装箱号填报在"集装箱号"栏中，其余的依次填报在"标记唛码及备注"栏中。非集装箱货物填报为0。

30. 随附单据

随附单据指随进（出）口货物报关单一并向海关递交的单证。填制报关单时本栏目仅填报除进出口许可证以外的监管证件代码及编号填报纸质报关单时，本栏目填报监管证件的代码及编号，格式为："监管证件代码"+"："+"监管证件编号"。所申报货物涉及多个监管证件的，第一个监管证件代码和编号填报在本栏中，其余监管证件代码和编号填报在"标记唛码及备注"栏中。

31. 标记唛码及备注

本栏上部用于打印以下内容：

(1)标记唛码中除图形以外的所有文字和数字。

(2)受外商投资企业委托代理其进口投资设备、物品的外贸企业名称,格式为"委托××××××公司进口"。

(3)关联单备案号。如加工贸易结转货物及凭《征免税证明》转内销货物,其对应的备案号应填报在本栏目,即"转至(自)××××××××××手册"。

(4)关联报关单号。

(5)所申报货物涉及多个监管证件的,除第一个监管证件以外的其余监管证件和代码,格式为:"监管证件代码"+":"+"监管证件编号"。

(6)所申报货物涉及多个集装箱的,除第一个集装箱号以外的其余集装箱号,格式为:"集装箱号"+"/"+"规格"+"/"+"自重"。

(7)其他申报时必须说明的事项。

本栏目下部供填报随附单据栏中监管证件的编号,具体填报要求为:"监管证件代码"+":"+"监管证件号码"。一份报关单有多个监管证件的应连续填写。

一票货物有多个集装箱的,在本栏目打印其余的集装箱号(最多160字节)。

32. 项号

每项商品的"项号"分两行填报及打印。第一行打印报关单中的商品排列序号。第二行专用于加工贸易和实行原产地证书联网管理等已备案的货物,填报该项货物在加工贸易手册中的项号或对应的原产地证书上的商品项号。

33. 商品编号

本栏填报《税则》8位税则号列,有附加编号的,还应填报附加的第九、第十位附加编号。在填报商品编号是应按照进出口商品的实际情况填报。加工贸易手册中商品编号与实际商品编号不符的,应按实际商品编号填报。

34. 商品名称、规格型号

本栏目分两行填报及打印。

第一行打印进(出)口货物规范的中文名称,如果发票中的商品名称为非中文名称,则需翻译为规范的中文名称填报,仅在必要时加注原文。

具体填报要求如下:

(1)商品名称及规格型号应据实填报,并与所提供的商业发票相符。

(2)商品名称应当规范,规格型号应当足够详细,以能满足海关监管的要求为准。要根据商品属性来填报。

(3)加工贸易等已备案的货物,本栏目填报的内容必须与已在海关备案登记中同项号下货物的名称与规格型号一致。

(4)对需要海关签发"货物进口证明书"的车辆,应填报"车辆品牌+排气量+车型"。规格型号可填报"汽油型"等。

(5)加工贸易边角料和副产品内销、边角料复出口,应填报其报检状态的名称和规格型号。属边角料、副产品、残次品、受灾保税货物且按规定需加以说明的，填注规定的字样。

35. 数量及单位

本栏指进（出）口商品的实际数量及计量单位，具体填报要求如下：

（1）进出口货物必须按海关法定计量单位和成交计量单位填报。

（2）"数量和单位"栏分三行填报。

法定第一计量单位及数量填报在本栏目第一行。

凡列明海关第二法定计量单位的，必须填报第一及第二法定计量单位及数量，第二法定计量单位填报在本栏目第二行。无第二法定计量单位的，本栏目第二行为空。

以成交计量单位申报的，需填报与海关法定计量单位转换后的数量，同时还需将成交计量单位及数量填报在第三行。如成交计量单位与海关法定计量单位一致时，本栏目第三行为空。

（3）法定计量单位为"千克"的数量填报，应根据具体情况不同按净重、公重量、毛重等填报。

（4）加工贸易等已备案的货物，成交计量单位必须与备案登记中同项号下货物的计量单位一致，不一致时必须修改备案或转换一致后填报。

36. 原产国（地区）/最终目的国（地区）

原产国（地区）指进出口货物的生产、开采或加工制造国家（地区）。

最终目的国（地区）指已知的出口货物最后交付的国家或地区，即最终实际消费、使用或进一步加工制造国家（地区）。本栏目应按海关规定的《国别（地区）代码表》选择填报相应的国家（地区）中文名称或代码。

37. 单价

本栏目应填报同一项号下进（出）口货物实际成交的商品单位价格的金额。单价如非整数，其小数点后保留4位，第五位及以后略去。无实际成交价格的，本栏目填报货值。

38. 总价

本栏目应填报同一项号下进（出）口货物实际成交的商品总价。总价如非整数，其小数点后保留4位，第五位及以后略去。无实际成交价格的，本栏目填报货值。

39. 币制

本栏目应根据实际成交情况按海关规定的《货币代码表》选择填报相应的货币名称或代码，如《货币代码表》中无实际成交币种，需转换后填报。

表 4-4　常用币制代码表

币制代码	币制符号	币制名称	币制代码	币制符号	币制名称
110	HKD	港币	302	DKK	丹麦克朗
116	JPY	日元	303	GBP	英镑
121	MOP	澳门元	330	SEK	瑞典克朗
122	MYR	马来西亚林吉特	331	CHF	瑞士法郎
132	SGD	新加坡元	501	CAD	加拿大元
142	CNY	人民币	502	USD	美元
300	EUR	欧元	601	AUD	澳大利亚元

40. 征免

指海关依照《海关法》《关税条例》及其他法律、行政法规，对进（出）口货物进行征税、减税、免税或特案处理的实际操作方式。

本栏目应按照海关核发的《征免税证明》或有关政策规定，对报关单所列每项商品选择填报海关规定的《征减免税方式代码表》中相应的征减免税方式的名称。

加工贸易报关单应根据登记手册中备案的征免规定填报。加工贸易手册中备案的征免规定为"保金"或"保函"的，不能按备案的征免规定填报，而应填报"全免"。

41. 特殊关系确认

本栏目根据《中华人民共和国海关审定进出口货物完税价格办法》（以下简称《审价办法》）第十六条，填报确认进出口行为中买卖双方是否存在特殊关系，有下列情形之一的，应当认为买卖双方存在特殊关系，在本栏目应填报"是"，反之则填报"否"。

（1）买卖双方为同一家族成员的。

（2）买卖双方互为商业上的高级职员或者董事的。

（3）一方直接或者间接地受另一方控制的。

（4）买卖双方都直接或者间接地受第三方控制的。

（5）买卖双方共同直接或者间接地控制第三方的。

（6）一方直接或者间接地拥有、控制或者持有对方5％以上（含5％）公开发行的有表决权的股票或者股份的。

（7）一方是另一方的雇员、高级职员或者董事的。

（8）买卖双方是同一合伙的成员的。

买卖双方在经营上相互有联系，一方是另一方的独家代理、独家经销或者独家受让人，如果符合前款的规定，也应当视为存在特殊关系。

本栏目出口货物免予填报，加工贸易及保税监管货物（内销保税货物除外）免予填报。

42. 价格影响确认

本栏目根据《审价办法》第十七条，填报确认纳税义务人是否可以证明特殊关系未对进口货物的成交价格产生影响,纳税义务人能证明其成交价格与同时或者大约同时发生的下列任何一款价格相近的,应视为特殊关系未对成交价格产生影响,在本栏目应填报"否",反之则填报"是":

(1)向境内无特殊关系的买方出售的相同或者类似进口货物的成交价格。

(2)按照《审价办法》第二十三条的规定所确定的相同或者类似进口货物的完税价格。

(3)按照《审价办法》第二十五条的规定所确定的相同或者类似进口货物的完税价格。

本栏目出口货物免予填报,加工贸易及保税监管货物(内销保税货物除外)免予填报。

43. 与货物有关的特许权使用费支付确认

本栏目根据《审价办法》第十一条和第十三条,填报确认买方是否存在向卖方或者有关方直接或者间接支付与进口货物有关的特许权使用费,且未包括在进口货物的实付、应付价格中。

买方存在需向卖方或者有关方直接或者间接支付特许权使用费,且未包含在进口货物实付、应付价格中,并且符合《审价办法》第十三条的,在"支付特许权使用费确认"栏目应填报"是"。

买方存在需向卖方或者有关方直接或者间接支付特许权使用费,且未包含在进口货物实付、应付价格中,但纳税义务人无法确认是否符合《审价办法》第十三条的,在本栏目应填报"是"。

买方存在需向卖方或者有关方直接或者间接支付特许权使用费且未包含在实付、应付价格中,纳税义务人根据《审价办法》第十三条,可以确认需支付的特许权使用费与进口货物无关的,填报"否"。

买方不存在向卖方或者有关方直接或者间接支付特许权使用费的,或者特许权使用费已经包含在进口货物实付、应付价格中的,填报"否"。

本栏目出口货物免予填报,加工贸易及保税监管货物(内销保税货物除外)免予填报。

44. 录入员

本栏目用于预录入和 EDI 报关单,打印录入人员的姓名。

45. 录入单位

本栏目用于预录入和 EDI 报关单,打印录入单位名称。

46. 海关审单批注栏

本栏目指供海关内部作业时签注的总栏目,由海关关员手工填写在预录入报关单上。其中"放行"栏填写海关对接受申报的进出口货物作出放行决定的日期。

第三节　制作商业发票

商业发票是整套单据的核心，其他单据均是以商业发票为核心来缮制的，在外贸制单工作程序中，一般也先缮制好商业发票，然后才制作其他单据。

一、商业发票的概念

商业发票（Commercial Invoice），简称为发票（Invoice），是在货物装出时，卖方开立的凭以向买方索取货款的价目清单和对整个交易和货物有关内容的总体说明。它全面反映了合同内容，虽不是物权凭证，但是全套单据的中心和核心单据，是进出口贸易结算中使用的最主要的单据之一。

二、商业发票的作用与缮制方法

（一）商业发票的作用

其一，便于进、出口商核对已发货物是否符合合同或信用证规定。
其二，作为进口方和出口方记账的依据。
其三，在出口地和进口地作为报关、清关及纳税的凭据。
其四，在不用汇票的情况下，可代替汇票作为付款依据。
其五，凭光票付款时，通常用以确定有关交易的细节。
其六，作为整套出口单据的中心及其填制和审核的依据。
其七，可作为索赔、理赔的凭据。

（二）商业发票的内容及缮制方法

商业发票（样单3-1）是出口企业自行拟制的，没有统一格式，但其基本栏目内容大致相同，在结构上分为首文、本文、结尾三部分。首文部分包括发票名称、号码、出口商的名称和地址、信用证和合同号码、发票抬头人、运输工具等。本文部分包括唛头、货物描述、单价和总值等。结尾部分包括有关货物产地等声明、发票制作人签章等。缮制发票是一项复杂而细致的工作，缮制时要求符合规范，保证质量，做到正确无误、排列合理、缮制清楚、整洁美观。

样单 3-1

	XXXX公司	
	XXXX公司地址	
	Commercial Invoice 商业发票	
Contract No: 合同号		Date: 日期
Buyer: 买方		
POL: 装货港口		POD: 卸货港口
Invoice No: 发票号码:		

Item 序号	Description 货物描述	QTY(unit) 数量	Unit 单位	Unit Price CIF(USD) 单价	Total Price CIF(USD) 总价
1					
2					
3					
4					
5					
Total					USD

申报单位公司名称（盖章）

1. 发票抬头

除信用证有其他要求之外，发票抬头一般缮制为开证申请人（Applicant）或托收的委托人。信用证中一般表示为"For Account of×××"，或"To The Order of ×××"，其中的"×××"部分就是发票抬头。当采用托收或其他方式支付货款时，填写合同买方的名称和地址。填写时需注意的是，公司名称和地址要分两行打，而且必须打上名称和地址的全称。名称一般一行打完，不能换行，地址则可合理分行。如抬头可打成 For Account of×××、To the Order of ×××、To Messers、To×××等。

2. 发票出票人的名称和地址

填写出口商名称及地址，有时包括电传、电话号码等；该项目必须同货物买卖合同的签约人及信用证对受益人的描述一致。信用证项下即为受益人，一般表示为"Beneficiary：×××"。通常出口商名称及地址都已事先印好。

3. 装运工具及起讫地点

在装运工具及起讫地点填写时应一并填写货物的实际起运港（地）、目的港（地）以及运输方式，如果货物需经转运，应把转运港的名称打上。如：Shipment from Shanghai to Hamburg with transshipment at Hong Kong by vessel(装运自上海到汉堡,在香港转运);From Guangzhou To Frankfrut W/T Hong Kong(从广州经香港转船至德国的法兰克福)。

4. 单据名称

商业发票上应明确标明"Invoice"(发票)或"Commercial Invoice"(商业发票)字样。在信用证项下,为防止单、证不符,发票名称应与信用证一致。另外,还需注意,发票名称中不应有联合发票(Combined Invoice)、宣誓发票(Sworn Invoice)等字样。

5. 发票号码和日期

商业发票是所有单据中的中心单据,所以商业发票编号可以代表整套单据的代表号。发票号码和日期(Invoice Number and Date)由出口公司根据实际情况自行编制,一般在编制时,在发票号码的顺序数字中能看出这一票业务是哪个部门及谁做的,具体的年份,以便于日后查找。在国际商会《跟单信用证统一惯例》第600号出版物规定银行可以接受签发日期早于开证日期的发票。一般而言在全套单据中,发票是签发日期最早的单据,尤其要注意,不应使发票签发日期迟于提单的签发日期,也不应晚于信用证规定的交单到期日。

6. 唛头及件数编号

唛头的包括客户名称缩写、合同号、目的港、件数号等部分,如货物还要转运到内陆目的地,可打上"In Transit To 某地"等字样,一般由卖方自行设计。若信用证或合同中有规定,必须按规定填写,并与提单、托运单等单据严格一致。如果无唛头,或者裸装货、散装货等,则应填写"No Mark"(缩写 N/M)。

7. 货物描述

包括货物的品名、规格、等级、尺寸、颜色等,一般用列表的方式将同类项并列集中填写。如果货物有不同规格,或者规格价格不同,则各种规格的数量、重量应分别列出,货物以包装单位计价时,要表示货物包装单位的数量或件数。

8. 商品数量

货物数量应填写实际出运数量,若货物品种规格较多,则每种货物应写明小计数量,最后再进行合计。

9. 单价和总值

单价(Unit Price)须显示计价货币、计量单位、单位金额和贸易术语四部分内容。单价和总金额是发票的主要项目,必须准确计算,正确缮制,并认真复核,特别要注意小数点的位置,金额和数量要计算准确。

有些国家的来证要求在商业发票上分别表示运费、保险费和FOB值,我们应照办,并且运费、保险费和FOB值三者相加总和应等于商业发票上的CIF值。

10. 出票人签章

出票人签章一般手签或盖出口条形章或公章。

第四节　装箱单

包装商品一般都需要提供包装单据。进口地海关验货、公证行检验、进口商核对货物时，都以包装单据为依据以了解包装件号内的具体内容和包装情况。包装单据是指一切记载或描述商品包装情况的单据。不同的商品往往需用不同的包装单据。由于国际间货物买卖数量较大，花色品种繁多，有时无法在商业发票上一一列明，而必须使用专门的单据加以说明，这就出现了各种各样的包装单据，这里重点介绍装箱单(样单 4-1)的内容与缮制方法。

样单 4-1

XXXX公司				
XXXX公司地址				
Packing List 装箱单				
Contract No: 合同号		Date: 日期		
Buyer: 买方				
POL: 装货港口		POD: 卸货港口		
Item 序号	Description 货物描述	Net Weight (KG) 总净重	Gross Weight (KG) 总毛重	Qty(Pkgs) 包装件数	Volume(CBM) 体积
1					
2					
3					
4					
5					
TOTAL					

申报单位公司名称（盖章）

一、单据的名称(Packing List)

一般填写装箱单。

二、出单方(Issuer)

一般情况下,填写出口公司的名称及地址。

三、抬头人(To)

同发票抬头人编写一致。

四、装箱单据的号码(No)、日期(Date)

一般填写发票号码、日期。

五、箱号(C/NOS)

箱号即包装件号,应根据实际按序编写。有的信用证规定箱单中应注明件号为"1-UP",这里的 UP 应理解为总箱数。

六、唛头(Shipping Mark)

与发票和信用证上的规定一致,也可以只注明"as per invoice No. xxx"。

七、商品数量(No and Kinds of Packages)

该数量为运输包装单位的数量,而不是计价单位的数量。

八、商品名称(Name of Goods)

装箱单中所表明的货物应为发票中所描述的货物,但可用与其他单据无矛盾的统称表示。除非信用证明确规定装箱单必须表明货物表述,否则银行可接受没有货物描述的装箱单、只要装箱单内容与发票有充分的联系。

九、商品的毛重(Gross Weight,GW)、净重(Net Weight,NW)和体积(Measurement,Meas)

毛重应注明每个包装件的毛重和此包装件内不同规格、品种、花色货物各自的总毛重,最后在合计栏处标注所有货物的总毛重;净重应注明每个包装件的净重和此包装件内不同规格、品种、花色货物各自的总净重,最后在合计栏处标注所有货物总净重;体积则要求注明每个包装件的尺寸和总体积。

十、签章(Seal)

一般手签或盖出口条形章或公章。

第五节　出口许可证

一、进出口许可制度概述

进出口许可是国家对进出口的一种行政管理制度，及包括准许进出口有关证件的审批和管理制度本身的程序，也包括以国家各类许可为条件的其他行政管理手续，这种行政管理制度称为进出口许可管理制度。

目前我国的进出口许可制度主要由货物、技术进出口许可管理制度组成。其管理范围包括禁止进出口的货物和技术、限制进出口的货物和技术、自由进出口的技术以及自由进出口中部分实行自动许可管理的货物。对于禁止进出口的货物和技术，任何单位禁止经营；对于限制进出口的货物和技术，经营单位必须按照规定申领相关的进出口许可证，海关凭进出口许可证接受申报和验放，无证不得进出口。

商务部是全国进出口许可证的归口管理部门，负责制定进出口许可证管理办法及规章制度，监督、检查进出口许可证管理办法的执行情况，处罚违规行为。商务部会同海关总署制定、调整和发布年度进口许可证管理货物目录及出口许可证管理货物目录。

商务部统一管理、指导全国各发证机构的进出口许可证签发工作，商务部配额许可证事务局，商务部驻各地特派员办事处和各省、自治区、直辖市、计划单列市以及商务部授权的其他省会城市商务厅（局）、外经贸委（厅、局）为进出口许可证的发证机构，负责在授权范围内签发"中华人民共和国进口许可证"（以下简称进口许可证）或"中华人民共和国出口许可证"（以下简称出口许可证）。

外贸企业在进出口时，要先查阅当年商务部发布的年度许可证管理货物目录和年度许可证管理货物分级发证目录，弄清楚所经营的货物是否属于许可证管理范围，该货物属于哪个发证机构管理发证，按规定到有权签发该货物进出口许可证的发证机构办理相关进出口许可申请手续，取得进出口许可证。

> **知识链接**
>
> **2018年出口许可证管理货物目录**
>
> 实行出口配额管理的货物有：活牛（对港澳出口）、活猪（对港澳出口）、活鸡（对香港出口）、小麦、玉米、大米、小麦粉、玉米粉、大米粉、甘草及甘草制品、蔺草及蔺草制品、磷矿石、煤炭、原油、成品油（不含润滑油、润滑脂、润滑油基础油）、锯材、棉花、白银。
>
> 出口本款所列上述货物的，需按规定申请取得配额（全球配额或国别、地

区配额),凭配额证明文件申领出口许可证。其中,出口甘草及甘草制品、蓝草及蓝草制品的,需凭配额招标中标证明文件申领出口许可证。

实行出口许可证管理的货物有:活牛(对港澳以外市场)、活猪(对港澳以外市场)、活鸡(对港澳以外市场)、牛肉、猪肉、鸡肉、天然砂(含标准砂)、矾土、镁砂、滑石块(粉)、氟石(萤石)、稀土、锡及锡制品、钨及钨制品、钼及钼制品、锑及锑制品、焦炭、成品油(润滑油、润滑脂、润滑油基础油)、石蜡、部分金属及制品、硫酸二钠、碳化硅、消耗臭氧层物质、柠檬酸、维生素C、青霉素工业盐、铂金(以加工贸易方式出口)、铟及铟制品、摩托车(含全地形车)及其发动机和车架、汽车(包括成套散件)及其底盘等。其中,对向港、澳、台地区出口的天然砂实行出口许可证管理,对标准砂实行全球出口许可证管理。

根据商务部、海关总署发布的《2018年出口许可证管理目录》,2018年实行出口许可证管理的货物44种。

二、出口许可证

出口许可证是国家商务管理部门代表国家统一签发的、批准某项货物出口的具有法律效力的证明文件,用来证明出口商合法出口列入国家许可证管理目录中货物的证明文件,是海关验放该类货物的重要依据。

凡列入年度《出口许可证管理货物目录》和《两用物项和技术进出口许可证管理目录》等许可证管理范围内的货物,必须依照国家有关规定,取得有关发证机构签发的出口许可证件,方可出口。海关凭出口许可证接受申报和验放,无证不得出口。

(一)出口许可证的网上申请流程

第一步,企业申领电子钥匙。

第二步,登陆许可证申领网站。

第三步,进入申领平台。平台有四个许可证申领系统:自动进口许可证申领系统、进口许可证申领系统、出口许可证申领系统、重要工业品关税配额进口许可证申领系统。

第四步,选择进入出口许可证申领系统。

第五步,填写出口许可证申请表。

第六步,上报出口许可证申请表。

第七步,查询出口许可证申请表是否审批通过。如果未通过,修改申请表并重新上报。

第八步,打印出口许可证申请表并盖章。

第九步,持相关文件领取出口许可证。

(二)申请出口许可证时须提交的材料

材料包括:加盖经营者公章的《中华人民共和国出口许可证申请表》;主管机关签发的出口批准文件(如出口货物配额证明等);出口合同正本复印件;出口商与发货人不一致的,应当提交《委托代理协议》正本复印件;商务部规定的其他应当提交的材料。

网上申请的,领取出口许可证时提交上述材料;书面申请的,申请时提交。

年度内初次申请出口许可证的,还应提交以下材料的复印件:《企业法人营业执照》;加盖对外贸易经营者备案登记专用章的《对外贸易经营者备案登记表》或者《中华人民共和国进出口企业资格证书》;经营者为外商投资企业的,应当提交《中华人民共和国外商投资企业批准证书》。上述材料如有变化,经营者需及时向当地发证机构提交变更后的材料。

(三)出口许可证的发放

发证机构自收到符合规定的申请之日起3个工作日内发放出口许可证。

发证机构凭加盖经营者公章的申请表取证联及领证人员本人身份证明材料发放出口许可证。

(四)出口许可证的使用

出口许可证一式四联,分别在办理相应的手续时使用。第一联(正本),用于发货人办理海关手续;第二联(副本),用于海关留存核对正本;第三联(副本),送银行办理结汇。第四联(副本),发证机关留存。许可证正本背面为海关签注栏,供海关验放时使用。

三、出口许可证的缮制

(一)出口许可证申请表的缮制

出口许可证申请表由出口企业填制。出口许可证申请表的主要内容与缮制方法如下:

1. 出口商

出口商指出口合同签订单位,应与出口批准文件一致。填写出口商的全称。出口商代码为《对外贸易经营者备案登记表》《中华人民共和国进出口企业资格证书》或者《中华人民共和国外商投资企业批准证书》中的13位企业代码。

2. 发货人

发货人指具体执行合同发货报关的单位。配额以及配额招标商品的发货人应与出口商保持一致。

3. 出口许可证号

此栏留空,由签证机构填制。

4. 出口许可证有效截止日期

该日期按《货物出口许可证管理办法》确定的有效期,由发证系统自动生成。

5. 贸易方式

贸易方式指该项出口货物的贸易性质,与报关单位相同项目一致。

6. 合同号

合同号指申请出口许可证时提交出口合同的编号,长度为 17 个英文字符。只能填报一个合同号。

7. 报关口岸

报关口岸指出口口岸,只允许填报一个关区。与报关单中的"出口口岸"一致。出口许可证实行"一证一关"制。对指定口岸的出口商品,按国家有关规定执行。

8. 进口国

进口国指合同目的地。只能填报一个国家。不能使用地区名,如欧盟等。

9. 付款方式

付款方式包括信用证、托收、汇付等。只能填报一种,与报关单中的"结汇方式"一致。

10. 运输方式

运输方式指货物离境时的运输方式。包括海上运输等,只能填报一种。

11. 商品名称、商品编码

商品编码按商务部公布的年度《出口许可证管理货物目录》中的 10 位商品编码填报,商品名称由发证系统自动生成。只能填报一个商品编码并应于出口批准文件一致。

12. 规格、等级

只能填报同一商品编码下的 4 种不同规格等级,超过 4 种规格等级的,另行申请许可证。

13. 单位

单位指计量单位。按商务部公布的年度《出口许可证管理货物目录》中的计量单位执行,发证系统自动生成。如合同使用的计量单位与规定的计量单位不一致,应换算成规定的计量单位。无法换算的,可在备注栏注明。

14. 数量

数量指申请商品出口数量。最大位数为 9 位阿拉伯数字,最小保留小数点后 1 位。

样单 5-1

中华人民共和国出口许可证
EXPORT LICENCE OF THE PEOPLE'S REPUBLIC OF CHINA No.4119708

1. 出口商: Exporter	3. 出口许可证号: Export licence No.
2. 发货人: Consignor	4. 出口许可证有效截止日期: Export licence expiry date
5. 贸易方式: Terms of trade 承包工程	8. 进口国(地区): 埃塞俄比亚 Country/Region of purchase
6. 合同号: Contract No. 见备注	9. 付款方式: Payment 汇付
7. 报关口岸: Place of clearance 上海海关	10. 运输方式: Mode of transport 海上运输
11. 商品名称: Description of goods 柴油型的其他超重型货车(超重型指车辆总重量>20吨)	商品编码: Code of goods 8704230090

12. 规格、等级 Specification	13. 单位 Unit	14. 数量 Quantity	15. 单价 USD Unit price	16. 总值 USD Amount	17. 总值折美元 Amount in USD
自卸车	辆	*10.0	*47,076.9000	*470,769	$470,769
18. 总计 Total	辆	*10.0		*470,769	$470,769

19. 备 注 Supplementary details 合同号: W/34/ICB/OC/L/IDA/2004EFY	20. 发证机关签章 Issuing authority's stamp & signature
	21. 发证日期 Licence date 2016年05月31日

第一联(正本) 发货人办理海关手续 海关验放签注栏在背面

中华人民共和国商务部监制 (2007)

15. 单价

单价指与第 13 项"单位"所使用的计量单位相应的单价和货币种类。计量单位为 1 批的,此栏为总金额。

16. 总值

17. 总值折美元

18. 总计

由发证系统自动计算。

19. 备注

用于注明其他需要说明的情况。

20. 发证机关签章

发证机构发放出口许可证前在此栏加盖《中华人民共和国出口许可证专用章》。

21. 发证日期

发证日期由发证系统自动生成。

(二)出口许可证的缮制

现在,出口许可证基本上都是在网上申领的,由系统根据出口许可证申请表的内容生成,不需要填写,由发证机关直接打印、签字盖章。只有在非网上申领时,因出口许可证的内容和出口许可证申请表的项目、结构、内容基本相同,发证机构发证时往往要求出口企业填写出口许可证申请表时,先将出口许可证部分内容事先填好,待其审核通过时签字盖章即可。

第六节 原产地证明书

一、认识原产地证书

(一)原产地证书的概念和作用

原产地证明书是出口商应进口商要求而提供的、由公证机构或政府或出口商出具的证明货物原产地或制造地的一种证明文件。原产地证明书的作用表现在以下几个方面:

用于确定货物"国籍"的一种特定格式的有效证明文件;出口国享受配额待遇,体现货物享有关税和非关税待遇的国别政策的凭证;进口国通关验收、征收关税在有效凭证;海关统计的主要依据之一;贸易关系人交接货物、结算货款、索赔理赔的主要依据之一。

(二)原产地证书的类型

非优惠原产地证书,又称"一般原产地证书"或简称"C.O.证书"。

普遍优惠制原产地证明书,主要有普遍优惠制原产地证明书格式 A、普遍优惠制原产地证明书格式 APR、普遍优惠制原产地证明书格式 59A 三种形式。

地区经济集团协定产地证书,比如《中国－东盟自由贸易区》优惠原产地证明书、《曼谷协定》优惠原产地证明书等。

二、一般原产地证明书的申领与缮制

一般原产地证书是证明货物原产于某一特定国家或地区,享受进口国正常关税(最惠国)待遇的证明文件。它的适用范围是:征收关税、贸易统计、保障措施、歧视性数量限制、反倾销和反补贴、原产地标记、政府采购等方面。

(一)一般原产地证书的申领

一般原产地证是证明我国出口货物生产和制造在中国的证明文件,是出口产品进入国际贸易领域的"经济国籍"和"护照"。

1. 原产地证的办理方法

在海关申请办理中国原产地证。

2. 原产地证的办理程序

企业最迟于货物报关出运前三天向签证机构申请办理原产地证。

(二)一般原产地证书的缮制

一般原产地证书(样单6-1)的填制要求如下。

1. 出口方(Exporter)

填写出口商即合同承包方。本栏不得留空。

2. 收货人(Consignee)

填写进口商即合同业主方。本栏不得留空。

3. 运输方式和路线(Means of Transport and Route)

本栏主要填写以下三项内容:

(1)起运地至目的地"From… To…";

(2)运输方式"By Sea/Air/Railway";

(3)若经转运,还应注明转运地,"Via …"或"With transhipment …"或"W/T…",转运地若不明确,也可只填"With transhipment"。

例如:通过海运,由上海港经香港转运至纽约港,应填为:

From Shanghai to New York by vessel via Hong Kong.

4. 目的地国家或地区名称(Country/Region of Destination)

填写该批货物的最终运抵目的国家或地区名称,应与最终收货人或最终目的港(地)国别相一致,一般将目的地和国名一起列出,这里不能填写中间商国家名称。

5. 签证机构专用栏(For Certifying Authority Use Only)

由签证机构在此加注时使用,一般情况下,该栏不填,证书申领单位应将此栏留空。加注的情况主要有:证书丢失、证书更改、重新补发等。

6. 运输标志(Marks and Numbers)

即唛头。应与其他单据此栏内容完全一致,按合同及发票上所列唛头完整填写文字标记、包装号码及图案,不可简单填写"As Per Invoice No."或者"As Peer B/L No."。如唛头多,本栏目填写不够,可填写在第7、8、9栏内的空白处,如还是不够,可用附页填写。此栏不得留空,如无唛头,应填写"No Mark"或"N/M"。

7. 包装数量及种类、商品描述(Number and Kind of Packages, Description of Goods)

填写包装数量及商品描述。具体要求有以下几点:

(1)商品名称要填写具体名称,不能用概括性表描述;

(2)包装数量及种类要按具体单位填写,应与其他单据严格一致,包装数量应在阿拉伯数字后加注英文表述,如"100(One Hundred)Cartons of Leather Bags";

(3)如货物为散装,在商品名称后加注"散装"(In Bulk)字样;

(4)有时信用证要求在所有单据上加注信用证号、合同号码等,可加注在此栏内;

(5)本栏的末行要打上表示结束的符号"＊＊＊＊＊＊＊＊＊＊＊＊＊＊"或"ⅩⅩⅩⅩⅩⅩⅩ"或"—————————",以防添加或伪造。

8. 商品编码(H. S. Code)

此栏要求填写 HS 编码,应与报关单一致。如果同一证书包含几种商品,则应将相应的税目号分别列出。此栏不得留空。

9. 数量(Quantity)

此栏要求填写出口货物的数量及其计量单位,如"500 SETS"。以重量计算应分别注明毛重和净重。

10. 发票号及发票日期(Number and Date of Invoice)

填写商业发票号码及日期,此栏不得留空。月份一律用英文缩写表示,如2018年3月21日,应写为 MAR. 21,2018。

11. 出口方声明(Declaration by the Exporter)

本栏应由已在签证机构注册的人员签名并加盖有中英文的印章。加盖有中英文的印章,签字和盖章不得重叠;另外,本栏还要填写申报日期和地点。

12. 签证机构签字、盖章(Certification)

由授权的签证机构签证人经审核后,在此栏手签姓名,盖签证印章,并填写签署日期和地点,此处日期不能早于发票日期和申报日期。

样单 6-1

ORIGINAL

CERTIFICATE OF ORIGIN OF THE PEOPLE'S REPUBLIC OF CHINA

1. Exporter	Certificate No.
2. Consignee	
3. Means of transport and route FROM SHANGHAI TO DJIBOUTI BY SEA	5. For certifying authority use only
4. Country / region of destination ETHIOPIA	Verification: www.chinaorigin.gov.cn

6. Marks and numbers	7. Number and kind of packages; description of goods	8. H.S.Code	9. Quantity	10. Number and date of invoices
N/M	ONE (1) PLYWOOD CASE OF ANAEROBIC SEALANT	35.06	36KG	CTCEKIP/SZ/2018006 FEB. 02, 2018
	PTFE TAPE	39.20	400ROLL	
	STAINLESS CLAMP	73.07	490SET	
	PLASTIC VALVE BOX	39.26	60PC	
	ONE (1) PLYWOOD CASE OF RUBBER SEAL GASKET	40.16	208PC	
	CONNECTOR	73.07	10PC	
	CONNECTOR	73.07	150PC	
	PLASTIC VALVE BOX	39.26	60PC	
	ONE (1) PLYWOOD CASE OF CONNECTOR	73.07	150PC	
	RUBBER SEAL GASKET	40.16	2577PC	
	RUBBER SEAL GASKET	40.16	39PC	
	RUBBER SEAL GASKET	40.16	72PC	

11. Declaration by the exporter The undersigned hereby declares that the above details and statements are correct, that all the goods were produced in China and that they comply with the Rules of Origin of the People's Republic of China. Anhui, China, FEB. 27, 2018 Place and date, signature and stamp of authorized signatory	12. Certification It is hereby certified that the declaration by the exporter is correct. 0000067409634 Anhui, China, FEB. 27, 2018 Place and date, signature and stamp of certifying authority

AQSIQ 170166671

第七节 海运提单

海运提单(Ocean Bill of Lading)是由船长或承运人的代理人签发的证明海上运输合同和货物由承运人接管或装船,以及承运人据以保证交付货物的单据。单据中关于货物应交付指定收货人或按指示交付,或交付提单持有人的规定,即构成这一保证。海运提单是海运中使用最多的单据。

一、海运提单的作用

海运提单是货物收据;海运提单是货物所有权的凭证;海运提单是承运人和托运人之间运输协议的证明;海运提单是收取运费的证明。

二、海运提单的内容和缮制

目前,各船公司所制定的提单虽然格式不完全相同,但其内容大同小异。都有正反两面,提单背面的条款,作为承托双方权利义务的依据,一般由船公司自行印制好,多则三十余条,少的也有二十几条,这些条款一般分为强制性条款和任意性条款两类。强制性条款的内容不能违反有关国家的法律和国际公约、港口惯例的规定。除强制性条款外,提单背面任意性条款,即上述法规、国际公约没有明确规定的,允许承运人自行拟定的条款,和承运人以另条印刷、刻制印章或打字、手写的形式在提单背面加列的条款,这些条款适用于某些特定港口或特种货物,或托运人要求加列的条款。所有这些条款都是表明承运人与托运人、收货人或提单持有人之间承运货物的权利、义务、责任与免责的条款,是解决他们之间争议的依据。

提单正面内容需要由船公司根据实际情况填制,我国目前的外贸实践中,一般由出口公司填制好,船公司只需审核即可。

(一)海运提单正面内容

1. 托运人(Shipper/Consignor)

托运人是委托运输的人,即发货人,一般即为出口企业。

2. 收货人(Consignee)

收货人即提单的抬头,这是提单中的重要栏目。一般采取记名式即直接写明收货人名称,如To ×××。它的特点是收货人已经确定,不得转让,必须由收货人栏内指定的人提货。

3. 被通知人(Notify Party)

被通知人与收货人填写一致。

4. 前程运输(Pre-carriage by)

若货物需转运，填写第一程船名，如果货物不需转运，则此栏留空。

5. 收货地(Place of Receipt)

若货物需转运，填写收货的港口名称或地点，若货物不需要转运，则此栏留空。

6. 船名、航次(Ocean Vessel Voyage No.)

若货物需转运，填写货物所装第二程船舶的船名和航次，若货物不需转运，填写第一程船的船名。

7. 装货港(Port of Loading)

要填具体装货的港口名称，如上海、天津，不能笼统地填中国港口。若货物需转运，填货物中转港的名称。

8. 卸货港(Port of Discharge)

应填写货物实际卸下的港口名称。如是同名港口须加注国名。如属选卸港提单，如伦敦/鹿特丹选卸，则在卸货港栏中填上"Option London/Rotterdam"，收货人必须在船舶到达第一卸货港船公司规定时间内通知船方卸货港，否则，船方可任意选择其中任何港口卸货。选择港最多不得超过三个，且应在同一航线上的。如果货物转运，可在目的港(Port of Discharge)之后加注"With transshipment at…"。例如，从上海港到汉堡，在香港转运。那么就打上：From Shanghai to Hamburg with transshipment at Hong Kong。

如果货运目的港装运到内陆某地，或利用邻国港口过境，则须在目的港后加注"In transit to 某地"字样。如"Dubai in transit to Saudi Arabia"(目的港迪拜转运沙特阿拉伯)。

9. 交货地点(Placc of Delivery)

填写最终目的地名称，即船公司或承运人的交货地。若最终目的地就是卸货港，此栏留空。

10. 唛头集装箱号和封号(Marks and No., Container Seal No.)

提单上的唛头必须与发票等其他单据上的相一致，如无唛头时注明"No Marks(N/M)"或"In Bulk"字样。集装箱号和封号按实际情况填写。

11. 货物包装及件数(No. & Kinds of Packages)

按货物装船的实际情况填写最大包装数量和包装单位，并在大写合计栏内要填上英文的大写文字总件数，若一张提单的货物有几种不同包装也应分别列明，在总数及大写部分则可以使用 Packages；若是散装货物，该栏只需填"In Bulk"；在大写合计栏内要填上英文的大写文字总件数。

12. 货物描述（Description of Goods）

此栏目填写件数和包装种类、货物名称。必须与发票、装箱单等单据一致，如目的国清关没有特殊要求，提单上的货物名称的描述可以只写总的名称，而不必如发票上描述得那么细致。

13. 货物毛重（Gross Weight）

同装箱单上货物的总毛重要一致。

14. 尺码（Measurement）

填写货物总尺码，以立方米为体积单位，小数要保留三位。托盘货要分别注明盘的重量，尺码和货物本身的重量，尺码，对超长、超重、超高货物，应提供每一件货物的详细的体积（长，宽，高）以及每一件的重量，以便货运公司计算货物积载因素，安排特殊的装货设备。

15. 提单加注运费条款

一般有运费预付（Freight Prepaid）和运费到付（Freight Collect），并且注意与所用贸易术语的一致性。有的转运货物，一程运输费预付，二程运费到付，要分别注明。

16. 货物总包装件数的大写（Total Number of Containers or Packages）

此栏的内容要与第11栏一致。

17. 正本提单份数（No. of Original B/L）

正本提单的份数一般一至三份都可以。正本提单不论有多少份，其法律效率是一样的，其中任何一份正本提单提货后，其他各份正本提单即告失效。

正本提单须有"Original"字样。

18. 装船批注的日期和签署（Date, By）

根据"UCP500"规定，如果提单上没有预先印就"已装船"（Shipped on Board）字样的，则必须在提单上加注装船批注（On Board Notation），装船批注中所显示的日期即视为货物的装运日期。

19. 提单的签发地点和签发日期（Place and Date of Issue）

均为装货完毕日期，提单的签发地点应按装运地点填列。

20. 提单签署（Signed For or On Behalf or The Carrier）

根据"UCP500"规定，提单必须由四类人员签署证实，即承运人或承运人的具名代理人或船长或船长的具名代理人。签署可以用手写、印签、打孔、盖章、符号或如不违反提单签发国的法律，用任何机械或电子的方式。需要特别加以注意的是，印度、斯里兰卡、黎巴嫩、巴林岛及阿根廷等港口，虽然信用证未规定提单必须手签，但由于当地海关规定，因此仍须手签。关于提单签字的式样，有以下几种参考格式：

（1）由承运人签发的提单。

ABC Shipping Co.

As Carrier

（签署）

（2）由承运人的具名代理人签发的提单。

XYZ Sipping Co.

As Agent for(or "On Behalf Of")

ABC Shipping Co. Carrier

（签署）

（3）由船长签发的提单。

Smith(船长名)

Master Of

ABC Shipping Co.（承运人公司名）

（签署）

（4）由船长的具名代理人签发的提单。

MXN Co(代理人公司名称)

签字

As Agent For(or On Behalf Of)Smith(船长名)

Master Of

ABC Shipping Co.（承运人公司名）

（签署）

21. 提单号码(B/L No.)

一般列在提单右上角。这个号码与装货单、大副收据或场站收据的号码是一致的。

除了海运提单以外，海洋货物运输单据还有海运单、联运提单、多式联运单据等，由于海运提单是使用最多的，这里我们就只介绍海运提单的制作方法。

22. 契约文字：契约文字即提单正面条款，一般包括以下四个方面

（1）已装船条款：Shipped on board the vessel named above in apparent good order and condition(unless otherwise indicated)the goods or packages specified herein and to the discharged at the above mentioned port of discharge or as near hereto as the vessel may safely get and be always afloat.

上述外观状况良好之货物或包装（除另有说明者外），已装上述指定船只，并应在上述卸货港或船只所能安全到达并保持浮泊的附近地点卸货。

（2）内容不知悉条款：The weight,measure marks,numbers,quality,contents and value,being particulars furnished by the shipper,are not checked by the carrier on loading.

由发货人所提供的重量、尺码、标记、号码、品质、内容及价值各项目,承运人于装船时并未核对。

(3)承认接受条款:The shipper,consignee and the holder of this bill of lading hereby expressly accept and agree to all printed,written or stamped provisions, exceptions and conditions of this bill of lading,including those on the back hereof.

发货人、收货人及本提单持有人明确表示接受并同意本提单,包括背面所印刷、书写或盖章的一切条款、免责事项和条件。

(4)签署条款:In witness whereof,the carrier or his agents has signed bill of lading all of this tenor and date,one of which being accomplished,the others to stand avoid. Shippers are requested to note particularly the exceptions and conditions of this bill of lading with reference to the validity of the insurance upon their goods.

为证明以上各项承运人或其代理人已签署各份内容和日期一样的本提单,其中一份已经完成提货手续,则其余各份均告失效。要求发货人特别注意本提单中关于该批货物保险效力的免责事项和条件。

(二)海运提单背面内容

1. 定义(Definition)

定义是指对提单中所印就的关键词语,如"承运人""托运人"的含义和范围作出明确定义的条款。

2. 首要条款(Paramount Clause)

首要条款是承运人按照自己的意志,印刷于提单条款的上方,列为提单条款第一条,用以明确本提单受某一国际公约制约,或适用某国法律的条款。

3. 管辖权条款(Jurisdiction Clause)

提单的管辖权条款是规定双方发生争议时,由何国行使管辖权,即由何国法院审理,有时还规定法院解决争议适用的法律。

4. 舱面货条款(Deck Cargo Clause)

由于《海牙规则》将舱面货和活动物不视为海上运输的货物,因而提单上一般订明:关于这些货物的收受、装载、运输、保管和卸载,均由货方承担风险,承运人对货物灭失或损坏不负赔偿责任。

集装箱船舶装载集装箱有相当数量的集装箱必须装载于甲板面上。因此,集装箱提单中规定了一条"舱面货条款"。

5. 承运人责任(Carrier's Responsibility)

一些提单订有承运人责任条款,规定承运人在货物运送中应负的责任和免责事项,一般概括地规定为按什么法律或什么公约为依据。

6. 承运人的责任期间(Period of Responsibility)

提单条款中列有关于承运人对货物运输承担责任的起止时间。

7. 包装和标志条款(Package and Marks Clause)

一般提单均规定,在装船前,托运人应将货物妥善包装,标志应正确、清晰,用5厘米或不小于5厘米的字体标明货物的目的港,并必须保证字迹在交付货物时仍须清晰可辨。

8. 留置权条款(Lien Clause)

一般提单规定承运人对应收未收的运费、空舱费、滞期费以及其他费用,均可对货物或任何单证行使留置权,并有权出售或处理货物,以抵偿应收款项。

9. 共同海损条款(General Average Clause)

共同海损条款规定发生共同海损时,将在什么地点、按照什么规则理算共同海损。

10. 装货、卸货和交货条款(Loading, Discharging and Delivery Clause)

11. 运费和其他费用条款(Freight and Other Charges Clause)

12. 自由转船条款(Transshipment Clause)

通常规定,如有需要,承运人为了完成货物运输,可以采取一切合理措施,任意改变航线,改变港口或将货物交由承运人自有的或属于他人的船舶,或经铁路或以其他运输工具,直接或间接地运往目的港,或运到目的港以转运、转船、收运、在岸上或水面上储存等,以上费用均由承运人负担,但风险则由货方承担。

13. 选港条款(Optional Port Clause)

该条款通常规定,只有当承运人与托运人在货物装船前有约定,并在提单上注明时,收货人方可选择卸货港。

14. 赔偿责任限额条款(Limit of Liability Clause)

承运人的赔偿责任限额,是指承运人对货物的灭失和损失负有赔偿责任时应支付的赔偿金额和承运人对每件或每单位货物支付的最高赔偿金额。提单应按适用的国内法或国际公约,规定承运人对货物的灭失或损坏的赔偿责任限额。

样单 7-1

Shipper		BILL OF LADING	B/L No **SYM17(**
			Nationality of Ocean Vessel
Consignee		CARRIER: NYC SHIPPING INC.	
Notify Address		Shipped on board the vessel named herein in apparent good order and condition (unless otherwise indicated) the goods or packages specified herein and to be discharged at the above mentioned port of discharge or as near thereto as the vessel may safely get and be always afloat. The weight, measure, marks, numbers, quality, contents and value, being particulars furnished by the shipper, are not checked by the Carrier on loading. The Shipper, Consignee and the Holder of this Bill of lading hereby expressly accept and agree to all printed, written or stamped provisions, exceptions and conditions of this Bill of Lading, including those on the back hereof. One of the Bills of Lading duly endorsed must be surrendered in exchange for the goods or delivery order. In witness whereof, the Carrier or his Agents has signed Bills of Lading all of this tenor and date, one of which being accomplished, the others to stand void. Shippers are requested to note particularly the exceptions and conditions of this Bill of Lading with reference to the validity of the insurance upon their goods.	
Pre-carriage by	· Place of Receipt by Pre-carrier		
Ocean Vessel **SHANG YUAN MEN/V1705**	Port of Loading **LIANYUNGANG PORT, CHINA**	**ORIGINAL**	
Port of Discharge **DJIBOUTI**	· Final destination (if goods to be transshipped at port of discharge)	Freight payable at **LIANYUNGANG**	Number of original B(s)/L **THREE**

Marks & Nos.	Number and Kind of packages, description of goods	Gross weight kgs	Measurement m³
CTCE	26PACKAGES INCLUDING 78PCS GLASS REINFORCED PLASTIC PIPE AND 190PCS HDPE CORRUGATED PIPE CLEAN ON BOARD 02 AUG 2017 (of which 26PACKAGES on deck at Shipper's risk: the Carrier not being responsible for loss or damage howsoever arising)	86338KGS	849.42M3
TOTAL PACKAGES (IN WORDS)	**SAY TWENTY SIX PACKAGES ONLY**		

Freight and charges	Place of B(s)/L Issue	Dated
FREIGHT PREPAID	LIANYUNGANG, CHINA	02 AUG 2017
	Signature AS AGENT FOR THE CARRIER: NYC SHIPPING INC. PHENHUA SHIPPING AGENCY (LIANYUNGANG) CO., LTD. 叶广健 AS AGENT	

第八节　保险单

一、常见的保险险别

在国际货物买卖业务中,保险是一个不可缺少的条件和环节。其中业务量最大,涉及面最广的是海洋运输货物保险。中国人民保险公司(PICC)于1981年1月1日修订的海洋运输保险条款,是参照国际保险市场的一般习惯并结合我国保险工作的制定的,简称为"中国保险条款"(CIC)。它规定的保险险别主要有基本险、一般附加险和特殊附加险。

基本险分为平安险(Free from Particular Average,简称FPA)、水渍险(With Particular Average,简称WA或WPA)和一切险(All Risk)三种。其中,一切险的承保范围最大,平安险的承保范围最小。

附加险是对基本险的补充和扩大,投保人只能在投保一种基本险的基础上才可以加保一种或几种附加险。附加险有一般附加险、特别附加险和特殊附加险三类。一般附加险有11种,如果投保了一切险,这些附加险就包括在里面了。一般附加险包括:偷窃和提货不着险(Theft Pilferage and Non-Delivery,简称 T. P. N. D)、淡水雨淋险(Fresh Water &/or Rain Damage,简称 F. W. R. D)、短量险(Risk of Shortage)、渗漏险(Risk of Leakage)、混杂、沾污险(Risk of Intermixture and Contamination)、碰损破碎险(Risk of Clash and Breakage)、串味险(Risk of Odor)、受潮受热险(Damage Caused by Sweating & Heating)、锈损险(Risk of Rust)、钩损险(Hook Damage)、包装破裂险(Breakage of Parking)。

特别附加险包括:战争险(War Risk)、罢工险(Strikes Risk)、交货不到险(Failure to Deliver)、进口关税险(Import Duty Risk)、舱面险(On Deck Risk)、拒收险(Rejection Risk)、黄曲霉素险(Aflatoxin)以及出口货物到香港(包括九龙在内)或澳门存仓火险责任扩展条款(Fire Risk Extension Clause for Storage of Cargo at Destination of Hong Kong, Including Kowloon or Macao,简称FREC)。

英国伦敦保险人协会的"协会货物条款",即ICC(Institute Cargo Clauses),最早制订于1912年,最近的一次修改完成于1982年,并于1982年1月1日开始在伦敦保险市场使用。现行的ICC条款主要有:协会货物条款(A) Institute Cargo Clauses(A)——ICC(A)、协会货物条款(B) Institute Cargo Clauses(B) ICC——(B)、协会货物条款(C) Institute Cargo Clauses(C) ICC(C)、协会战争险条款(货物) Institute War Clauses-Cargo 和协会罢工险条款(货物) Institute Strikes Clauses-Cargo。其中,ICC(A)、ICC(B)和ICC(C)均为主险,ICC(A)的承

保责任最大,ICC(B)次之,ICC(C)的承保责任最小。战争和罢工均为附加险。

CIC 和 ICC 两种条款承保责任有差别,不能完全等同。ICC(A)接近于一切险,ICC(B)接近于水渍险,ICC(C)接近于平安险。

二、保险单据的种类及填制

(一) 保险单(Insurance Policy)

保险单俗称大保单,是一种正规的保险合同,是完整独立的保险文件,保单背面印有货物运输保险条款(一般表明承保的基本险别条款之内容),还列有保险人的责任范围及保险人与被保险人各自的权利、义务等方面的条款。

样单 8-1

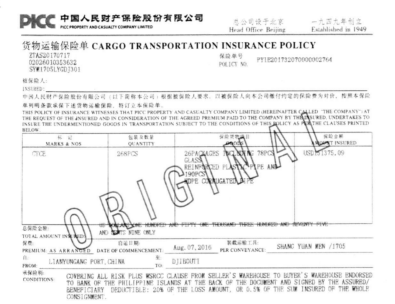

(二)填制保险单

1. 保险人名称(Name Of Insurance Company)

在保险单(样单 8-1)顶端已经用中英文印制好保险公司的名称。国际贸易当事人应根据合同的规定由相应的保险公司办理保险。

2. 保险单据名称(Insurance Policy)

在保险人名称下方已经印制好单据名称,需要注意的是,保险单据名称必须与合同要求一致。

3. 发票号码(Invoice Number)

此处填写发票号码。

4. 合同号(Contract No.)

填写本批货物的合同号码。

5. 保险单号码(Policy No.)

填写保险公司编制的保险的保险单号码。

6. 被保险人(Insured)

被保险人就是出口商名称。

7. 唛头(Marks and Nos)

保险单唛头应与发票、提单等一致。

8. 包装及数量(Quantity)

(1)如以包装件数计价者,则将最大外包装的总件数和计量单位填入,如"500 BAGS";

(2)如以毛重或净重计价,可填件数及毛重或净重,如果是裸装货物,则表示其件数即可;

(3)散装货物则表示其净量,并在其后注明"In Bulk"。

9. 保险货物项目(Description of Goods)

填写货物名称,应与商业发票上的货物名称一致。

10. 保险金额(Amount Insured)

即投保金额,一般应在 CIF 价的基础上计算得出,若无从得知 CIF 价,则以发票价为基础计算。

11. 总保险金额(Total Amount Insured)

即保险金额的大写数字,以英文表示,末尾应加"Only",以防涂改。此处的大写与上面所述的小写金额和货币必须保持一致。

12. 保费及费率(Premium, Rate)

一般已由保险公司印"As Arranged"(按约定)字样。每笔保费及费率可以不具体表示。

13. 装载运输工具(Per Conveyance)

填写装载运输工具的名称或代码。

(1)当货物是海运而且是直达船,直接填写船名和航次;

(2)如果是海运且中途转船,则应分别填写一程船名和二程船名,填写方法根据具体情况不同略有区别:

如果知道第二程船的船名和转船地点,则在一程船后面打上二程船名,如"Changfa To Be Transhipped At Hong Kong On Hongyun"或"Changhongyun At Hong Kong";

如果二程船名无法确定,则在第一程船名后填写"W/T",即"With Transhipment",如"Changfa W/t At Hong Kong";

(3)如果采用其他运输方式,则应相应填写:"By Air"或"By Aeroplane"(空运);"By Train""By Wagon No. XXX"(陆运);"By Parcel Post"(邮包);若采用海陆联运方式,则填"By S. S XXX And Thence By Overland Transport To XXX";如再转运到内陆,则在一程船后填写"— Or Other Conveyance"。

14. 开航日期(SLG. On Or ABT)

一般填写运输单据的签发日期,也可填写运输单据签发日前后各五天之内任何一天的日期,或填"As Per B/L";陆运填"As Per Cargo Receipt";空运填"As Per Airway Bill"。

15. 起运地和目的地(From…To…)

此栏填写起运地和目的地名称。当货物经转船到达目的港时,可填写"From 装运港 To 目的港 W/T AT 转运港(With Transipment At XXX)",或填写"Via 转运港 And Thence To 投保最终目的地"。例如:货物由上海运达纽约港后转运到芝加哥,保险单上可写"From Shanhai To New York and Thence To Chicago"或"From Hanghai To New York In Transit To Chicago"。

16. 承保险别(Conditions)

本栏是保险单的核心内容,出口公司在制单时,只需在副本上填写这一栏的内容。当全套保险单填好交给保险公司审核、确认时,保险公司应把承保险别的详细内容加注在正本保险单上。

出口公司可投保一切险、水渍险、平安险三种基本险中的任何一种。投保的险别除注明险别名称外,还应注明险别适用的文本及日期。

另外,我国人保规定不能同时投保 ICC 和 CIC 两个不同的保险条款,只能取其一,若国外来证有此种要求,应及时联系客户删除其中一个再投保。

17. 货损检验与理赔代理人（Surveying and Claim Setting Agents）

根据中国人民保险公司《货损检验、理赔代理人名册》选择在目的港或目的港附近有关机构货损检验、理赔代理人。保险单上应注明代理人的详细地址，以便收货人联系查找。

18. 赔付地点和货币（Claim Payable at/in）

每份保险单均应列出赔付地点。

赔付地点一般填写保险单上所载明的目的港（地）。

若来证规定不止一个目的港或赔付地点，则应全部照填。

如来证规定一旦发生货损，赔款给 XX 公司，则应在保险单赔付地点后加印"Pay to XX Co."。

19. 保险单的签发日期和地点（Date and Place of Issue）

保险单的出单日期要在提单或其他货运单据签发日期之前，最迟可与上述单据出单日期为同一天，以表示货物在装运前已办理保险。

为了便于掌握，有些出口公司要求保险公司在缮制保险单时把发票日期作为保险单的日期，这是因为发票总是在货物启运前缮制的。

保险单的签发地点一般填受益人所在地。

20. 签章（Authorized Signature）

由保险公司签字或盖章以示保险单正式生效。

21. 正本份数（Number of Original Policy）

出口公司一般提交一套完整的保险单（一份正本 Original，一份复联本 Duplicate）。当来证要求提供的保险单"in Duplicate/in Two Folds/IN 2 Copies"时，出口商提交给议付行的是正本保险单（Original）和复联保险单（Duplicate）构成全套保险单。其中的正本保险单可经背书转让。根据"UCP500"规定，正本必须有"正本"（Original）字样。在实务中，可根据合同规定使用一份、两份或三份正本保单，每份正本上分别印有"第一正本"（The First Original）、"第二正本"（The Second Original）及"第三正本"（The Third Original）以示区别。

第十章　海外项目物资采购及现场管理

第一节　海外项目物资计划管理的重要性

建筑工程施工单位应依托国家"一带一路"倡议发展规划，实现"走出去"，谋求海外发展。近年来，建筑施工单位的海外项目遍布亚、非、拉、欧等国家，项目有公路、铁路、桥梁、房建、市政等工程。

在海外项目施工过程中，物资供应是项目是否能够顺利实施的关键，如何快速、高效、优质的把工程施工需要的物资供应到位，是海外物资管理人员必须认真考虑的问题。

海外项目物资供应的主要环节之一是计划管理，物资计划管理是工程项目施工组织计划的重要组成部分，是完成计划期内对物资品种、规格、数量、质量的需求，组织安排物资调查、采购、订货、储运、商检报关、运输、清关等业务活动的基础，更是物资采购的重要依据，同时也为工程项目施工组织明确了控制目标。物资计划包括物资申请计划、采购计划等。各类物资计划编制水平的高低将直接影响物资采购和供应工作的质量，进而会影响到工程项目的施工组织、工程成本等。

海外项目物资供应受制于所在国的物资发展水平，与国内的物资采购大有不同。国内工程项目计划可以随时调整，需要的物资可随时采购，一般受计划提报的影响较小（定制物资除外），而海外项目的物资计划提报，直接影响到物资供应，是物资供应的关键和基础。计划编制得及时、准确、全面、技术参数说明到位、没有歧义和误差，可以防止物资采购错误，从而避免出现断供情况而影响工期和施工成本。在实际操作中，有些地区（如非洲）物资匮乏，项目以中国标准建设，大部分物资就要从中国进口或从第三方国家采购，采购周期长、运距远，对计划的编制要求尤其高，如果计划管理做得不好，将对海外工程项目造成难以估量的影响和损失。下面以建筑施工某局在安哥拉某项目的物资供应为例，讲述怎样做好海外项目物资设备计划管理。

一、海外项目物资计划管理重要性的背景

（一）项目所在国物资匮乏，生产周期长、采购价格高

项目所在国家长年战争，百废待兴，重工业生产厂家极少，市场资源少，工程

设备及物资基本上依靠国内发运。市场上仅有的少量物资往往从其他国家进口，价格至少是国内的6倍左右，而且数量及种类严重不足，生产周期长，不能满足大型工程项目的需求。

(二)国内采购运输周期长

根据安哥拉某项目发货的经验，国内设备物资从装船发运到达安哥拉现场，至少需要3个月。如果工程材料供应不及时，现场材料短缺就会造成停工的局面，直接影响施工进度和施工成本。

(三)物资采购复杂，附加成本高

国内采购的物资是严格按照计划实施的，规格、型号、和材质等都要求一丝不差，而且所采购的材料物资加上商检报关、海运、陆运、库存管理等，成本相对较高，如果物资采购计划管理做得不好，计划提报有误，采购的工程材料无法使用，势必造成工程物资的积压，不仅造成材料的浪费，同时增加库存管理成本。

(四)机械设备配件采购计划是计划管理的又一重点

工程上所需的大型机械设备、场站设备等都需从国内采购，由于当地没有或少有维修和售后服务点，且维修费用昂贵，机械的保养和维修等配件采购成为计划管理中又一难题。在安哥拉项目，经常出现某一设备(如：搅拌站)因缺少配件不能及时维修而导致停工的局面。

二、海外项目物资计划的编制

(一)准备工作

熟悉工程图纸，了解本工程项目合同中物资材料产地、等级标准(欧标、美标、中国标准等)、主要物资、具体工期、适用哪些国际条款等的要求。

在熟悉图纸及工程概况后，做好项目所在国相关区域的物资市场调查工作，熟悉项目所在国的法律法规，调查哪些物资、设备能满足本工程项目的需要，实施属地采购，哪些物资当地没有，需要进口。了解的内容有质量标准、规格型号、需用数量、单价及生产供应周期等，做好详细的市场调查。详细的市场调查是计划提报成功的前提条件。海外项目因其所处国家不同，每个国家的市场资源状况不同，它不同于我国资源丰富，质优价廉，没有买不到的产品，所以必须要进行详细的市场调查，依据市场调查情况分别编制国内采购计划、国际采购计划、属地采购计划。

(二)物资计划的分类、主责部门和要求

海外项目物资采购计划不同于国内物资采购计划的编制,海外项目物资采购计划的编制需多个部门共同联动,取长补短、全面考虑诸多因素编制不同类别的计划,编制的计划需有封面、编制说明、计划表格、标准、加工类产品技术要求、图片等内容。

1. 物资计划的分类

根据物资使用属性不同分工程物资计划、周转材料计划、机械配件计划、办公物资计划、生活物资计划等;根据物资的采购地点不同分国内物资采购计划、国际物资采购计划、属地物资采购计划;根据物资采购要求不同分采购计划和报验计划。这里的报验计划是指在采购计划前按照施工合同、业主、监理的要求提报相关物资的各类技术资料和实物样品,主要是提供能满足设计要求及设计使用功能的资料,所采购物资的相关参数,提供 IS9001 认证、CCC 认证、CE 认证等并附产品相片,材料报验资料要求必须有中英文对照,根据项目施工地所在的国家,提供中文和当地国家语言的对照资料,有的物资不但需提供报验资料,还需提供样品,实际采购必须和图片及样品相符,待报验确认通过后方可实施采购。以安哥拉项目为例,项目各部门编制了各类不同计划 13 个,分别有临时设施计划、主体工程材料计划、水电材料计划、五金杂品计划、周转材料计划、机械设备配件计划、厨房用品、办公耗材、农用物资等计划。各类计划会随着工程进度的开展不断变化、调整。

2. 物资计划编制的主责部门

工程部门编制施工用物资计划,有主材采购计划、周转材料计划、装饰装修材料计划、水电材料计划等;施工员及协作班组编制辅助材料计划、施工机具计划等;办公室编制办公用品计划、生活物资计划等;车队及修理厂编制机械设备计划、机械设备配件计划及五金机具计划。

3. 物资计划编制的要求

国内物资计划在编制时需根据施工进度、采购时间、国际运输周期等充分考虑各种因素,编制计划时要明确质量标准、单位、数量、技术要求准确、配套物资全面等;报验计划在编制时一定要对照图纸、施工合同的相关要求进行详细的核对,对图纸及施工合同中存在的问题需及时与业主、监理沟通,待确认后再提报报验计划,确保国内在提报报验资料时一次通过,缩减采购时间;属地采购计划根据市场调查情况,依据施工进度正常提报即可,主要关注的是生产周期是否满足施工需要;国际采购计划在编制时需考虑相关国家产品的质量标准是否满足项目所在地国家的质量标准,考虑国际采购及清关的时间、国际采购与国内采购物资的成本等因素。

(三)物资计划的不确定性因素

编制物资采购计划时需充分考虑各种物资的产地、生产周期、船运时间、再加上不确定因素(如台风影响船期、集港时间、报验时间、清关时间等),计算出单趟运输所需要的时间。

以安哥拉某项目为例:水泥从国内采购,从提报计划开始,国内组织招标采购时间大概 30 天左右,确定中标供应商后开始备货时间大概 10 天左右,装船集港、完成海关手续、船运、到达罗安达港口、清关等手续大概约 40～60 天左右,到第一车水泥到达场地正常的时间周期大约 80～90 天左右。且水泥的国内采购要充分考虑质保期,包装要考虑海运防潮采用双层包装,一般我们在国内采购水泥时会提高一个等级进行采购,确保质量符合要求。但遇到特殊情况滞港时间过长,就有可能水泥运到工地已经过了质保期,所以编制计划时需充分考虑相关物资到达项目时间,结合项目部施工计划合理安排,考虑不确定因素,尽可能的留足时间,确保施工正常进行,项目效益最大化。

(四)物资计划编制的程序

各类计划在相关部门初稿完成后,由项目物资部进行各类计划的审核汇总,汇总完成后项目经理组织相关部门召开计划评审会议,对编制的各类计划进行逐一评审。评审的内容主要有:项目施工用主要材料的品种规格型号是否齐全、数量是否满足需求、技术参数及质量标准是否符合要求,根据施工需用物资时间上的轻重缓急和采购成本区分哪些物资适合国内采购,哪些物资适合国际采购,哪些物资适合属地采购等等内容,通常一次完整的计划,需召开多次项目经理评审会,经最终确认完毕后,如果有上级指挥部,还需报上级的指挥部,再次进行评审并最终确认。一份完整的计划从开始编制、到评审、到最终确认至少需要一个月的时间,这样的计划才能确保它的准确性、严谨性,不至于出现差错。但在计划实施过程中还会进行调整,比如国内采购计划,在计划提报到国内后,国内物资部门还要根据市场情况进行二次审核,在审核过程中会对一些技术参数、质量标准、规格型号及数量等进行国内国外多次调整确认,直到计划没有疑义为止。

三、海外项目物资计划编制的注意事项

(一)周转材料的计划管理

周转材料的采购要与进度计划和劳务力相匹配,要注意周转材料的周转周期,在稍有富余的基础上,要注意材料的消耗周期以及做好补充计划。施工过程

中,要注意材料控制管理,避免在材料库存管理和施工中的损坏和浪费。

(二)工程材料的计划管理

对于有保质期的工程材料(如水泥等),根据施工进度计划以及船的批次间隔时间,按批次间隔时间的 1.5 倍考虑富余系数,进行批次采购。采购时,应注意产品的生产时间及运输过程中的防护措施,并适当提高标号等级采购,比如 PO32.5 水泥提高到 PO42.5 的水泥进行采购,确保使用质量。在资金允许的情况下,对于没有保质期的其他安装材料、辅材以及耗材等,可适当的增加批次采购数量。

(三)保质期较短的日常消耗物资的计划管理

如油漆、涂料、腻子粉等材料设专人进行管理,注意测算和统计日常消耗指标,按照日常需求分批次进行采购。日常发放时,采取先进先出原则,要注意统计各产品消耗速率与保质期内的产品数量是否匹配,可设定报警界线,必要时采取其他促消耗措施。做到有计划采购,有计划消耗。

(四)机械配件等材料的计划管理

加强采购中的过程管理,除了采购时尽量选择质量可靠、性价比较高的产品外,同类型机械要尽量采购统一品牌型号,配件的通用可大大减少配件的库存风险,有利于机械的保养和维修。

(五)配套物资的计划管理

海外项目在计划编制的时候,项目物资人员需根据提报物资的计划情况补充配套物资的计划,特别是施工机具的配套部件、易损件的计划,比如计划中提报了施工电锤,但没有提报配套的钻头,施工电锤的易损件如电锤开关、电锤碳刷、砂轮切割机的刀片、扣件的螺栓等等类似的配套产品、易损件,在国内一般坏了就拿到市场去修理,配套产品很容易购买,但在国外就无法像国内市场一样方便快捷的购买和修理,项目工程人员在提报计划时一般是不会考虑这些的,这些都需要项目物资人员依据经验进行提报。

(六)小型配件或急需物资的计划管理

项目经常采取来往人员随身携带急需配件的方式给予补充。安排往来人员随身携带重量轻、体积少的急需物资,可节省空运急需物资而产生的高额费用。

第二节　采购询价与定价

一、海外工程项目物资采购的特殊性

海外工程项目物资采购是一个复杂的、繁琐的系统工程，由于受到地域、环境、文化差异、社会制度以及使用习惯等等因素的影响，除了具有国内工程项目采购的一般特点外，还具有国际工程项目物资采购的特殊性。

(一)当地资源匮乏，采购比较困难

目前国内大型建筑企业所承建的海外工程项目主要集中在东南亚、中西亚、非洲、中南美洲等经济相对落后的国家，这些国家普遍存在资源匮乏、基础设施薄弱、工业落后、生产资料价格昂贵等特点，不能满足大宗材料购买条件，大部分物资都要从国内大量的采购，数量大、品种杂。

(二)技术标准多样化，质量要求严格

在海外工程项目中，业主对材料、设备的技术要求、质量标准、原产地等在招标文件中会作出明确要求，不同的国家、不同的业主、不同的项目会采用不同的标准和技术规范，例如：以欧美国家为代表的市场，有着严格的标准规范，不允许使用其他的标准；中东、南美、北非、东南亚部分地区的国家引进了欧美标准规范，且在这些地区已经得到了广泛应用；南亚部分地区、非洲等地区，既无推广使用的国家标准，也未系统性地引进国外的标准，大部分工程使用工程项目承包商提出的标准。

(三)程序复杂，发运周期长

海外工程项目所需物资大部分依赖进口，一个正常的采购周期包括物资采购调查、验收装箱、国内运输、办理许可证、商检报关、海洋运输、办理免税、清关提货、内陆运输、现场调拨以及项目结束后的设备复运出口、保函的收回等环节，过程复杂，供应周期明显加长，例如，从天津港到罗安达港的班轮运输时间一般为45天左右，物资采购计划的实施一般要经过1个月的审核期，这样物资从计划提报到施工现场往往需要2~3个月的时间。

(四)影响物资采购供应的制约因素多

海外工程项目的物资采购与国内工程项目相比，除了受订货数量、交货方式、

包装标准、付款条件及售后服务等因素影响外,还受国际市场需求、货币汇率、海关制度、进出口检验制度、关税等因素影响。例如,海运物资集港后要办理商检报关、检验检疫等手续,清关时需要和项目所在国的海关、清关机构等打交道。

(五)图纸变更频繁,材料需向业主报验

海外工程项目图纸频繁变更的现象比较常见,导致计划赶不上变化,延误采购时间。在采购前,材料的品牌、规格型号、材质、样式需向业主报验,国内外资料传输麻烦,业主确认缓慢,增加采购难度。

(六)隐形成本较高

海外工程项目物资采购的隐形成本主要是指为跟上施工进度,避免产生国际影响,不计代价的采取正常采购手段以外的方式,如高价购买、航空运输、独立包装等快捷方式,由此产生的高额费用加大了工程成本。而这部分采购成本的支出,在关键节点是十分必要的。

二、海外工程项目物资采购形式

目前我国承包的海外工程项目物资采购以承包商采购居主导地位,材料和设备等物资的采购可大致分为三种形式:

(一)国内采购

我国一向鼓励以承包工程带动物资出口,因此在没有特殊要求的情况下,在经济非常落后的一些亚洲、非洲国家,工程需要的大量材料和施工机械都是从中国国内采购。例如,安哥拉NCC一期社会住房项目,鉴于安哥拉当地资源匮乏,项目涉及的材料、设备包括生活物资全部从中国国内采购。

(二)属地采购

业主规定需从本国采购或者从成本考虑国内采购价格过高的材料和设备。主要采购项目所需的建筑材料,如水泥、砂石料、混凝土等当地可以供应的物资。例如,孟加拉国水泥市场很成熟,目前在建中国企业所有水泥无特殊情况均在孟加拉国国内购买。

(三)国际采购

主要采购国内无法供应的或当地无法购买的材料和设备,或者业主规定需从第三国进口的材料和设备。例如,中东地区和海湾地区国家的工程较多地使用英

美标准,其采购只能依赖国际采购实现;赞比亚芒古—塔博公路工程项目合同规定,桥梁施工中的主材钢筋必须从南非进口。

目前,中国企业承包的海外工程项目所采用的物资采购形式多以国内采购为主,属地采购和国际采购为辅。

三、海外工程项目物资采购询价方式

一个海外工程项目从准备到结束期间,通常需要对材料和设备的价格进行多次询价。

(一)为项目投标进行的询价

这一阶段的询价不是为了立即形成货物买卖关系,只是为了大致核算出合理的物资成本,用于海外工程项目的投标。这一阶段的询价方式主要包括以下几个渠道:

1. 查阅项目所在国的商业报刊

这种资料一般是公开发行的,但有的价格是零售价格,对于工程材料量巨大的承包商来说,这类价格仅作为参考。

2. 向项目所在国的材料商或当地代理直接询价

这种方式的询价一般要比国内询价的价格高出 3～6 倍,可能造成投标的物资成本偏高。

3. 向国内的材料商直接询价

国内询价一般只是离岸价,还需要对物资的海运费、保险费、报关清关费用以及项目所在国的内陆运输费用进行核算。

(二)实际采购进行的询价

海外工程项目根据合同和图纸整理出所需物资数量和规格,编制物资采购计划并进行询价。由于海外工程项目物资采购的特殊性,询价多以招标、议价、竞争性谈判和比价方式进行。

其询价流程基本上包括询盘、发盘、还盘、接受或拒绝。

1. 向供应商询盘

采购部门根据项目经理部下达的采购计划,充分考虑采购时间、产品本身的属性、供应商资源、船期等因素,确定询价方式。例如,在进行大宗料物资以及涉及金额较大,并且市场竞争比较激烈的物资询价时,适合采用招标方式;对于采购进度要求比较严格或船期紧张的物资,建议选择灵活的询价、比价、竞争性谈判相结合的方式,可以大大缩短采购周期;某些经常性采购的物资,与供应商频繁询价

的,则建议采用战略合作的方式,节约采购成本。

询盘时须告知供应商货物品名、规格、数量和技术性能等要求。例如,为了办理出口退税报价必须是含16%的增值税价格,要在询盘时就确定技术标准是国家标准还是欧洲标准,价格是FOB价还是DDP价,货物包装是出厂包装还是出口标准木箱包装等。询价文件越详细越有利于供应商报出准确的价格。

2. 供应商发盘

供应商的发盘通常包括货物的品名、生产厂家、质量、数量、价格、包装、交货时间和支付方式等主要交易条件,并备注发盘的有效期。

3. 还盘

供应商和用料单位针对内容不完全同意而提出修改或变更。例如,双方就支付方式进行反复还盘。

4. 接受或拒绝

经过反复还盘,供应商与用料单位达成一致,形成买卖关系,或者双方没有达成一致,询价取消。

(三)询价注意事项

1. 询价前要熟悉工程设计图纸

充分了解工程主体结构所需的各种物资的规格型号、材质、产地等要求,特别要熟悉材料需适应的国外规范。例如,有的海外工程要求物资的标准采用欧标,这样在询价过程中要优先询价采用这类标准的供应商。

2. 做好前期海外市场调查

对项目所在国的法律法规、风俗习惯、运输条件、运输公司、重大设备装卸能力、项目现场条件等进行考察,制定合理的询价策略。例如,设备物资的询价,由于每个国家的法律、法规都存在对设备物资有关环保以及使用上的强制性条款,在工程合同中也可能存在对设备物资选择要求的强制性内容,这些条款和内容有时会严重影响工程的设备物资采购及使用,从而给日后的施工带来阻碍。所以在询盘时将这些强制性条款一定要备注清楚,以便供应商发盘还盘时准确评估自身的报价与供应能力。

3. 充分利用数量优势

为避免物价上涨,对于同类大宗物资最好一次性将全工程的需用量汇总提出,作为询价中的拟购数量。这样,由于订货数量大可以获得优惠报价,在还盘时再协商分批交货和分批付款,避免一次性交货占用大量资金。

4. 随时关注市场价格动态

海外工程项目的物资采购和供应的价格会受到各种因素的影响,所以,在询价时要时刻关注价格易波动物资的市场价格动态。比如在采购电缆时,在电缆价格的构成中,铜的价格占据了70%以上,所以电缆的价格基本上会随着铜价的变动而变动。电缆询价时,可以在铜价比较低的阶段和供应商签订物资供应协议。

5. 注重询价与谈判相结合

一般投标模式下,供应商的报价都比其实际底线要高,因此,招标人不应收到报价单就以为合适而直接入价,而是应和供应商进行充分沟通谈判,使其提供更有竞争力的报价,以促使报价尽量接近实际成本水平。

6. 向多家供应商询价时,应注意保密性

避免供应商相互串通,一起提高报价,但是也可以适当分别暗示各供应商,他可能面临其他供应商的价格竞争,应当以其优质低价和良好的售后服务为原则作出发盘。

四、报价的审核与确定

(一)递交报价函

供应商在询价文件中规定的时间内递交报价单。

(二)审核报价单

一般供应商报价后,评审小组对报价进行审核,做好报价记录,根据项目采购需求、价格、生产周期、集港装运期、售后服务水平等因素,按照询价文件中制定的标准,最终确定一至二名候选供应商并排序。

审核报价时主要考虑以下因素:

1. 物资交货价格

目前我国选择供应商的时候,成本战略是重要考虑因素,这里的价格是指与质量成正比的价格。

2. 集港物资的出口包装方式

出口物资一般要经过"长途跋涉"才能到达项目工地,中途要经过多次装卸。如果前期询价过程中没有对物资包装提出严格的要求,在后期港口多次装卸、海上运输长途颠簸、项目所在国内陆运输等环节都可能对物资造成严重损坏,不仅降低了卸船效率,也增加了物资成本并延误施工进度。木箱包装物资要明确提出出口前木箱需进行熏蒸处理,对怕潮、怕湿、怕淋、怕串味的物资采用防护措施进行包装。例如,水泥在国内一般使用普通吨装袋包装,但长时间海洋运输易导致水泥受潮变质,因而一般要求改进水泥吨装袋的包装技术,小袋内层为涂膜编织袋,大袋为PP编织袋,内加一层厚度约为0.06毫米的PE塑料袋,防止受潮。

3. 承诺的海外售后服务

对一些关键材料、机械设备,在定价时一定要重点考虑材料设备的保修期和售后服务。在选择供应商时,优先考虑在项目所在国设有办事处或售后服务站的供应商,一来如果机械设备出现故障,维修速度快,不影响工期;二来售后服务的成本低,降低工程造价。

(三)编写询价报告

根据报价单编写询价报告。

(四)确定供应商

根据询价评审小组的书面报告和供应商推荐顺序,确定最后选择的供应商,并签订采购合同。

第三节 出口货物的供应商选择

供应商是海外工程项目物资采购得以实现的外部资源之一。供应商的供货能力直接影响海外工程项目的业绩,其产品的质量直接影响工程质量;交货期与价格直接影响项目的工期与成本。因此,供应商的选择对于海外工程项目来说是至关重要的。

一、供应商选择的重要性

业绩良好的供应商是高质量建筑产品的保证,是施工企业重要的外部资源,也是施工企业项目管理的一部分。对供应商的选择实际上是一种价值管理,其主要体现在以下几个方面:有助于提高业主对施工企业建筑产品的满意度;有助于国际工程建设项目的稳定实施,并按时交付;有助于保证采购质量、降低采购成本;有助于提高施工企业竞争优势。

二、影响供应商选择的因素

物资供应商一般有两种:一是生产领域的供应商,即是工程物资的直接生产厂家;二是流通领域的供应商,即中间供应商。对生产领域供应商的评价可从其生产许可证、生产设备、技术水平和质量保证能力等方面入手,能直接对其产品生产情况、设备和质量控制手段进行评价,感观性强;而对于中间供应商,评价时只能侧重于产品质量、库存政策、服务水平和对特殊需求的回应能力,在社会信誉和使用经验上存在一定的风险,因而,应优先考虑生产厂家。

海外工程项目物资供应商的选择与国内工程物资采购供应商选择相比,除了受到价格、产品质量、生产能力、结算条件、地理位置、财务状况等因素影响外,还受到以下几个因素的影响。

(一)质量保证能力

这里主要是指包括全面质量管理、质量体系认证等,海外工程项目的供应商必须达到项目所在国或业主要求的认证。

(二)商务能力

海外工程承包项目具有建设周期长、资金密集等特点,对供应商的资金实力、技术实力、关系处理等实力都有较高的要求。因此,供货业绩、资信、行业地位、接受紧急订货的能力、服务理念和物流能力等都会对供应商的选择产生影响。尤其海外工程项目比较特殊,部分材料设备需要按照工程项目技术规范特定的参数进行生产,属于非标准化产品,需要支付预付款甚至全款支付。因此要选择规模大、信誉好的供应商,降低违约、欺诈风险。

(三)供应商的出口规模与实力

形成出口规模的供应商在配合办理物资报关、清关环节所需要的商检证明、原产地证等资料时,丰富的出口经验和人脉关系可以大大提高出口效率,并给出合理化建议。例如,钢管出口时,经验丰富的供应商在包装环节,会采用大管套小管的方式,大大节省了计费吨,降低海运成本;阿尔及利亚的 ARH 检验一般需要供应商提供法语版本的相关资料,如果没有丰富的出口经验,在文件制作及认证环节会浪费大量时间,影响海外的检验进度。

(四)有较强的售后服务能力

供应商的服务能力是很重要的考察指标,这主要体现在机械设备产品国外培训、现场安装指导、并配有完善的售后服务体系等方面。设备产品发到海外工地现场之后,通常会要求设备供应商安排服务工程师前去现场指导安装,这就对服务工程师的综合素质提出了比较高的要求,除了能解决设备在现场发生的问题,还要能够应对业主提出的问题以及随时可能开展的现场实地培训工作。例如,安哥拉 NCC 一期社会住房项目选择的电梯厂家是云南西奥电梯有限公司,该公司在安哥拉的首都罗安达设有办事处,配件到场后可以现场指导安装,出现故障问题可以快速响应。

（五）能够提供相关检验报告

在材料和设备进场时，承包商也要向业主提交相关的样品、报告供检验和审批。供应商要能够及时提供真实有效的国家检验检测报告和产品合格证明等。

（六）选择过程中受业主影响

不论以哪种合同形式进行海外工程，业主一般都会对一部分材料或设备指定供应商或品牌。例如，非洲、东南亚国家会比较信任欧洲产品，在配电箱、配电柜采购合同中可能指定像 ABB、西门子、施耐德、GE 等品牌。在后期供应商选择过程中会受到这些品牌的限制。

（七）优先考虑在项目当地有办事机构或者独家代理人的供应商

可以优先考虑在项目当地有办事机构或者独家代理人的供应商，采用"目的港码头交货（关税已付）"即 DDP 的交货方式，甚至"完税后交货（指定目的地）"即 DAP 的交货方式。因为这些厂商的办事处或代理人对于当地的港口、海关和各类税务的手续和税则十分熟悉，他们能提货快捷、价格合理，甚至选择优惠的关税税率进口，比另外委托当地的清关代理商办理各项手续更省时、省事和节省费用。

三、供应商选择步骤

（一）海外工程项目分析

1. 全面分析承包的海外工程项目的技术要求

首先明确项目要求的物资标准，确定供应商的选择范围，根据国内采购、属地采购和国际采购的不同属性展开供应商分析。例如，电力项目的技术标准会比较严格，在做供应商调查时可能倾向于国际知名的一些大品牌。

2. 分析主合同

明确施工企业的采购范围、工期要求及成本控制范围，明确采购的约束条件。通过估算物资成本掌握物资采购的档次，再重点调查处于同一档次的供应商。例如，安哥拉军方医院项目，对项目物资的使用要求特别严格，选择的供应商都是国内生产医疗设备的龙头企业。

3. 分析物资采购清单中的类别、数量、采购进度及资源的实现条件

根据项目经理部提供的物资供应计划，统计物资的数量和价值，不同特点的物资采取不同的供应商调查。例如，对于大宗物资设备的采购，需要考虑供应商份额的分担问题，避免单一货源，要寻求多家供应，在做供应商调查和选择时要有

2~3家的备选。对于出口需要办理特殊文件的物资，在选择供应商时要重点调查。

(二)供应商环境分析

根据项目技术要求及供应商环境，确立符合要求的供应商目标。根据具体物资的资源分布情况，组成调查小组有针对性地进行实地考察、询价，了解供应商的企业规模、价格、产品质量、生产能力、生产周期、运输能力、出口规模、海外售后能力、供应商所在国的政治经济稳定性、所在国家的关税与退税政策等信息。

(三)建立供应商评价标准

对供应商建立评价标准主要是从商务、技术和质量保证体系三方面进行审核。商务审核的目的主要是确定该供应商是否具有满足本项目供货的能力、合同履约情况、履约过程是否存在风险、供货成本是否符合项目成本控制要求等。技术审核的目的是确定供应商的技术水平和所供材料是否成熟可靠、是否符合业主要求、技术人员和制造设备是否满足项目的需要和工期要求以及能否保证对项目持续稳定的供货。质量保证体系审核是确定供应商的质量保证体系是否运行稳定。

(四)供应商评价与选择

根据评审小组的经验和调查结果，对比多家供应商，对供应商进行评价，给出合格或不合格的建议，初步筛选出具备供应能力的潜在合格供应厂商，收集整理供应厂商资料上报项目经理部进行审核，业主有要求的也需报业主进行批准，实行合格供应商市场准入制度，建立海外工程项目供应商资源库。

第四节　出口货物采购谈判要点

由于我国工程项目基本都集中在欠发达国家和地区，设备、材料采购成本占工程总成本的比例较高，采购成本直接影响工程的造价。这就要求采购部门在进行商务谈判时掌握技巧，综合考虑质量、价格和进度，从而降低采购成本。

一、出口货物采购谈判的意义

出口货物采购谈判是指企业在进行采购业务时与供应商之间所进行的贸易谈判，双方就相关采购条款，如商品的规格、质量技术标准、包装、价格、交货时间和地点、运输方式、结算条件、索赔、售后服务以及争端和纠纷的解决等进行反复磋商，以期达成双方都满意的采购合同，从而建立互惠互利的合作关系。

海外工程项目采购谈判具有十分重要的意义。

(一)降低海外采购成本

通过采购谈判,可以以较低的采购价格获得供应商的产品,从而降低采购成本和采购业务费用。

(二)保证采购质量

产品或服务质量是重要的合同条款之一,对施工企业的利益至关重要。通过谈判,可以要求供应商对其产品和服务质量作出保证并承担责任,使采购方能够获得质量可靠的产品和服务。

(三)保障采购物流效率

采购商通过谈判可以使供应商保证交货期及交货数量和地点,提高采购物流的效率和准确度,以较低得采购库存量和采购总成本来达到提高经济效益的目的。

(四)获得优惠的海外售后服务

(五)降低海外工程项目采购风险

海外工程项目采购过程中存在很多风险,通过谈判,施工企业可以尽量减少自己承担的风险,相应增加供应商的责任,并明确各自应该承担的风险和可能的损失,同时双方也可以采取必要措施避免和减少风险并降低可能发生的损失。

(六)妥善处理国际争端

维护双方利益及合作关系,为以后继续合作创造条件。

二、海外工程项目采购谈判的准备工作

(一)谈判信息收集与分析

在采购谈判活动中,由于出口货物操作环节众多,涉及的机构复杂,信息量巨大,因此谈判信息是否充分是谈判能否成功的重要影响因素,可直接影响谈判结果,要尽量避免或减少信息不对称的影响,信息收集与分析的内容包括以下几个方面:

1. 供应商所在国和项目所在国的相关法律法规、贸易政策、风俗习惯等

2. 采购标的信息

如采购标的的特点、技术参数、市场价格、替代品情况以及设备的基础要求

等,详细了解供应商报价,分析供应商的定价策略;

3. 谈判对手的信息

(1)资信与地位:掌握对方是否具有签订合同的合法资格,了解对方的资本、信用和履约能力以及权限和谈判时限。尽量直接与材料、设备制造商进行谈判,避免和中间商或代理谈判。如需与中间商谈判,要详细了解其与制造厂家的关系;

(2)谈判作风:了解谈判对手的谈判作风;

(3)信任程度:了解对方对己方的经营能力、财务状况、付款能力、谈判能力、商业信誉等方面的评价。通过对这些情况的了解,可以更好地设计谈判方案,争取主动。

(二)自我分析

分析采购方自己所处的优势或劣势地位。一般来说,施工企业在谈判中的地位取决于业主对供应商的要求、供应商的市场地位、采购标的在项目中的位置以及工艺、技术的难易程度。

在采购谈判中,施工企业虽然处于买方地位,但这并不意味着经常处于优势地位。如在业主指定供应商的情况下形成的相对垄断,或当施工企业的采购金额在供应商生产经营活动中所占比重微不足道,而不足以引起供应商的兴趣,或采购标的处于寡头垄断市场等,都可能使施工企业在采购谈判中处于劣势地位,影响议价能力,施工企业应对此应有充分的心理准备。

(三)确定谈判方案

谈判方案包括谈判主题和目标、时间和地点安排、确定谈判议题。

1. 谈判目标的确定

谈判目标应确定优先顺序,分析可行性,循序渐进,逐步深入。

目标1:质量,即物资的质量、规格、技术条件必须满足海外工程项目的要求。

目标2:交货期,即为满足施工进度和船期要求,就供应商交货期进行磋商。

目标3:成本,即为符合施工企业战略采购,进行材料、设备价格的磋商。

目标4:交货条件,即对供应商交付和服务要求,即送货、安装、调试、售后维修服务、配合报关清关服务等。

这4个谈判目标相辅相成,对于谈判目标,应确定每一目标实现的最高和最低限度并保持适度弹性。

2. 采购谈判主题的确定

应该明确每一谈判阶段相应的主题,就交易过程中的具体问题进行磋商,如与质量有关的议题、与交货期有关的议题、与价格和付款条件有关的议题,以及与售后服务有关的议题。施工企业应理清思路,分清主次。

3. 谈判策略的选择

根据实际情况选择让步策略、合作策略、规避策略、竞争策略和妥协策略等。

4. 建立谈判团队

首先应确保团队全体人员对谈判策略和目标达成共识。

团队结构应包括专业技术人员和商务人员,对于重大采购,可配备合同管理方面的专家。对于沟通方式,应确定团队内部沟通方式和团队外部的沟通方式。而对于任务分工,则应确定主谈、辅谈、资料整理、信息提供、谈判记录、谈判分析等任务的具体承担人员。

5. 了解对方国家的文化背景

海外工程项目货物采购的商务谈判是施工企业采购决策的关键环节,也是一种跨文化的谈判。不同的文化背景影响谈判者的思维方式、决策方式、谈判冲突解决方式、谈判语言以及谈判协议的内容和执行。因此,参与商务谈判的人员须熟悉谈判对手国家的文化特性,把握对方的价值观、思维方式、行为方式和心理特征,建立跨文化的谈判意识,认识到不同文化背景的谈判者在需求、动机、信念上的不同。

三、国际采购谈判的特殊性

出口货物采购谈判相对于国内采购谈判来讲,是一项融技术性、政策性、文化性、技巧性为一体的国际交往活动,谈判双方所在国家或地区政治、经济形势、政策法律的变化都会影响谈判的进程和结果。由于双方企业分处不同国家和地区,涉及和适用的法律也较国内采购谈判更为复杂,有国内法、国际条约以及国际商业惯例。此外,由于谈判双方社会、文化背景的差异,谈判人员的思维方式、行为方式、语言及风俗习惯和价值观也各不相同,从而使得谈判更为复杂,成功的难度加大。

(一)克服文化差异

就国际采购而言,施工企业面对众多不同国别的供应商群体,以及与采购业务有关的各国商务机构,其面临的文化差异、风俗习惯、法律制度、商业习惯等增加了施工企业采购环境的复杂性,对采购效率、过程和结果可能会产生负面影响。因此,在出口货物采购谈判中,要克服对本国文化的依赖和由此可能引起的偏见,和处于异域文化情境中的供应商群体进行有效的交流,达到成功实施采购的目的。

(二)了解出口物资信息

出口物资涉及的环节比较复杂,一定要了解出口物资以及其替代产品在国际、国内的生产现状、潜力及发展前景。熟悉出口包装方式、海运成本、国内报关操作、项目所在国的清关流程和时效等,在谈判过程中面对各种突如其来的问题能够胸有成竹。

(三)谈判人员具备一定的国际业务能力

谈判人员应具备一定的外语水平,能流利地与对方对话,熟悉国际贸易惯例及相关的法律,有丰富的谈判经验和应对谈判过程中的复杂情况的能力。

第五节 采购进货与付款控制

一、采购进货控制

海外工程项目物资采购的材料、机械设备种类繁多,过程复杂,为了加强全程的质量和成本把控,每一个环节都要进行有效的控制,主要是在计划、询价、供应商管理、合同管理、物资验收、物资安全等环节重点控制。

(一)采购计划控制

根据项目施工进度、市场资源分布、技术标准等要求,确定项目在何时采购、采购什么产品、采购的数量以及如何采购,并充分考虑海外工程施工的各种风险因素,据此编制出详细可行的项目采购计划。

为了加强采购工作的透明性,一般由项目各参建单位派出代表成立物资组,对采购部门的采购工作进行全程参与和监督,采购部门要编制计划执行进度表,随时更新随时汇报,确保不漏采、不错采,从源头加强控制。

(二)询价控制

为了加强询价环节的控制,保证价格的真实性和合规性,一般采取多方参与、多方监控的模式。采购部门和物资组一起进行国内询价、属地询价和国际询价,制定价格评价标准对三种模式的报价进行横向比较并确定最终的价格。例如,安哥拉腰果树项目询价,即由项目经理部牵头成立招议标领导小组,由项目各参见单位有关人员组成工作小组,全程参与材料设备及海运市场的招标、议标、竞争性谈判、合同评审、合同签订、厂家验收等活动。整个采购流程公开透明,包括计划公开、流程公开、结果公开、过程公开及实施透明。

(三)供应商控制

对供应商实行动态管理,每年对供应商进行评价。由国外施工现场对所用物资、机械设备进行点评,包括设备性能、效率、故障率、完好率、售后服务的及时性和有效性等多方面进行评价,为供应商的管理提供依据。

(四)合同管理控制

合同管理包括与选定的各个供应单位进行项目采购合同谈判、签订采购合同、项目采购合同履约过程中的管理工作、项目采购合同全部履行完毕后所开展的各种项目采购合同结算。

一是建立合同审批制度。采购部门拟定合同,物资组进行严格审批,审核货物是否符合业主的技术要求,价格和服务条款是否与招议标承诺时一致,交货日期是否满足船运船期和施工进度等。

二是对货物设备的生产进行跟踪,密切注意合同履行进展情况,及时作出调整和补充。一项承包工程的物资可能要签订几十份甚至上百份采购合同,其中总有些合同由于不同原因造成延误、变更、甚至发生终止或违约情况,采购部门要及时作出反应,除该索赔的应及时办理外,应根据工程进度需要,迅速协商修改合同或另觅供应商重新签订合同补充物资,以避免影响船舶按时发运造成项目损失。

(五)物资验收控制

海外工程项目具有特殊性,需要经过国内的装箱报关、海洋运输、清关卸船和内陆运输,耗时较长,如果质量得不到有效的控制,一旦材料进入国外项目施工现场而发现不合格,即使进行全额退货,也浪费了人力、物力以及大量时间,影响工期。

为了有效地控制物资质量,一般通过过程验收、现场验收和港口验收三个环节进行把控。

1. 过程验收

对于采购的大宗物资、成套工程设备或工程主体的关键物资应做到生产过程中验收,在生产过程中要到厂家对生产工艺进行监督,尤其是合同约定的工艺或零部件的品牌等进行抽查,避免供应商在生产过程中偷工减料。

2. 现场检验

到货后对货物进行整体检验,主要按照合同约定的技术质量条款对物资设备进行检验,首先检验合同约定的规格型号、品牌、外观质量等,对采购的大宗物资或工程主体的关键物资应共同取样,送第三方检测机构进行检测。

3. 港口验收

主要是包装验收。海外工程项目物资供应不同于国内项目,物资要经过长时间的海洋运输和多次装卸,货物的包装强度要求高于国内物资包装。如果包装强度和包装方式不当,可能造成货物损坏,影响工程施工进度。例如,木胶板的出口包装,为了防止海运颠簸和多次装卸造成损坏,一般要求用彩条布及上下两张3毫米厚三合板、周边用12道瓦楞纸包边后并在包装物外面进行9道钢带捆扎,然后用两根5米长吊装袋固定,完全满足海运和装卸的要求。

(六)物资安全控制

海外工程项目物资验收合格后,还需要经过装箱、集港、报关、长途海运、卸船等环节,最后才能到达施工现场。期间要加强物资安全控制,装箱环节必须全程在场全程监督,确保物资全部完好进入集装箱并铅封;集港期间,在规定时间内有序、安全、及时地将货物运输至港口,并全程监督装船直至船舶离港;报关环节,项目采用的设备、材料应符合出口规范,及时按国家政策和相关法规办理报关和商检等手续;船舶发运前及时购买海运保险,一般购买一切险;卸船环节要及时检查集装箱铅封,确保铅封完好。

二、付款控制

海外工程项目具有地域性、一次性和临时性等特点,使得海外工程施工企业与各供应商之间多属于一次性交易,采购过程是典型的非信息对称的博弈过程,这种缺乏合作的质量控制会增加施工企业采购部门对采购物资质量控制的难度,施工企业只能采用事后把关的方式对质量实施有效控制,增加了供需之间运作中的不确定性。因此除了加强采购各个环节的把控外,对于保证物资质量而言最有效的方法是通过约定付款方式来达到约束供应商的目的。

(一)要求供应商对自己的履约能力、产品质量提供担保

规定供应商提供履约保函、预付款保函以及付款比例,根据货物交付情况进行支付或规定里程碑支付,以有效地进行风险控制、质量控制和成本控制。

(二)合同价格支付要分配得当

例如,在有些设备采购合同中,安装、调试等服务是供应商履约的一部分,为保证供应商的服务质量,服务费的50%以上要留至供应商提供全部或部分服务后支付;对于以货物交货为主的合同,应以合同总价为基数,预留适当的费用至服

务完成后支付。将供货与服务分开,既可以与价格明细统一口径,也便于对供货与服务进行精细化控制,而且由于供货与服务的进度不同,支付单据也不一样,所以分开来更易管理。

(三)在支付条款中规定每次付款的文件及付款格式

按照国际惯例,供货付款要提供原产地证明、保险单、到货证明等。对于业主方的某些管理规定和项目所在国政府规定,务必在合同中载明。

(四)为控制供应商交货,在支付条款中规定一定比例的尾款

便于采购标的物出现质量问题时的退换货、返工、修理工作等,或制约供应商完成未了的零星工作,只有当确认供应商履行了其全部合同义务后,方可支付尾款。

案例分析

建筑施工某局集团安哥拉某项目是建筑施工某局在海外以EPC模式承揽的单项合同额最大的住房类项目,建筑面积170多万平方米,占地面积200多公顷,总计426栋、1万余套住房。该项目以集中采购的模式由建筑施工某局海外项目物流中心负责物资供应工作。

鉴于安哥拉是世界最不发达国家之一,当地资源匮乏,基础设施薄弱,工业落后。除砂石料外,所有的材料、设备和生活物资都采用国内采购的方式,从国内运输过去。

建筑施工某局海外项目物流中心对大宗料物资的询价方式主要采用招议标与轮番淘汰相结合的机制,选择有实力、质优价廉的供应商,从价格、实力、供货期等各个环节考虑,经过招议标、竞争性谈判等方式选择三四家供应商进行二次报价,如果厂家或供应商达不到要求就直接淘汰。二次报价后,进入第三轮实质性谈判,从包装、发票、供货期、质保方式等各个细节进行商谈,最终确定质优价廉的供应商作为中标单位。

例如,水泥采购。根据施工进度,每船次要保证往安哥拉发运4万吨水泥,建筑施工某局海外项目物流中心联合项目经理部和各参建单位组成招议标小组,考虑到水泥的质保期和运输要求,寻找离港口近的生产厂家。针对连云港、日照和龙口周边水泥厂进行市场调查,通过对比企业规模、生产能力、交货能力、价格、出口经验、运输能力等诸多因素,选择山东某水泥有限公司等六家水泥供应商进行邀请招标。一次报价后,招议标小组依据评价标准对供应商进行打分,从中选择综合排名前三的水泥生产厂家进行二次报价。二次报价后,招议标小组分别与三家供应商进行竞争性谈判,最终山东某水

泥有限公司以其在龙口港得天独厚的优势和质优价廉的产品,能够保证每10~15天集港4万吨水泥的要求,成为中标水泥供应商,价格比市场价格平均降低了146元/吨,每船节约采购成本584万元。

2011年10月14日建筑施工某局海外项目物流中心向山东某水泥有限公司下达了《订货通知》,10月23日正式签订了《水泥采购合同》,约定11月15日前龙口港交货。10月26日,山东某水泥有限公司发函告知建筑施工某局海外物流中心:山东省为了响应国家节能减排计划,对整个地区进行拉闸限电,5条生产线已停产3条,4万吨水泥难以按时提供。

建筑施工某局海外项目物流中心接此通知后,及时了解市场动态。经过调查,江苏、安徽、山东等地水泥确因国家限电导致水泥供应量不足,价格大幅上涨。对此,海外项目物流中心与山东某水泥有限公司进行谈判,山东某水泥有限公司坚持只能供应2万吨,如果保证4万吨供应,则必须单价上调20%,谈判陷入僵局。建筑施工某局海外物流中心通过多方面了解获知山东某水泥有限公司三年规划中包括大力发展海外业务,争取在亚洲市场取得一席之位。根据此信息,建筑施工某局海外物流中心与其详细分析非洲水泥市场情况,以及进入非洲市场的优势,建议对方"借船出海"率先开拓非洲市场,同时强调如果不能保证我方水泥供应,一方面根据合同的违约条款,要承担违约赔偿的责任,另一方面将失掉安哥拉市场,并取消其合格供方资格。经过一周的艰难谈判,我方的最终目的就是在不涨价的前提下提供,并不想获得赔偿,因为及时快速地把物资运到施工现场是海外项目物资供应的第一要务。如果谈赔偿,船舶的空舱费、施工延误产生的费用巨大,可能让一个小企业破产。综合双方的实际情况,最终本着长期合作的原则,双方达成协议:一是山东某水泥厂从其分厂调配水泥,保证我方的生产量并按期集港,二是鉴于其从水泥分厂调配水泥较多,运输费用增加,我方给予涨价后供应的2万吨水泥上调运输费每吨20元的补偿。鉴于此,合同的签订和执行的力度很重要,在遇到问题,需要谈判解决时,我们要知道自己的目的是什么,合同谈判其实就是双方博弈的过程。

第六节　国际采购、属地采购

一、国际采购

国际采购是指利用全球的资源,在全世界范围内去寻找供应商,寻找质量最好,价格合理的货物与服务。

国际采购一般情况下,是因为国内市场的商品在性能上或质量上不能满足要求,或者相同的商品从国外进口价格比国内更便宜的时候,就会进行国际采购。在全球经济一体化的形势下,国际贸易已十分普遍,所以熟悉国际采购显得尤为重要。

(一)国际采购的原因

在国际市场上采购商品或服务的原因很多,但最基本、最简单的原因是从国外采购的商品或服务可以获得更多的利益。具体而言,选择国际采购的可能是出于以下考虑:

1. 价格

多数研究表明,国外供应商提供产品的总成本比国内供应商低,这是进行国际采购的主要原因。一般而言,价格优势主要由以下方面组成。

(1)劳动力成本。公司寻求低劳动力成本,哪里的工资较低,工厂就迁往哪里。原来在韩国、中国香港、新加坡和中国台湾地区建立工厂的公司,后来迁至马来西亚、印度尼西亚、泰国、中国大陆或者菲律宾等地区。随着这些国家和地区的发展,其劳动力成本也有逐渐升高的趋势,于是又转向东盟主要国家。但是,由于现代化装备的使用和自动化的实现减少了工人的数量,所以劳动力成本带来的差异也逐渐减小。

(2)汇率。由于汇率的影响,许多公司购买国外产品更为有利。汇率对国际采购的影响力很大。例如,日元不断升值会对日本产品的出口带来很大影响。同理,如果人民币不断升值,我们从国外购买同样价格的产品会因为汇率的上升而获得收益。

自2005年7月21日起,我国开始实行浮动汇率制度,此后总体来看,人民币一直小幅升值。这意味着我国企业在国际市场可以用更少的资金购买和原来一样多的产品或者可以用一样的资金买比原来更多的产品,直观上压低了国际采购成本。

(3)生产效率。具有技术领先优势国家,其生产的商品在性能上往往高于发展中国家,发达国家的供应商所采用的设备和工艺比国内厂家的效率高,有些国家由于历史因素在某些产品的生产上面具有效率和品质优势。这些因素会导致国际采购的价格优势。

(4)垄断。有些原材料供应商将生产集中在某些商品上,为了扩大销量实现垄断,而将出口商品定位在一个相对较低的价位上。尽管有反垄断和反不正当竞争的相关法律但对其控制却是十分复杂的,而且效果也不理想。对于这种商品,进行国际采购不仅可以购得在国内不易获得或不能获得的物品,而且还能取得价格优势。

2. 质量

采购者选择国际采购在质量方面的考虑主要有以下两个方面:某些国外产品的性能是国内同类型产品达不到的;某些国外供应商的质量的稳定性以及技术革新的力量更强。

3. 匮乏的国内物资

某些原材料,特别是自然资源,国内没有储备,只能大量从国外进口。此时采购方可能必须到其他国家才能采购到他所需要的货物。例如,某些原材料在本国根本就不生产而有一些国家自己不生产某种工业产品,仅出口原材料而进口制成品。

4. 快速交货和连续供应

由于设备及生产能力的影响,在一些情况下,国外的大型供应商交货速度要比国内的快。它们甚至可能在世界各地持有产品库存,一旦需要,就可以立即发运。有实力的供应商为了防止缺货风险可能会备有大量库存,从而能够保持供应的连续性,即使遇到一些特殊情况也不会影响采购方的生产。

5. 完善的技术服务

由于国际化分工的不断发展,特定专业的专有技术在不断变化,领先的国家也不断交替。为了能从最好的地方采购到最好的服务,或者是在适当的地点采购到适当的技术,需要在全球范围内选择供应商。假如国外厂家在本地有一个组织完善的分销网络,能提供较好的担保服务及技术咨询等相关服务,则可以考虑从那里采购。

6. 战略考虑

(1)为了向国内供应商施加压力而引进国外供应商带来的竞争。这样做一方面可以使国内供应商为了自身能够长期发展下去而不断地提高自己的生产效率,以保持国际先进水平。另一方面,采购方还可以进口或者以进口威胁作为砝码,向国内供应商施加压力,以获得价格或其他方面的让步。

(2)为了保证供给而在国外开辟另一个采购来源。

7. 国际采购环境的好转

国际采购环境的好转也促进了国际采购的发展。这些变化主要有以下几点:一是质量得到改进。采用 SAS000 标准后,有了统一的国际质量标准,甚至连公司的兼并和收购也建立了标准化的细则。现代技术的发展降低了通信的成本,特别是近几年来因特网的迅速发展,更加使通信成为一件简单而又低廉的工作。关税在不断降低或取消。二是虽然大规模的地区贸易壁垒还存在,但在局部范围内已经使降低成本和放宽政府管制成为可能。随着政府管制的解除、现代物流技术的发展,所有运输方式(海洋、航空和陆地)及与其相关联的运输成本也在不断降低。

(二)国际采购的特点

1. 采购地距离遥远

由于国际市场采购一般距离比较远,所以对货源地市场情况不易了解清楚,给选择供应商工作造成了一定的困难,并且供应物流的过程也比较复杂。

2. 国际采购的程序比较复杂

国际采购从采购前的准备,采购合同磋商、签订和履行以及争议的处理等各个方面都较国内采购复杂得多。只有了解许多国际贸易的专业知识,才能顺利完成采购任务。

3. 国际采购的风险比较大

由于国际采购时间长、距离远,又涉及外汇汇率的变化,所以国际采购在运输、收货、结算及政治等方面都面临着很大的风险。

(三)国际采购需要注意的问题

国际采购风险指的是进行国际市场采购时,会涉及许多潜在的问题,我们必须认识这些风险,从而采取措施将每一部分的影响最小化。国际采购可能面临如下一些方面的问题:

1. 供应商的选择是否合适

进行有效采购的关键问题应该是选择高效、负责的供应商。获得国际供应商的方法基本上和选择国内供应商的方法相同。为了获得更多的背景资料,最好的办法就是到供应商所在地进行实地调查。

供应商选择的基本准则是质量、成本、交付与服务并重的原则。在这四者中,质量因素是最重要的。首先要确认供应商是否建立有一套稳定有效的质量保证体系,然后确认供应商是否具有生产所需特定产品的设备和工艺能力。其次是成本与价格,要运用价值工程的方法对所涉及的产品进行成本分析,并通过双赢的价格谈判实现成本节约。在交付方面,要确定供应商是否拥有足够的生产能力,人力资源是否充足,有没有扩大产能的潜力。最后一点也是非常重要的,是供应商的售前、售后服务的纪录。

2. 交货时间是否准时

虽然运输及通讯的发展使全球采购中的交货时间有所缩短,但是还会有一些因素影响交货时间的延长。

(1)在国际采购中,通常需要开立信用证,这需要几个星期的时间。

(2)供应商的生产条件。提高生产的可靠性和稳定性,加强与供应商的沟通及监督,减少延迟交货或误点现象。

(3) 国际运输条件。在国际采购中,国际运输环节多,周期长,可能需多次倒运或中转,如各环节衔接不好,易造成交货时间的延误。因此需要制定有效的运输方案,加强过程监控,使运输过程可控。

(4) 各国各地区通关时间不一,或受到港口装卸能力的影响,也会造成一定的延误。

3. 政治问题

供应商所在国的政治问题可能使供应产生中断的风险。例如,供应商所在国发生战乱、暴动、国际制裁等。采购者必须对风险作出估计,如果风险过高,购买者必须采取一些措施监视事态的发展,以便及时对不利事态作出反应并寻找替代办法。

4. 隐含成本过高

在将国内采购和国际市场采购作比较时,往往会忽略国际市场采购中的某些成本计算,或者有时也会出现一些突发事件使国际采购的成本增加,这些都是国际市场采购的隐含成本。

影响国际采购的隐含成本的可能因素包括:以采购方所在国货币表示的价格、支付给报关行的佣金、支付方式费用及财务费用、供应商所在国考察费用、包装和集装箱费用、咨询费用、报验费用、保险费用、报关费用、进口税率、应对突发事件设立的风险费用等。

5. 汇率波动

采购方必须就采用买方国家的货币还是供应方国家的货币作出选择。如果交款时间比较短,就不会出现汇率波动问题。但是如果交款时间比较长,汇率就会产生比较大的变动,交货结算时的价格相对合同签订时就会有很大的出入。1973年后,国际上开始实行自由浮动汇率。由于政治、经济和社会因素的影响,汇率变化较快,所以在签订合同时,采购方应预测从当前到付款这段时间内汇率会如何变动。

6. 付款方式

国际采购在付款方式上有着自己的独特性。出于降低风险的考虑,国际供应商往往要求对方在订货时或订货前支付货款。国际贸易结算方式一般有三种:国际汇兑结算、信用证结算和托收。国际汇兑结算是一种通行的结算方式,它通过银行将款项转交收款方;信用证(Letter of Credit,L/C)是国际贸易中最主要、最常用的支付方式,是指开证银行应申请人的要求并按其指示向第三方开立的载有一定金额的、在一定的期限内凭符合规定的单据付款的书面保证文件;托收(Collection)是出口人在货物装运后,开具以进口方为付款人的汇票,委托出口地银行通过它在进口地的分行或代理行代出口人收取货款的一种结算方式,属于商业信用。无论采取哪种付款方式,都存在一定的违约风险,因此在交易前,了解对方的经营状况和商业信誉是十分必要的。

7. 质量检验

采购的物资质量能否达到我们预期的技术要求。所以采购的物资在生产过程中应跟踪其生产的质量,在生产完成后发运前,应对物资按合同规定的《产品检验控制标准》进行检验,并填写相应的产品检验报告。检验合格后,方可安排送货。若采购物资检验不合格,应及时与供应商进行沟通处理。

8. 关税

关税是进出口商品在经过一国关境时,由政府设置的海关向进出口国所征收的税收。它具有强制性、无偿性和预定性等特点。所以关税是国际采购成本的主要组成部分,在大多数普通商品中,报关费、清关费、保险费、商检费等通常情况下所占采购成本的比例不大,即除了商品本身离岸价外,主要考虑成本因素的就是运输、关税和仓储费。

9. 国际运输方案

运费是国际采购货物抵岸总费用的一个重要的组成部分,如果国际采购的货物要取得预期的效益,买方必须将其运输费用降至最低水平。除商品本身的因素外,其他影响国际运输费用的两个主要因素是运输的距离和运输方式。国际采购物资的运输,供应地的距离较远,距离越远运输费用越大。而决定运费的关键在于运输方式的选择。国际货物运输方式包括海洋运输、铁路运输、航空运输、公路运输、内河运输、邮包运输以及由各种运输方式组合而成的多式联运。

在国际货物运输过程中,可能会遇到各种不同的自然灾害和意外事故,使货物遭受部分损失或全部灭失,从而给买方或卖方带来不利的经济后果。为了使货物在运输过程中可能遭到的意外损失得到补偿,货物的买方或卖方便需要按合同规定向保险公司办理保险手续。投保人同保险公司订立保险契约,被保险人向保险人按一定的金额投保一定的险别,交付一定的保险费,从而将货运过程中可能遭到的风险交由保险公司承担。

10. 文本工作的费用

美国国际贸易文献委员会与美国运输部合作,进行了一次世界范围内的调查研究,结果表明文本费用十分庞大,公司平均拥有 46 份不同的文本,例如,申请书、发票、运费单、原产地证明、进口许可证、提单,此外还有这些文件的 360 份副本。按照现在国际贸易的交易速度,每年的文本共计要在 70 亿份以上,可想而知,全世界每年因为国际采购而用在文本上的支出是多么庞大了。

11. 法律问题

当进行国际采购时,要确定出口国、进口国的法庭以及第三方的法庭在发生争执时有没有法律权限。国际采购引起的起诉费用昂贵并且浪费时间,越来越多的采购方借助国际仲裁机构来解决贸易争端引发的各种问题。1988年1月1日开始生效的《联合国国际货物销售合同公约》,其目的就是为商品交易提供统一的国际标准。如果与已采用此标准的国家之间的公司进行商品交易,若双方没有达成其他协议,则此标准就是通用的。

12. 语言

在不同的语言环境下,相同的词会有不同的含义,同一个英语单词在美国、英国或者南非的意思会大相径庭。正是因为语言方面的问题,很多公司让经常和非本语种国家的供应商打交道的采购管理人员进行语言培训,以便和国外供应商进行商务谈判。

(四)国际采购程序

国际采购的准备工作

(申请进口许可证、编制国际采购计划、
市场调研—拟定国际采购方案)

↓

国际采购磋商

(询盘→发盘→还盘→接受)

↓

签订国际采购合同

↓

履行国际采购合同

(开立信用证→租船→订舱→催装
办理货运保险→审单与付汇→报关
接货→验收与拨付→索赔)

1. 国际采购前的准备工作

(1)申请进口许可证。

进口许可证制度是我国一种重要的非关税壁垒措施,通过签发进口许可证来限制某些商品的国际采购。目前,我国已取消绝大部分普通商品的进口许可证管理,仅保留少数特殊商品的进口许可证管理制度,但就目前来说,采购方人员仍需了解我国的进口许可证制度。

(2)编制国际采购计划。

国际采购计划规定了拟进行的国际采购业务的基本要求,它的编制标志着国际采购业务的开始。国际采购商品的种类、用途不同,国际采购计划的内容也不同,主要包括:采购单位名称、采购目的、采购商品名称、品质、数量、单价、总价、采购国别、贸易方式、到货口岸,以及经济效益分析等。

(3)市场调研。

市场调研包括对采购商品的调研和对出口商资信的调研。对采购商品的调研要根据商品特点有重点地进行,如对一般商品来说,主要调查商品的适用性、可靠性、价格、质量、成分、货源等内容,并予以全面分析和综合考虑;而对大型机器设备及高新技术商品,则要注意调查其技术的先进性。对供应商资信的调查包括:供应商对我国政府的态度、目前的经营状况、以往交往中的信用、生产能力、技术水平等。一般来说,应选择资金实力雄厚、技术先进的大公司作为贸易伙伴,避免通过中间商转口。

(4)拟定国际采购经营方案。

国际采购经营方案是采购公司在国外市场调研和价格成本核算的基础上,为采购业务制定的经营意图和各项具体措施安排。内容包括:采购数量和时间安排、采购交易对象的选择和安排、采购成交价格的掌握以及采购方式和采购条件的掌握。

2. 国际采购磋商

国际采购磋商是国际采购业务的重要阶段,在此过程国际采购商与数家交易对象分别进行磋商,通过比价、选择和讨价还价,议定价格。磋商的形式大体分为三种:一是书面磋商形式,如往来函件、电报、电传、传真等;二是口头洽商形式,如参加各种博览会、交易会洽谈会以及出访;三是行为表示形式,如在拍卖行、交易所等场合所进行的货物买卖。不管磋商的形式如何,从程序上看,一般都要经过四个环节:询盘、发盘、还盘和接受。

(1)询盘。

询盘(Enquiry)是指交易的一方向另一方询问购买或出售某几种货物的各项交易条件的表示。询盘的内容可涉及价格、规格、品质、数量、包装、装运条件以及索取样品等,多数询盘只是询问价格,因而业务上常把询盘称作询价。

在实际业务中,询盘只是探寻买卖的可能性,所以在法律上没有约束力,询盘一方对于能否达成协议不负有任何责任。询盘人可以同时向若干个交易对象发出询盘,但合同订立后,询盘的内容是磋商文件中不可分割的部分。若发生争议,也可作为处理争议的依据。

(2)发盘。

发盘(Ofer)也称为"报盘""发价""报价",是指交易的一方向另一方提出购买

或出售某种货物的各项交易条件,并愿按这些条件达成交易、签订合同的一种肯定的表示。一项法律上有效的发盘必须具备四个条件:

①向一个或几个特定受盘人提出订立合同的建议。

②发盘人须标明接受按发盘条件与对方成立合同的约束意旨。

③内容必须十分确定,一旦受盘人接受,合同即告成立。如果内容不确定,即使对方接受,也不能构成合同成立。

④发盘必须送达受盘人,如发盘在传递中遗失以致受盘人未能收到,则该发盘无效。

⑤发盘可以是应对方询盘的要求发出,也可以是没有询盘的情况下直接向对方发出。发盘一般是由卖方发出的,但也可以由买方发出,业务上称之为"递盘"。

⑥发盘一般都规定有效期,只有在有效期内被受盘人接受才有效。发盘在送达受盘人之前,可以撤回或撤销。

(3)还盘。

还盘(Counter-offer)是指受盘人收到发盘后,对发盘的内容不同意或不完全同意而提出修改建议或新的限制性条件的表示。一笔交易,有时要经过多次的发盘、还盘、再还盘才能敲定。值得注意的是,还盘实际上是对原发盘的拒绝表示,原发盘即告失败,此时还盘成为一项新的发盘。因此,交易的一方在收到对方的还盘或再还盘后,要将还盘或再还盘连同原发盘的内容认真核对,找出其异同,仔细商讨,不宜急于求成。

(4)接受。

接受(Acceptance)是指受盘人无条件地同意发盘人在发盘中提出的交易条件,并同意按照这些条件订立合同的一种肯定的表示。一项有效的接受应具备以下四项条件:

①接受必须由特定的受盘人作出。

②接受必须用一定的方式表示出来,可以是口头或书面的声明,也可以是某种行为。

③接受通知必须在发盘的有效期内送达发盘人。

④接受必须与发盘相符,对于某些非实质性变更内容仍构成有效接受。

3. 国际采购合同的签订

我国企业国际采购主要采取购货合同和购货合同确认书两种形式。购货合同是书面合同中内容最详细、条款最具体、格式相对稳定的一种形式,主要用于大宗业务。购货合同确认书是一种简式合同,与购货合同具有同等的法律效力,主要用于小批量业务。

(1)合同内容。

①约首。

约首即合同的首部,包括合同名称、合同编号、签约日期和地点、买卖双方名称和地址等。

②文本。

文本部分是合同的主体,其主要条款包括主要交易条件和次要交易条件。主要交易条件往往涉及商品的品质、数量、包装、价格、交货条件、运输、保险、支付方式等,次要交易条件作为主要交易条件的补充,涉及商检、违约、索赔、不可抗力和仲裁等方面的内容。

③约尾。

约尾即合同的尾部,通常载明合同使用的文字及效力、合同正本的份数、附件及其效力,以及有正当权限的双方当事人代表的签字。

购货合同的主要内容标的物条款涉及商品的品质、数量和包装条款。品质条款涉及商品的名称、质量的规定方法和品质机动幅度及品质公差;数量条款主要涉及重量的表示方法、计量单位和溢价条款;包装条款主要包括包装的种类、包装的标志等内容。贸易术语属于价格条款内容。

(2)价格条款。

价格条款是购货合同的核心条款,价格由单价和总值两部分构成,同时还涉及支付货币的选择等。

①价格。

国际贸易中单价一般由四项内容构成:计价货币、单位价格金额、计量单位和贸易术语。

②支付货币(计价货币)。

进口贸易中支付货币应该采用软币,即一定时期内一直趋向贬值的货币。如果采用硬币,最好能采用即期交易,缩短对外付汇的时间;如果采用软币支付,则最好采用远期交易,延长付汇时间。

(3)装运条款。

装运条款是买卖合同的重要条款,通常包括交货时间、装运港/地、目的港/地、能否分批装运、能否转运等内容。

例如:Shipment:During May/June 2010 in two equal monthly lots from New York port to Shanghai port, with transshipment not allowed.(装运条款:2010年5~6月份装运,分两等批,每月各装一批,从纽约港运至上海港,不准转运。)装运时间最好明确且具体,不要采取即期(immediate)、尽快(as soon as possible)等字样;分批装运中如果有限制批次、装运时间和每批装运量的规定,出口方其中任何

一批不符合约定,则该批和以后各批均告失效,需要买方通知开证行接受存在不符合单据后才默认开证行对于信用证内容的修改,该批和以后各批次才会恢复有效。

合同和信用证关于分批装运和转运的规定不同:合同中如果没有规定允许,则属于不允许,而信用证如果没有相反的规定,则认为允许。因此最好在合同与信用证中明确规定是否允许分批装运和转运。

(4)保险和支付条款。

保险条款主要涉及货物运输途中的风险和造成的损失,保险金额以中国保险条款(C.L.C)和英国协会货物保险条款(LC.C)的主要险别和保险的范围为依据,如果由进口方购买保险,通常不需要对货物加成。支付条款通常包含支付工具和支付方式两个方面。支付工具涉及汇票、本票和支票,国际贸易中主要运用汇票,支付方式主要有汇付、托收和种方式。

4. 国际采购合同的履行

国际采购商需履行合同的主要内容有:开立信用证、租船订舱、催装、办理货运保险、报关与接货、验收与拨付等,如出现损失还需办理索赔。

(1)开立信用证。

买方履行国际采购合同的第一项程序是要按照合同的规定时间开立信用证。具体手续是:买方按合同规定的内容,填写开具信用证申请书,连同国际采购合同副本或复印件交中国银行;中国银行根据国际采购合同的规定,审查开证申请书,无误后便开立信用证外。对此,要注意以下几点:

①开证内容必须与国际采购合同一致;

②开证时间要严格按合同规定的时间办理。迟开,不仅要承担违约责任,还推迟了开证时间;早开,固然为供应商欢迎,但采购方会增加费用支出;

③如果开证以对方提供出口许可证(影印本)或履约担保书为条件,则必须在收证方已确实领到许可证或担保书的正式通知后方可开证;在某些特殊情况下,必须先开证的,也可先行开证,但要在证内附列该证必须在受益人交验许可证或交付保证金后才能生效的限制性条件;

④信用证开出后,如果需要修改,无论由买卖双方中的哪一方提出,均应经双方协方可办理;

(2)租船、订舱与催装。

在开出信用证后,买方应及时委托外运公司办理租船订舱手续。手续办妥后,应迅速将船名、船期通知卖方,以便卖方备货装船,做好船货衔接工作。同时,买方还应了解和掌握卖方备货和装船前的准备工作情况以便做好催装工作。必要时,还可委托我驻外机构(企业)或派员前往就近了解、检查、督促卖方按时履行交货义务。

货物装船后,卖方应按合同规定及时发出装船通知,以便买方提前办理保险和接货等各项手续。如果卖方未发出或未及时发出装船通知,同样要承担违约责任。

(3)办理货运保险。

按 FOB 条件成交的国际采购合同,办理货运保险是买方的责任。具体手续由买方委托外运公司办理。每批国际采购的货物,买方或外运公司在收到国外装船通知后,应将船名、提单号、开船日期、货物名称、数量、装运港、目的港等内容通知保险公司,办理货运保险手续。

(4)审单与付汇。

货物装运后,卖方需将汇票和货运单据交送交出口地银行议付,议付行随即将汇票和货运单据转寄中国银行;中国银行在买方的配合下,对单据进行审核,如果符合信用证规定,便向国外付款;如有不符,应立即要求国外议付行改正,或暂停对外付款。按惯例,银行付款后才发现有误,不能对外国银行行使追索权。所以,审单工作一定要认真细致。同时,买方应立即按国家外汇牌价向中国银行购买外汇,赎取单据,以便报关、接货。

(5)报关与接货。

国际采购货物抵达目的港后,买方应及时办理报关、接货手续。海关凭进口许可证或报关单查验,确保货、证无误后放行。买方接货的主要流程为:申报→查验→征税→放行→结关。国际采购货物的报关、接货等工作一般由采购方企业委托外运公司代办。

(6)验收与拨付。

国际采购货物在卸船时,港务局要核对卸货,如发现缺少,应填制"短卸报告"交船方签认,作为索赔的依据;如发现残损,应将货物存于海关指定的仓库,由保险公司会同商检机构检验并作出处理。国际采购的货物经过检验后,由买方委托外运公司提取货物并转交给订货单位。

(7)国际采购索赔。

国际采购货物都要进行检验,如果发现其品质、数量、包装等方面不符合合同规定,应当进行鉴定,然后根据合同向供应商或承运人甚至是保险公司提出索赔。

二、属地采购

属地采购主要是指依靠项目所在国或所在地区的物资资源,就地或就近安排采购。属地采购具有大幅缩短采购周期、规避进口国采购风险的优点。

目前,我局境外工程项目基本在经济及工业相对比较落后的国家和地区,各种资源相对短缺,在对所在国进行充分考察的基础上,对比属地采购与异国采购在质量、综合成本、交货期等方面的优缺点,并综合考虑异国采购物资进入项目所在国的法律、政策等限制条件(比如实验、认证、清关等因素),确定实施属地化采购的范围。

一般来讲,各类地材、油漆、油料、水泥、各类普通五金、工器具等需要当地采购。

(一)属地采购注意的事项

其一,属地项目市场考察与国内有所不同,属地化采购考察内容应包括项目所在国的相关法律、商业惯例、风俗、禁忌及与采购有关的基本税务知识。考察中应充分利用业主、监理、当地中资公司、行业协会等挖掘供应商及优秀资源。

其二,提前熟悉招标文件、工程规范要求、掌握验收程序和验收标准,了解当地物资材料的执行标准,便于同国内标准对比转换。在选购材料时有的放矢,重点选择。一方面要求熟悉合同条件,了解工程需求,一方面要与工程管理、监理等方面的人员进行沟通协调,在采购前做好准备工作。

其三,对比属地采购与国内或异国采购在质量、综合成本、交货期方面的优缺点,并综合考虑物资设备进入项目所在国的相关法律、限制条件、实验认证、清关、关税等因素,确定属地采购范围及采购地,在提报计划时注意区分。

其四,熟悉当地的交易规则,有利于属地化采购。比如通常采用的付款方式、发票的开具,违约的一般处罚程度、零星采购采用现金支付的优惠程度。

其五,可根据项目情况,招聘熟悉当地市场的外籍采购助理,可以更好的挖掘市场及优质供应商。

其六,属地化采购合同条款的设定,根据以往的经验,选择一套适合不同物资采购的合同版本,组织财务部、工程部、合同部、当地法律咨询人员(如有),根据当地的法律、税法对风险进行识别,设定采购的通用条款。

其七,加强属地化采购的培训。根据公司的规则制度及当地的法律法规、施工主体合同编制属地采购流程、办法及课件,实时对采购人员进行培训。同时加强英语的学习,提高中方人员的沟通能力。

(二)属地化采购优点

其一,属地化采购是国际工程项目物资采购的重要渠道,是有效利用国际资源的体现。

其二,随着国内物资价格的上涨及海运成本的上涨,部分物资实施属地化采购具有降低采购成本的作用。

其三,做好属地化采购的前期准备和筹划,熟悉采购流程,有效地节约了采购时间,保证了项目的施工进度需求。

其四,属地化采购执行的是本地技术标准,避免了因技术标准差异产生的质量分歧。

其五,属地化采购对出现的质量问题能够及时联系厂家进行解决退换,降低项目的损失,根据项目需求采购,有效地降低了库存成本。

案例分析

蒙古某项目工程部提报的材料需求计划中,需要采购2万平方米钢丝网片,原计划准备从国内采购,经调查国内市场采购价约为21元/平方米,但是通过我们对当地市场的调查,该项板材当地市场有销售,销售价约为26元/平方米,价格较国内采购价格略高,但是从国内采购需要增加运输费(3万元)、关税(按合同额的10%考虑)等其他费用。

分析:国内采购运输到项目后的单价约为24.5元/平方米,这并不包括清关费、人员的工资、仓储等费用。从当地采购还可以根据现场实际需要量进行多次分批采购,这样可以避免从国内采购出现的库存、货物积压,或因计划不准造成的剩余等。

第七节　海外项目现场管理

一、物资管理

海外项目物资现场管理是指在海外项目施工生产中国内采购所需的各种材料、设备在生产经营中的采购、监造、商检、集港、出口报关、运输、清关费用审核及结算、清关、保管、发放、使用等一系列计划、组织、控制等管理工作的总称。国外采购主要是合同谈判、标准的统一、适用的合同条款及付款结算等一系列管理的总称。国内外采购物资满足质量标准,效益至上。物资管理的主要任务是要做到物资供给及时、采购产品满足标准、消耗可控、运输及费用合理,以保证项目施工生产正常进行,从而取得更好的经济效益。

(一)国内采购物资管理

海外项目大多为EPC建设项目,工程建设项目的设计、采购、施工都是由总承包方来实施的。施工物资采购大部分来自国内生产,因此控制好国内物资的采购、产品的质量、成本尤为关键,因此必须加强国内物资的采购管理工作,具体显现在以下几个方面:

1. 充分开展前期市场调查工作

项目实施之初，必须对照合同量清单及掌握的有关技术标准开展市场调查工作，国外的市场调查重点不仅要对采购产品采用的标准、式样、国内的制造厂家名称等进行广泛的调查，还应对所在国进出口政策，相关法律法规进行了解，并及时更新。国内的调查工作重点是采购产品的质量标准是否与国外的标准匹配和兼容，对国内生产的产品在海外的供货业绩及产品价格进行彻底摸排调查，为后期的物资集中采购奠定基础。综合国内外市场调查形成初步结果，筛选出满足国外标准的厂家的报价，有针对性地对项目的盈亏情况进行总体分析与预测，大致了解项目成本情况。结合项目相关的管理费用及运输成本初步制定好物资成本预算，为后期物资成本控制提供参考依据。

2. 加强设计联络，优化设计方案，节约物资成本

海外 EPC 建设项目，设计是龙头，如何充分利用好设计工作是推动物资采购成本节约中很重要的一个环节。因此重点做好设计联络工作，分阶段组织召开设计联络会，可以邀请国内相关生产厂家一道参与，共同探讨优化设计方案，为采购产品的成本控制提供技术支持，促进项目物资成本的节约。

3. 物资计划的编制

编制物资计划具有及时性、预见性、完整性、规范性和严肃性。海外项目运距长、环节多，存在许多未知的因素。因此编制海外物资计划时充分考虑产品的制造时间及运输时间，要做好全面的调查和分析。国内物资的到达一般要经过排产计划的下达、驻厂监造、集港、商检、出口报关、运输、清关等一系列的环节，具体根据不同国家的运距做好充分的考虑，及时编制和提报物资计划。

编制物资计划要充分考虑产品的配套性及兼容性，以便于分部分项工程产品到达后能够及时进行施工生产。对于部分易损、易耗的产品做好充分的计划预估，为海外施工生产提供帮助。

海外项目大多是国内融资和贷款项目，存在一定的资金风险。因此，在提报计划时候，要综合考虑，坚持"以收定支"的理念，充分发挥资金能动性，不能盲目的一味冒进，要分步、分阶段提报，争取物资达到后"干一片成一片"，不能产生物资到货积压占用资金的现象。

4. 物资采购

根据确定的物资材料计划及技术标准由国内组织集中采购，采购过程做到依法合规，采购程序满足规定要求。在采购过程中，对采购产品的技术标准提供支持，要做好集中采购、确定供应商技术标准的确定工作，确保采购产品满足工程质量要求。

5. 物资品牌的确认

通过国内组织集中采购初步确定的供应商，及时做好采购产品的品牌上报及确认工作。按照海外建设方的要求，做好国内供应商产品的技术标准各种外文版本的翻译工作，及时提报给建设方，并实时跟踪和联系好品牌确认工作，为国内排产计划下达提供帮助。

根据需要快捷便利收集部分国内采购产品样品，第一时间发往国外做好样品展示工作，或邀请业主前往国内对采购产品进行集中确认，为品牌的确定提供进一步的支持。

6. 排产计划的下达及产品监造

物资品牌确认后，根据项目施工生产进度，结合物资需求的急需情况分批次给供应商下达排产计划，时刻跟踪供应厂商的生产进度及制造的工艺质量，发货前要做好产品的验收工作，确保制造产品满足工程需求。

海外项目业主的驻厂监造工作必不可少，因此，要充分做好业主接待和验证工作，确保国内交付的产品满足国外工艺标准，同时也展示了企业的良好形象。

7. 物资运输

国内物资发运之前，充分做好发运物资的相关信息调查工作，合理组织运输，重点做好物资到港名称、收货人、发运方式及运输装置确认，要充分考虑后期物资到港清关相关手续的确认工作，对可能享有关税豁免的相关信息必须核对清楚，确保清关顺利，节约运输成本。

8. 物资清关

(1)海运费用审核及结算。

①海运物流费用都是在清关前先预付，没有预付完不能清关。

物资到港前，一般运输公司会提供预付清关发票清单，包括国内集港及集装箱和清关所有的费用。国内费用主要是集港费用和集装箱费用，具体费用主要有吊柜费、港口费封条及装箱费、船舶港口保安费用、报关费、商检换单费、文件费、集装箱检查费、卸货费、装箱费仓库至港口费用、代理费、集装箱费用等，这部分费用按照运输合同正常收取。国外清关费用主要有保险费、交通费、公路运输费、港口使用费、港口集装箱检查费、检查费、货物代理费、海关费、一般费用、印花税、消费税、货物许可费、沟通费、B/L-验证调度费、耗材、一般费用(结构费用)、商业收入费用等。

②海运物流费用审核国内的部分与国内运输公司部门依据运输合同细目及额外费用确认单进行审核。

国外清关费用依据海运公司提供的标准进行审核，必要时候需邀请有经验的国内海运公司帮助审核，做到核算真实无误。

(2)物资清关。

①清关流程大体包括预清关、准备清关单据、到船代处换单、缴纳关税、出具正本清关单据、缴纳港杂费、码头使用费等。

②清关所需单证包括正本CNCA证书、正本提单、正本箱单、正本发票、商检资(如有需要商检的货物)、清关授权书(需收货人盖章)等。

③物资清关必须在规定的免箱期内完成,否则会产生不必要的滞港费、超期堆存费、意外损失费用等,影响物资运输成本。

9. 物资验收

国内采购的所有材料、设备在到场之前,供应商必须提供该材料的出厂检验报告,该检验报告里面的各项指标参数必须符合本项目所规定的技术规范(中外文两个版本),需先将该材料的出厂检验报告提交给该项目的材料监理工程师,然后等待对方批复同意后方可使用。如果材料监理工程师对提交的材料检验报告有疑虑,应及时与国内供应商联系处理,直至符合该项目规范为止。机构材料监理工程师同意进场的材料到场后必须先自检,到场实物和随车到发货清单及材料质量保证书需一一对应无误,然后提交该车(批)次的材料发货清单及材料出厂质量保证书给材料监理工程师,材料监理工程师根据提交的资料到现场跟实物一一对应,逐个检查,否则不准进场使用。

10. 物资保管

海外项目所在国家大多经济落后、生活水平低、物资稀缺,偷盗现象十分严重,加上海外自然条件及气候比较恶劣,因此要加强物资的堆码和保管工作。验收合格的物资按照仓库管理规定的要求选择适宜的堆码贮存方式、合理苫垫,做到整齐、稳固,并保证必要的通道。标识、标志齐全明显,防止发生变质、锈蚀、损坏、霉烂、虫蛀等现象,维护材料的使用价值,确保储存安全。此外重点加强库房的看管工作,雇佣当地信誉好的保安公司加强库房安保管理,并加设监控、报警、电网等库房物防措施,防止材料被盗和丢失情况的发生。

11. 物资的发放

实行有权领料人制度,各用料单位(班组)委派1~2人为有权领料人(附该领料人身份证、委托书等有效证件),负责该用料单位的领料、交接、盘点、相关签认工作,有权领料人名单以书面形式报交物资部。物资部不得对非有权领料人发放材料。在物资发放过程中坚决不允许任何外国人来物资部领料的情况发生。对直接卸在施工现场的物资应由物资部、使用单位(班组)共同验收,填写《材料交接单》,使用单位(班组)应对该物资负保管责任。如果使用单位(班组)发生材料丢失情况,应给予加倍的处罚。

第十章 海外项目物资采购及现场管理

12. 物资核销及分析

每月末物资部门根据工程部按分部、分项工程提供的用料单位(班组)施工用料清单、工经部门合同规定的消耗定额、领用清单、库存清单进行物资核销工作。钢结构加工的物资核销应凭加工通知单、成品验收单、材料领用清单、库存按其结算周期进行核销,对超耗的用料单位(班组)及其超耗原因进行认真分析,总结经验,找出解决的办法在后面的施工过程中加以控制。

13. 物资资料管理

各种物资资料管理必须按照集团公司物资管理办法及海外物资管理的特点,做到物资账、卡、单据、凭证等必须正确、规范填写,做到记录清楚、准确、传递迅速。及时分类装订成册,做好登记并妥善保管,不得随意销毁。每月按时填报公司规定的各种报表并及时上报。

(二)属地采购物资管理

海外项目国家大多经济落后、资源匮乏、价格昂贵。因此,当地采购物资在项目成本所占的比例较小,除非有的项目在工程总承包合同注明必须在当地采购,否则一般都是从国内采购,一般辅助及应急的物资可以考虑从当地采购。可以从以下几个方面加强属地采购物资的管理:

1. 加强市场调查和谈判工作

首先对辅助及应急物资要做到逐个了解和对比分析,筛选出满足工程质量需求的供应商,从价格、质量、服务等方面采取针对性一对一的洽谈工作,做到优质低价,控制国外物资采购成本。

2. 提高计划的准确性

海外项目所在国家资源匮乏,产品的价格比较昂贵,因此必须提高计划的准确性,防止因计划不准确造成的产品浪费,增加项目成本支出。

3. 加强信息沟通,采取联合谈判

随着"一带一路"沿着高质量发展方向不断前进,"走出去"的中资企业日趋增多,要充分利用好有利资源,加强信息交流沟通,采取联合谈判或借鉴其他中资企业的谈判结果与当地供应商进行磋商,争取效益最大化。

4. 拓宽采购渠道

随着国际形势的变化,许多国际贸易采购供应链系统应运而生,可以综合比较各种国际贸易采购方式,争取在采购价格及服务上做到利益至上。

5. 采购合同的规范性

由于海外项目所在国与我们国家的体制、教育文化及适用的法律法规不同,在合同签订过程中,我们国家适用的合同条款与他国存在一定的差异。因此做到采购合同规范性很重要,坚持"求大同,存小异"原则,重要的、关键的合同条款必须表达清楚、不含糊,防止合同纠纷带来不必要争端,杜绝合同欺诈。

6. 采购发票符合财务制度要求

海外物资采购之前,物资人员必须充分了解和掌握项目所在国财务报销制度的有关规定和要求,对发票的规范性、真实性、完整性要有清醒的认识,在物资结算前必须取得经验证合格的发票方可办理物资结算。

7. 适应不同国别的物资付款及结算

当地材料采购的付款及结算各个国家所需的货币不一,美元是一种通用的中间转化计算货币,但存在兑换及不足的现象。因此,针对不同国别货币兑换方式进行综合对比,争取兑换效益最大化,必要的时候可以通过人民币与各国的汇率差进行计算及结算。

8. 国外采购现场收发及核算管理

参照国内采购物资到达后的现场物资管理模式,加强现场物资收发及内业管理,及时登记相关的账务处理,坚持材料核算与分析,节约物资采购成本。

二、机械管理

目前,我国大多数施工项目均在亚、非、拉等欠发达国家,这些国家的工业基础欠发达,所以海外施工的机械设备基本都是从国内购置,由于项目所在国的国情、法律、地理位置及气候条件不同,这就对机械设备的配置与管理提出了很高的要求,机械设备的配置也对施工工期、项目效益将会产生非常大的影响,而且在这过程中产生的失误,大部分是无法弥补和挽回的,因此机械设备的管理工作对于海外工程项目显得尤为重要。

(一)机械配置管理

设备配置及采购等前期管理包括了调研、论证、配备、选型、招标、采购等一系列工作,对海外工程项目施工的成败起着至关重要的作用,因此要高度重视。这方面的管理主要包括:

其一,在编制项目设备配置方案之前,一定要对项目所在国家的政治、经济、文化、风俗、气候做全面了解,还要认真研究与业主签订的工程承包合同中有关设备的强制条款,并对当地的设备供应及租赁市场做实地深入调查。在考虑工期的前提下,作出综合判断及经济分析比较,制定一份详细的设备配置清单,要标明设备的来源(国内购置或当地采购),注明新产品或二手机械,或者当地租用及进场时间。注意在做经济分析比较时,国内采购成本一定要计算设备的各项运费,包括从国内产品供应地至港口的运输费、装卸费、报关费、海运费等,以及到港后的清关费、路运费等。

其二,设备配置在遵循"满足需要,经济合理"原则的前提下,尽量"宁多勿少",有一点富余储备,这一点不同于国内施工项目。这主要是考虑到施工国家社会资源不丰富,机械租赁市场不发达,即使有出租,单价也会非常高(如在提供燃油的情况下,TY220推土机每小时租费达80美金,1立方米的挖掘机每小时租费达90美金),临时应急可以使用,但长期租用绝对不合算。如果前期的设备配备不足,再联系从国内或第三国购买,周期会很长,耽误工期;二则费用也会很大。

其三,选用的设备尽量是同型号、同生产厂家的,即使不是同一厂家生产的设备,其发动机及变速箱主要附件尽可能选用同一厂家生产的,从而为今后的配件储备、修理及使用管理提供方便。

其四,从国内订购工程运输车辆时,一定要了解清楚当地对方向盘置式有无明确的强制规定。如果有,一定要通过合同要求生产厂家在国内按约定进行改造。

(二)操作人员管理

通过培训提高操作人员的技术水平。随着科学技术的不断发展和新技术、新材料、新工艺的广泛应用,工程机械的种类更加齐全,结构更加复杂,对工程机械操作人员的要求也有新的提高。在海外施工过程中,操作人员不仅要懂得工程机械的结构组成、原理、性能、掌握操作技巧,而且还要有工程机械的故障快速诊断和维修能力。操作人员良好的技术水平可以在很大程度上提高工程机械的利用率和完好率,避免因人为因素造成工程机械的损坏,缩短工程机械的维修时间,延长维修周期,为项目创造良好的经济效益。

在机械操作人员配备中,大型、关键设备尽量安排国内人员操作,数量比较多、对操作技能要求不是很高的设备可雇佣当地劳工操作,但必须由项目员工负责现场日常管理,比如大型运输车辆、推土机等。

(三)配件管理

在海外项目施工过程中,需加强机械设备配件供应管理。由于施工项目远在海外,设备配件供应周期很长,机械管理人员需提前把设备的易损件、易耗品提报计划采购。配件配置要遵循"满足需要,适当超前"的原则,留一定的富余储备。以避免从国内空运或当地购买造成成本增加及工期延误。选用的设备尽量是同型号、同生产厂家的,为今后的配件储备、修理及使用管理提供方便。避免因为配件的供应不及时、质量不合格、尺寸不一致和数量不够等因素造成设备的停机或者导致设备工作异常、某些总成和零部件的损坏,产生更加严重的后果,造成经济损失。库内存放配件要求摆放整齐、牢固,标识清晰并定期盘存、账物相符。避免需要更换配件时,盲目再从国内急件空运。

(四)机械设备维护与保养

1. 建立有效的机械管理机制

工程机械的维护保养质量是工程机械使用的前提和基础,工程机械在长期的使用过程中,机械内部零部件磨损、间隙增大、配合改变,工程机械应有的静平衡和动平衡被破坏,工作稳定性、可靠性和机械的工作效率都显著下降,甚至会造成某些总成和零部件的永久性伤害。因此需建立有效的管理机制,加强对工程机械的维护保养的管理力度,严格落实各项规章制度,根据工程机械近阶段的使用情况和完好状况,制定工程机械的保养计划,由专人负责和检查,按时按级做好工程机械的维护保养工作,定期进行维护保养情况检测,并认真做好工程机械的维护保养记录。

2. 针对所处位置的自然环境的影响制定相应的措施

在热带地区施工时,酷热、施工工地灰尘大等因素都会对工程机械的正常使用造成很大的影响,采取必要的措施对工程机械进行保护。需针对当地条件,通过制定制度并监督落实,加强机械设备橡胶件、轮胎、空气滤清器等配件的清洁与更换频率,保证机械设备的使用寿命。

3. 做好设备原始资料的保存工作

将所有到场机械的资料(产品说明书、使用手册、零部件目录以及装箱单、商业发票、原产地证明、当地海关的清关文件的复印件等)全部收集齐全并整理保存,为日后的使用提供及维修保养便利条件。

(五)机械设备的安全管理

1. 建立机械责任制

大型、专用设备要定人、定机、定岗,中小型机械设备实行班组负责制,建立机械责任制,停用机械要有专人管理,切实做到台台设备有人管,认真填写设备使用纪录。

2. 培养操作人员的安全意识

签订安全生产包保责任书,提高操作人员的安全生产意识,使之自觉遵守安全条例和规定,切实做到四不伤害:不伤害他人、不被他人伤害、不伤害自己、保证他人不被伤害,进一步杜绝了违章指挥和违章作业的现象,保证机械设备安全正常地工作。

3. 搞好机械自身安全

定期、不定期对机械进行检查，发现隐患及时整改。操作人员在操作机械过程中按要求严格执行班前检查制度，保证了机械各部件正常运转。

4. 做好机械防护

机械停放场地符合安全要求、停放位置合理；能适应机械运动所需的空间，周围环境对机械运动不构成危险；场地平坦、坚实，机械能进能出，能便于在紧急情况下疏散；消防器材布置合理，并在周围及机械出入口设立警示标志。

(六)油料管理

在海外项目施工中，油料不仅是保障施工车辆正常运转的重要物资，在无外电提供的欠发达地区，还是项目生活、生产用电的重要保障，科学合理地使用油料可以最大限度地提高项目的经济效益。

1. 科学制定定额标准

根据实际测量和设备的性能参数、作业特点、历史信息对各类型设备设定一个油耗基准值，作为该类型设备的油耗标准，并在实践中不断完善定额管理。通过有效的激励和约束机制以及严格的考核制度，降低油料消耗成本。

2. 油料集中管理

海外项目施工由于汇率变化及当地油料供给能力等因素，油料价格波动较大，宜在确保安全的前提下建立油库，既可以保障油料的供给，又可以在当地油价较低时进行储存，降低油料成本，确保施工生产正常进行。

三、海外项目物资成本归集和管理

中国公司在境外的项目，按照中国会计制度的要求在向其母公司上报会计报表时，要按照中国会计制度的相关规定调整后上报，而海外项目在项目所在国还需按照当地的法律法规、税法及会计制度做一套财务账。因此，海外项目在成本归集方面存在内外两本账，由于依据不同，两本账就存在差异，施工单位首先应认真研究当地的法律法规、税法、会计制度，按照项目所在国会计制度建立起标准的外账核算体系，搭起内外账会计科目及核算事项对应关系，建立规范严格的内外账会计业务流程，过程中不断查找和分析差异产生的原因，提出解决办法，尽量缩减差异范围。海外项目物资管理部门应积极与财务部门沟通，从以下几点加强物资成本归集和管理：

(一)准确及时配合财务部门做好物资成本资料收集和登记入账工作

国内采购物资列入外账成本一般由"采购价格＋国际海运费＋保险费＋关税

＋其他各种税费"组成,因此物资管理部门应及时准确收集物资进口所需的形式发票、所在国进口报关单、国际海运费形式发票、关税及各种税费的交款凭证发票,按批次详细登记做好台账记录,留存复印件,原件交由财务部门。在项目所在国当地采购的物资要按照所在国的税率、税种及时索取正规发票交由财务部门办理抵税,同时物资管理部门应及时点收入账,只有及时入账才能及时出账,项目物资、财务人员必须时刻保持沟通,分清不同账务的物资价格,对于物资账务应采用双语台账管理,保证入账金额前后的合理性,做好当地税务部门审计的准备。

(二)坚持材料核算

坚持"月度核算、季度分析、工程结束总结"材料核算制度,规范发料流程,保证材料发出与工程进度的匹配。每月末,物资部门根据工程部按分部、分项工程提供的用料单位(班组)的结构工程量、施工用料清单、合约部合同规定的消耗定额、领用清单、库存清单进行物资核销工作,配合财务系统内账进行成本分析。对超耗用料单位(班组)的超耗原因进行认真分析、总结经验,找出解决的办法并在后面的施工过程中加以控制。

(三)及时关注所在国的汇率变化

境外项目国家随着政局、体制及经济环境的变化,汇率时刻都在发生着变化,因此要随时了解和掌握此类信息的变化,前后方加强协调沟通,共同做好物资市场调查和比较分析,有选择地在项目所在地进行物资采购。

(四)积极做好出口退税工作

积极做好出口退税工作,重点在物资的商检、报关阶段如何做好出口退税的前期谋划工作,通过物资基础资料合理选择海关 HS 编码,同时要求出口报关单、物资采购合同、增值税专用发票必须相互对应统一,配合财务部门通过出口产品退税系统录入,按照不同产品退税比率完成退税工作。

(五)掌握境外国家法律政策,有选择地进行转移定价策略

由于各国政府制定的税法不同,征集税种不一、税率不同,这就为利用转移定价进行合理避税创造了条件。一般来说,实施转移定价策略主要目的是为了设法减少项目所在国的所得税和关税的缴纳,合理避税,使企业整体效益最大化。

由于国情不同,不同的国家对于转移定价的控制程度和检查风险不一样,针对出口国家而言,需承担相应的风险。一般国家都针对该国的进口物资,建立有专门的价格信息数据库,按季度或年度更新价格信息,用以核对进口物资价格的

合理性,首先应充分掌握项目所在国海关价格系统相关信息及关税税率,通过测算在合理的范围内采用转移定价策略。

1. 减少所得税缴纳

由于企业征收所得税的课税对象是利润所得,对于所得税税率征收较高的国家,如国外项目性质或项目所在国进口的物资设备是免税的,则可在该国的进口物资海关价格信息库合理范围内采取调高出口物资转移价格的方法,增加经营成本,达到降低其利润的目的,减轻所得税负担。

2. 减少关税负担

各国关税多采用从价计征的比例税率,即以进口商品的价格乘以关税税率计算征税额。因此,在合理范围内采用调低出口物资转移价格的方法,用比实际进购价低的形式发票报关,便可少支付项目所在国的海关关税。

3. 转移定价应考虑综合收益

当利用转移定价避税时,规避关税和规避所得税这两者之间存在矛盾,如将转移价格低定,可以减少关税,但却会增加企业所得税,因为低价进货必定增加利润,少交关税更可以提高利润水平,而利润的增加势必将造成所得税的增加。这种情况在海外工程承包中最为常见,因此我们在向海外工程发运物资前,必须将项目所在国的关税税率和所得税税率准确调查清楚,然后综合计算对应于各种价格转移定价所引起的关税和所得税的降低值,在经比较选取具有最佳收益的价格转移方案,否则转移定价的运用可能会给企业带来得不偿失的结果。

(六)选取最有利于项目的固定资产折旧方式,让固定资产成本充分进入成本

境外企业固定资产管理是物资管理中很重要的一环,保证固定资产充分计入成本,可以减少项目税负,减少不必要的支出,保证项目收益。

(七)严格按照项目所在国的法律法规办理备案、申报、年度结算等各项工作,规避重大税收风险及运营风险

参考文献

[1] 高成兴,朱立南,黄卫平. 国际贸易教程[M]. 5版. 北京:中国人民大学出版社,2015.

[2] 韩玉军. 国际贸易学[M]. 2版. 北京:中国人民大学出版社,2017.

[3] 薛荣久. 国际贸易[M]. 6版. 北京:对外经济贸易大学出版社,2016.

[4] 智创文化. 新手学外贸——从入门到精通[M]. 北京:化学工业出版社,2017.

[5] 周啸东."一带一路"大实践——中国工程企业"走出去"经验与教训[M]. 北京:机械工业出版社,2016.

[6] 吴薇. 国际贸易实务[M]. 北京:对外经济贸易大学出版社,2013.

[7] 黎孝先,王健. 国际贸易实务[M]. 6版. 北京:对外经济贸易大学出版社,2017.

[8] 冷柏军. 国际贸易实务[M]. 3版. 北京:高等教育出版社,2012.

[9] 马祯,武汉生. 国际贸易实务[M]. 北京:对外经济贸易大学出版社,2014.

[10] 刘秀玲. 国际贸易实务[M]. 北京:对外经济贸易大学出版社,2011.

[11] 唐丽敏. 彻底搞懂海运航线[M]. 北京:中国海关出版社,2009.

[12] 史春林、姜秀敏. 国际海上咽喉要道机器安全保障研究[M]. 北京:时事出版社,2015.

[13] 张良卫. 国际海上运输[M]. 北京:北京大学出版社,2014.

[14] 孙丽萍. 进出口报关实务(2018版)[M]. 北京:中国商务出版社,2018.

[15]《报关职业全国统一教材》编写组. 2017报关职业全国统一教材[M]. 北京:中国海关出版社,2017.

[16] 罗兴武. 报关实务[M]. 3版. 北京:机械工业出版社,2017.

[17] 姚大伟,朱惠茹. 国际货运代理实务[M]. 北京:高等教育出版社,2017.

[18] 张莉娜. 国际货运代理实务[M]. 天津:天津大学出版社,2011.

[19] 黎侨,徐斌华,李琨. 国际货运代理实务[M]. 北京:清华大学出版社,2017.

[20] 李凌,陈永芳. 国际货运代理实务[M]. 北京:对外经济贸易大学出版社,2007.

[21] 郭晓晶,广银芳,朱玉赢. 外贸单证实务[M]. 2版. 北京:高等教育出版社,2014.

[22] 吕时礼. 外贸单证实务[M]. 北京:高等教育出版社,2010.

[23] 徐杰,鞠颂东. 采购管理[M]. 3版. 北京:机械工业出版社,2016.

[24] 陆国俊,王东. 跨国经营中的转移定价[J]. 国际经济合作,2001.